Chiara Barzini

Terremoto

ROMANZO

Traduzione di Chiara Barzini e Francesco Pacifico

MONDADORI

Questo libro è un'opera di fantasia. Personaggi e luoghi citati sono invenzioni dell'autrice e hanno lo scopo di conferire veridicità alla narrazione. Qualsiasi analogia con fatti, luoghi e persone, vive o scomparse, è assolutamente casuale.

librimondadori.it
anobii.com

ISBN 978-88-04-67532-7

Terremoto

A Luca che rende tutto possibile

E a Stefania, Andrea e Matteo
che sono sempre pronti per un'avventura

One gets the impression that people come to Los Angeles in order to divorce themselves from the past, here to live or try to live in the rootless pleasure world of an adult child. One knows that if the cities of the world were destroyed by a new war, the architecture of the rebuilding would create a landscape which looked, subject to specification of climate, exactly and entirely like the San Fernando Valley.

NORMAN MAILER, *Superman Comes to the Supermarket*

Prima Parte

PARTENZA

Uno

Stavo guardando mia nonna, seduta a gambe incrociate e tette nude sulla spiaggia di El Matador, a Malibu, quando mi ricordai che da piccola io e lei pomiciavamo. Lei tirava fuori la lingua e io gliela dovevo leccare. Lo chiamava il gioco del lingua a lingua. Un raviolo molliccio le usciva di colpo dalla bocca in cerca di compagnia. Non potevo dirle di no. L'odore della sua saliva mi repelleva e il gioco non mi piaceva, ma mi era stato detto di farlo lo stesso perché lei era vecchia e io bambina. Andammo avanti così fino ai miei otto anni. La visione dei suoi seni nudi e penduli sulla spiaggia, quel giorno, mi sembrò fuori luogo come la sua lingua nella mia bocca anni prima. Era sempre tutto così nella mia famiglia. Non facevamo mai le cose come si deve.

Ero seduta su uno scoglio davanti alle onde, erano alte e feroci. Nonostante fosse estate, si gelava. La spiaggia era vuota. Odiavo i miei genitori per avermi portata lì. Erano stesi sulla sabbia, le teste appoggiate contro un palo che sorreggeva un cartello: PERICOLO SQUALI. I loro costumi da bagno erano buttati su un pareo di Positano. Prendevano il sole completamente nudi come fossimo in un'isola del Mediterraneo. Il vento mi sputava addosso sabbia e asciugamani. Era così forte che non sentivo quasi la voce di mio fratello ai piedi dello scoglio. I miei genitori invece erano tutti contenti, come se quella situazione fosse esattamente ciò che avevano in mente quando avevano deciso di trasferirci in California. Di certo non era quello che avevo in mente io.

Mia madre tirò fuori dalla borsa due panini mollicci con il Philadelphia e un bottiglione d'acqua calda da un gallone, che aveva comprato giorni prima in una stazione di servizio e lasciato in macchina. L'acqua sapeva di plastica.

«Ragazzi, si mangia.»

Con un cenno ci invitò ad avvicinarci e continuò a sorridere nonostante fossimo visibilmente arrabbiati. Questo ci fece arrabbiare ancora di più.

«No grazie.»

Preferiamo star qui a odiarti.

I grandi si spostarono all'ombra, sbocconcellando i loro panini mollicci, grumi di formaggio spalmabile che si infilavano tra i peli pubici. Mia nonna ci fece la grazia di rimettersi la camicia per la durata del pasto. Non volevo stare lì con loro. Volevo stare con persone della mia età, quelli dello skate park che avevamo visto dalla macchina sulla strada costiera venendo al mare. Se dovevo essere costretta a vivere in quel labirinto di città, dovevo avere il diritto di stare con i miei coetanei. E invece no, ci toccava mangiare insieme, come una vera famiglia italiana.

Era l'agosto del 1992. Tre mesi prima di quel pranzo ventoso sulla spiaggia, nostro padre ci aveva annunciato che saremmo andati a vivere a Hollywood per diventare ricchi e famosi. Quello che però non ci aveva detto era che saremmo andati a stare nella San Fernando Valley, una torrida landa suburbana e desolata che si disperdeva per miglia a nord della città di Los Angeles.

«Chi vuole andare a vivere in un posto dov'è sempre estate?» aveva chiesto a me e mio fratello durante le riprese per una pubblicità di carne in scatola a Roma.

Eravamo stati selezionati in blocco, tutta la famiglia: il nuovo volto della Manzotin. Secondo mio padre quello era un buon segno. Dall'altra parte dell'oceano ci aspettava un destino di ricchezze. Nessuno di noi aveva mai recitato se non come comparsa nei film di nostro padre, ma i produttori della pubblicità avevano insistito. «Siete perfetti! Sembrate proprio parenti!» avevano urlato dopo il provino.

Ci avrebbero persino aumentato la paga per questo motivo. Nostro padre ci fece l'occhiolino. «Bello recitare, no? Facciamo pratica per Hollywood.»

Nella pubblicità interpretavamo la parte di una famiglia italiana tradizionale: figlia quindicenne sportiva, fratello minore un po' strampalato, genitori monogami e stabili, capaci d'amore incondizionato. Pranzavamo insieme su un terrazzo che affacciava sulla cupola di San Pietro: niente onde, vento e squali. La costumista mi aveva attaccato due cerotti sui capezzoli perché la brezza li inturgidiva. Le ragazze che mangiano carne in scatola non possono avere capezzoli duri. Nostra madre Serena, vestita come una casalinga del Sud anni Cinquanta, portava a tavola un'insalatona costellata di carne rossa e cadaverica sulla quale un food stylist – i produttori milanesi lo chiamavano così – spruzzava una patina unta da una bomboletta.

«Questa carne deve essere un'apparizione, un bagliore glorioso» ci spiegò il regista.

Puzzava di cibo per cani.

«Chi ha voglia di un'insalatina di verdure tagliate sottili sottili con tanta carnina, buonina buonina?» chiedeva Serena durante le riprese.

«Io! Io! Io!» urlavamo noi, alzando le braccia al cielo.

«Ho proprio voglia di un pranzetto sano!» esclamava mio padre, saltellando entusiasta verso il tavolo apparecchiato sontuosamente, dopo aver messo da parte il vaso di azalee che aveva appena finito di spuntare.

Masticavamo la carne e la sputavamo in un cestino dopo ogni ciak. Mi piaceva recitare la parte della famiglia perfetta. Amavo vedere mio padre in quel ruolo patriarcale, annaffiare le piante dell'aristocratica terrazza romana affittata dalla produzione. Nella vita reale rifiutava autorità e istituzioni. Indossava camicie rosa e acquamarina, si definiva anarchico, praticava lo yoga e la meditazione trascendentale. Stavolta era costretto a indossare banali vestiti da papà. Per me quelle erano davvero le prove per Hollywood. Dovevamo imparare a diventare una famiglia normale.

Quando dissi ai miei compagni di classe romani che ci saremmo trasferiti in America gli prese un colpo. Dovevo rifiutarmi di andare a vivere in quel paese imperialista. L'America era il male. Punto. La nostra scuola era molto attiva politicamente. Ogni anno gli studenti occupavano l'istituto per protestare contro le decisioni del governo sull'istruzione pubblica. I veri attivisti stampavano volantini, indossavano la kefiah e urlavano slogan comunisti nei megafoni. Tutti gli altri, me compresa, approfittavano della scusa per dormire fuori. Ci accampavamo con i sacchi a pelo nel gelo della palestra, ci facevamo le canne e parlavamo del sistema. Non ci lavavamo per giorni. I corridoi erano coperti di cicche di sigaretta, poster e cartacce unte di pizza al taglio, il nostro unico sostentamento. Le madri dei maschi della scuola venivano di soppiatto al cancello con gavette piene di spezzatini e pasta al sugo. Per non sembrare troppo mammoni, i ragazzi andavano a mangiare di nascosto in bagno.

Una notte Alessandro, il leader politico della scuola, ci svegliò in palestra e ordinò a tutti di seguirlo nell'ufficio del preside.

«Portatemi la ragazza che sta andando a vivere a Los Angeles!» urlò.

Si definiva etiope e rastafariano anche se era bianco e nato a Trastevere. Non si lavava i dread da così tanto tempo che una ciocca di nodi gli si era staccata da sola dalla testa. Dicevano che dentro ci aveva trovato così tanti pidocchi che sembrava un cannolo.

Il vecchio televisore in bianco e nero in fondo all'ufficio del preside mostrava immagini di una città sotto assedio. Era Los Angeles. Alessandro mi guardò annuendo.

«È lì che stai andando.»

Era arrivata la notizia che i quattro agenti di polizia processati per aver pestato brutalmente il tassista afroamericano Rodney King erano stati assolti quel giorno. Tutti avevamo visto le immagini dell'aggressione in TV. Era accaduto in una strada buia di Los Angeles. L'evento era stato registrato per caso da un canadese dai capelli rossi che aveva visto la scena dal terrazzo del suo appartamento. Era la prima volta che qualcuno filmava la brutalità della polizia. Il video era diventato virale anche senza l'aiuto della rete. Il mondo chiedeva giustizia. Ma la giustizia non era arrivata, e così, mezz'ora dopo l'assoluzione, più di trecento persone andarono a protestare davanti al tribunale della contea di Los Angeles. Entro sera i manifestanti erano più dei poliziotti. Seguirono scontri, incendi e saccheggi.

Seduti intorno al vecchio televisore in quella segreteria di liceo, ci sembrava di guardare immagini di guerra.

Il giorno dopo tornai a casa e urlai ai miei genitori che non potevamo trasferirci in un paese dove la polizia aveva il permesso di pestare i cittadini senza subire alcuna conseguenza. Serena ed Ettore avevano fatto politica da ragazzi. Mio padre aveva fatto parte di Autonomia Operaia. Se avevo un briciolo di senso di giustizia politica era grazie alle storie che ci aveva sempre raccontato lui. Pensavo di poter contare sulla loro anima progressista perché cambiassero idea. Mi sbagliavo.

Gli scontri andarono avanti per sei giorni. Guardavo le strade in fiamme dalla televisione del nostro salotto di Roma, e provavo a immaginare la nostra nuova casa da qualche parte in mezzo a quei fuochi. Mentre Los Angeles affrontava la più grande insurrezione americana dagli anni Sessanta, la mia famiglia preparava gli scatoloni per il trasloco. Mia nonna Celeste sarebbe venuta con noi per darci una mano ad ambientarci in California. Camminava per casa scuotendo la testa e parlando con rammarico di tutte le cose che ci stavamo lasciando dietro.

«Poveri ragazzi» continuava a dire guardando me e mio fratello.

Serena spense la TV e mi passò una copia di "Vogue". C'era una foto di ragazzine felici su una spiaggia, in bikini e occhiali da sole a forma di cuore.

«Prova a vedere il lato positivo. Questa potrai essere tu.»

L'aeroporto di Los Angeles era a pochi chilometri dall'epicentro degli scontri. L'aereo scese sulla pista d'atterraggio nella luce del crepuscolo. Nelle strade allineate con le file di case basse e identiche, mancava qualcosa. C'era un'assenza. Cinquantuno uomini e sette donne erano morti negli scontri: sparati, bruciati, pestati a morte, accoltellati. L'aeroporto dove stavamo atterrando era stato chiuso durante gli scontri. C'erano stati grandi incendi in vari quartieri, migliaia di edifici distrutti dalle fiamme. Parecchie zone di quella città famosa per le sue luci erano ancora al buio. I tagli alla corrente durante gli scontri avevano lasciato l'angolo a sud di Los Angeles in un vuoto nero. Ma le tenebre che vidi dall'aereo il giorno del nostro arrivo non dipendevano dalla mancanza di elettricità. L'ordine era stato restaurato, ma parecchi negozi e uffici non sarebbero mai stati ricostruiti. C'era un senso di penombra permanente, come la lampadina di una torcia che si stava scaricando.

Quando ci affacciammo dall'aereo, la città sembrava ancora in fiamme. O forse dovevo solo abituarmi al calore infuocato dei Santa Ana, i "venti infernali" che soffiavano dal deserto. Il sole tramontava oltre la freeway. Dal taxi sulla strada verso casa vedemmo in cielo gli elicotteri della polizia, libellule di metallo che si muovevano puntando fasci di luce bianca sull'asfalto, come in un interrogatorio. C'era poco di accogliente su quelle strade e mio padre lo sapeva.

Ci volle un'ora per arrivare a casa. Mia nonna strinse a sé la borsetta per tutta la corsa.

«Mica ti possono scippare sul taxi» la sgridò mia madre, ma lei non allentò la presa.

«La Señora ha ragione. Siamo a Van Nuys, il barrio Nuys, come dicono le gang locali» scherzò il tassista. «Meglio star sicuri.»

«Visto, Serena?» sospirò mia nonna. «Marida aveva ragione. Non è un posto adatto a una famiglia.»

Marida era la madre di mio padre: era morta pochi mesi prima della nostra partenza, all'età di novant'anni. Era cresciuta bevendo champagne e arrotolandosi perle tra le dita, ma pochi anni prima di morire era stata truffata da un prete del Vaticano che, approfittando del suo Alzheimer, l'aveva convinta a ritirare quotidianamente grandi somme di denaro dal suo conto per darle in beneficenza alla chiesa. Si era convinta di potersi comprare un posto in paradiso e quando morì era rimasto poco della grande eredità su cui contava la mia famiglia. Questa, secondo mio padre, era la ragione per cui, invece di vivere a Beverly Hills come tutte le famiglie dello spettacolo come si deve, dovevamo vivere a barrio Nuys.

Avevamo introdotto illegalmente in America le ceneri di Marida. Erano state divise tra i quattro figli maschi, e anche se mio padre ce l'aveva con lei per non avergli lasciato nulla, essendo superstizioso, pensava che gli sarebbe potuto succedere qualcosa di brutto se avesse lasciato a Roma la sua parte di madre morta. Nel viaggio in aereo gli era apparsa in sogno dicendogli letteralmente di tornare a Roma e scordarsi di Los Angeles e di quell'assurda idea di fare il regista. Da viva si era sempre rifiutata di guardare i film di mio padre. Lui la invitava sempre alle sue prime e l'unica volta che lo presero al Festival di Cannes chiese a sua madre di essere la sua accompagnatrice ufficiale. Mia nonna si rifiutò di andare. Il film raccontava una drammatica storia pasoliniana di una coppia omosessuale. Lei declinò l'invito senza farsi problemi: «Non mi piacciono le storie di pederasti».

Ettore era rimasto turbato dal sogno e disse che sua madre gli aveva rovinato la vita da viva e ora stava cercando di rovinargliela da morta. Avrebbe girato i suoi film. Non gli importava quel che aveva da dire lei.

La prima cosa che fece quando entrammo nella nostra casa di Sunny Slope Drive – un'anacronistica isola felice in mezzo a quello che sembrava a tutti gli effetti un ghetto – fu spostare le ceneri di sua madre sotto un albero di limoni in giardino, nella speranza che non tornasse a deriderlo in sogno.

Io e mio fratello Timoteo esplorammo il territorio. Era una casa spaziosa con il giardinetto davanti e dietro. La parte davanti era dominata da una quercia colossale. Dietro c'erano alberi di limoni e arance, un assaggio dei tempi in cui la Valley era stata una distesa di fattorie e aranceti. Aveva il parquet, grandi finestre di legno, uno studio pieno di luce per mio padre e una cucina che ci affascinò da subito. Su un ripiano di formica color verde acqua giaceva un'antica *soda fountain* da bar che erogava bevande gassate. Nel lavandino c'era un oggetto che non avevamo mai visto in Italia né avremmo mai immaginato esistesse: il tritarifiuti. Ci permetteva di gettarci dentro gli avanzi di cibo senza il problema di dover svuotare prima i piatti nel secchio. Dove andasse il cibo e chi ne fosse responsabile non lo sapevamo né ci interessava. Io e Timoteo ci immaginavamo un cimitero di hamburger e patatine liquefatte in fondo alla Valley, una sorta di hummus marcio e tossico da cui tenere lontana la gente. Se esistevano i cimiteri per gli animali domestici – ce n'era uno famoso a pochi chilometri da casa –, si sarebbero anche potute inventare le tombe per il colesterolo, no?

Il primo importante rito di passaggio di mio padre alla vita americana fu l'acquisto di una grande Ford Thunderbird decappottabile turchese del '62, comprata all'antico concessionario di Pasadena, un grande centro commerciale dell'hinterland, pieno di automobili americane d'epoca anni Cinquanta e Sessanta. Dopo averla presa ci caricò tutti a bordo e guidò giù per Van Nuys Boulevard con la capote abbassata, trionfante. Nei primi del Novecento, ci spiegò, Van Nuys e tutta la parte a sudest della San Fernando Valley, con i suoi "paesaggi western così ben conservati", era stata una zona importantissima per i set dei film.

«Vi rendete conto? Qui ci vivevano le star, *proprio qui!* Passeggiavano lungo Van Nuys Boulevard come fosse Rodeo Drive. Il nostro quartiere era più fico di Hollywood. Lo sapevate che Marilyn Monroe nel 1941 è andata a scuola alla Van Nuys High?»

«Appunto. Nel '41. Ora ci sono solo barboni, prostitute e negozi tutto a 99 centesimi!» mi lamentai mentre parcheggiava davanti a un negozio per fattoni dove voleva comprare una maglietta psichedelica dei Grateful Dead che aveva visto qualche giorno prima.

Per me la presenza di tutti quei *tiendas baratas* da 99 centesimi vicino a casa era un cattivo presagio. Come avrebbe fatto mio padre a diventare ricco e famoso se si circondava di luoghi da poveracci? E non era solo il nostro quartiere a far schifo. Tutta la Valley era un luogo sconsolato: una pallida imitazione a metà prezzo dell'opulenza che c'era dall'altro lato delle colline. Gli attori che vivevano qui erano stelle di serie B o attori bambini ormai cresciuti, che avevano sempre problemi con la legge. Corey Feldman, il mio preferito dei Goonies, si era fatto beccare con l'eroina; Todd Bridges, il fratello maggiore di "Il mio amico Arnold", adorato da tutti i bambini italiani negli anni Ottanta, era stato arrestato per aver provato, strafatto, a uccidere il suo spacciatore. Sulla strada di casa nostra viveva Desmond. Aveva una trasmissione in TV intitolata "Desmond". Sua moglie era stata una Miss Virginia. Sua madre, ex cassiera ai grandi magazzini, ora viveva con loro e si occupava della casa. La sorella gli faceva da assistente personale. Qualcuno ci disse che di persona non era amichevole come in TV, e che girava con le pistole cariche. Dalla strada si intravedevano parti di casa sua: un giardino di cemento, una piscina circondata da sdraio ammuffite e sbiadite dal sole, un finto lampione d'epoca collassato da un lato. Se ti avvicinavi troppo, due cani da guardia si avventavano contro la cancellata di ferro. Uno dei due aveva un occhio di vetro. Ecco le famose star della Valley. Perfino i loro cani erano fatti male.

Aggiungevo elementi alla lista di cattivi presagi. Era impossibile ignorare i segnali. Erano ovunque. Avevamo scelto la città sbagliata al momento sbagliato. Il sogno di mio padre in aereo, gli echi degli scontri, la puzza di cenere e terra e rabbia nell'aria, gli attori falliti. Dopo sole due settimane a Van Nuys avevamo già ricevuto una serie di brutte notizie: i bauli spediti dall'Italia si erano persi, il nostro gatto Mao era finito sotto una macchina di fronte al vialetto di casa ed era morto. Timoteo era caduto dalla bici in una strada tortuosa durante una gita al deserto del Mojave, aprendosi un ginocchio. All'ospedale mentimmo sui nostri nomi e sui numeri delle tessere sanitarie perché non avevamo l'assicurazione medica. Un giorno a casa arrivò una telefonata da una società di Palm Springs. Dall'altra parte della cornetta, un uomo entusiasta che sembrava conoscere perfettamente mio padre e lo chiamava per nome si congratulava con lui. «Complimenti! Ha vinto una Ford Mustang!» Eravamo in fibrillazione. Che paese. La gente ti chiamava al telefono e ti regalava le cose. Andammo in macchina fino a Palm Springs convinti che al ritorno i più fortunati sarebbero stati a bordo della nuova Mustang. Arrivati lì ci piazzarono in una grande sala conferenze insieme a orde di famiglie ingenue come la nostra, la maggior parte non erano americane. Ci diedero dei vecchi muffin al mirtillo mentre degli agenti immobiliari provavano a convincerci da un palco a investire nel mercato immobiliare del deserto. "C'è spazio per tutti" era il loro slogan. Se accettavamo di investire nelle loro case vacanza nel deserto saremmo stati selezionati per vincere una Mustang. «Selezionati per vincere una macchina è diverso da abbiamo vinto una macchina! E questi muffin fanno schifo!» mia nonna Celeste urlò a Ettore, indignata. Arrivati a casa, non ne parlammo mai più. Gli oracoli erano chiari: tornate subito nel vostro paese. Non provate a capire come conquistare il sole dorato della California, è inafferrabile. Mio padre invece non si scomponeva, accecato dalla promessa di qualcosa di migliore. «È meno caro!» gridava. «Los Angeles è molto meno cara di Roma. Ci sono grandi magazzini, qui, dove i vestiti firmati, *veri vestiti*, importanti, di marca, costano un quarto che in Italia.»

All'improvviso facevamo parte di quei canyon con i leoni di montagna che ruggivano di notte, facevamo parte di Pick'n Save, il discount dove avevamo comprato piatti e posate per casa nuova, facevamo parte della Freeway 405, la superstrada che ululava senza sosta nelle nostre orecchie come un gigantesco asciugacapelli. Facevamo parte di quel luogo. Così era deciso.

Di nuovo sulla spiaggia di Malibu, dove il mare era infestato da squali, i miei genitori nudi e la nonna in topless leggevano ad alta voce dagli annunci del "LA Weekly".

«Canoga Park!»

«No, non la sezione della Valley. Vai dall'altra parte della collina» mio padre istruiva Serena.

«West Hollywood?» proponeva mia nonna.

«Mmh, e invece Bel Air?» rispondeva Serena.

Quei nomi non erano, come speravo io, proposte per nuovi quartieri in cui andare a vivere, ma indirizzi di *yard sale*: mercatini privati di roba usata che le persone arrangiavano nei loro garage durante i weekend. Bisognava selezionare quelli in aree abbastanza decenti da garantire elettrodomestici usati ma di qualità. Max, un amico dei miei genitori, produttore cubano intimo di Phil Collins e suo vicino di casa a Beverly Hills, li aveva istruiti sull'arte di accumulare oggetti senza quasi spendere denaro. Serviva solo un serbatoio pieno, una pianta della città, e un "LA Weekly" con gli indirizzi dei mercatini. Lui era la nostra guida privata, il nostro uomo di fiducia sui temi importanti della città: il caldo torrido, il dolore e la gloria.

Quando ci portava ai mercatini, guidava per Bel Air indicandoci le ville delle star. «Quella è di Danny DeVito. Lì ci ha vissuto Madonna per due anni.» Dalla macchina non riuscivamo a vedere le case: erano protette da mura e cancelli, ma in quei quartieri le cose avevano un altro profumo. L'erba era più verde, l'aria frizzante e igienica. Mi immaginavo ampi banconi da cucina carichi di lime e arance fresche. Annaffiatori automatici che spruzzavano solo acqua filtrata su pratini inglesi. «La magia di questa città» ci spiegava Max «non è nelle ville, ma nell'odore degli alberi di cedro piantati davanti. Non è nelle piscine dalle maioliche perfette, ma nel modo in cui il sole si riflette sulla loro acqua. È per questo che la gente rimane qui» aggiungeva con un'aria di mistero. «Il luminoso invisibile.» Fissai con intenzione i tronchi degli alberi. Provavo a intravedere le piscine oltre gli steccati, sperando di cogliere quell'invisibile spirito californiano di cui parlava Max, ma non ci riuscii. La città mi appariva sempre uguale, una stupida distesa opaca.

«Ricorda, Eugenia» mi avvertì Max vedendomi strizzare gli occhi. «Se guardi troppo a lungo, scompare.»

Smisi di cercare la magia e mi concentrai sul resto: frullatori, canoe, sedie a dondolo, telefoni cordless rotti e forni a microonde. Stavamo arredando casa con gli scarti degli altri.

Mio fratello corse dai miei genitori e si sedette accanto ai loro parei a sorvegliare la ricerca dei mercatini: un corpo magro e pallido tra le loro carni floride e abbronzate. Era a caccia di materassi ad acqua, le icone della libertà adolescenziale. Per un ragazzino italiano il letto ad acqua aveva lo stesso effetto mistico che una bottiglia di Chianti classico aveva su un americano minorenne. L'America era "cool" e l'Italia era "per grandi".

Da una roccia solitaria guardai le onde di Malibu che montavano a riva. Feci ruotare le gambe nell'aria e saltai giù. Sull'altro lato della spiaggia non c'erano nudisti. Una famiglia di messicani con quattro frigoriferi da campo – uno a testa – scolpiva sirenette con la sabbia. Un padre armeno se ne stava su una sedia pieghevole a bere birra nascosta in una busta di carta, mentre le figlie si schizzavano in acqua. Mi arrampicai sulla scogliera e camminai lungo la strada costiera fino allo skate park che avevamo visto dalla macchina. Mi appoggiai a una parete di terra arida, osservando gli skater salire e scendere dalle rampe in anelli ipnotici. Delle ragazze in magliette aderenti erano sedute sugli spalti. Avevano tutte i codini e succhiavano lecca-lecca. Chiusi gli occhi e sentii il vento freddo sulla pelle. La natura in California era ostile e implacabile, ma quegli skater – così vigorosi, i capelli talmente biondi da sembrare bianchi – non parevano disturbati. Le gambe delle ragazze erano forti, gambe che surfavano e spingevano tavole contro il mare mosso. Gambe che potevano tenere a bada una natura violenta. Guardai le mie, pallide e smagrite, coperte dai lividi e dalla pelle d'oca. Chiusi gli occhi.

"Maria, ho bisogno di aiuto. Parla a quest'oceano, a queste onde, al vento e al sole. Di' a questa città di smussare gli spigoli, di mostrarmi un po' di gentilezza, di regalarmi qualcosa a cui aggrapparmi. Maria, appari a me in tutta la tua grazia. Fa' che diventi tutto bello, o almeno un po' meglio. Amen."

Da quando ci eravamo trasferiti, la Vergine Maria era diventata il mio modello di vita. Lontana dalla madrepatria avevo bisogno di rassicurazioni materne. Dalla mia genitrice non ne stavo ricevendo, e allora a chi chiedere aiuto se non alla madre di tutte le madri? Ogni giorno la supplicavo di fare miracoli: segni fausti che cancellassero i cattivi presagi. A volte mi sembrava che ascoltasse.

Il vento soffiava fortissimo. Mi infilai la felpa con il cappuccio e i cieli si aprirono di colpo con un rombo. Maria mi aveva ascoltata, lo sapevo. Il boato si fece più forte. Gli skater smisero per un attimo di rollare sulle rampe e guardarono in alto.

Stava arrivando per me.

Mi avrebbe portata via.

Era il suono di un elicottero, sospeso nel cielo sopra la spiaggia dove i miei genitori leggevano ad alta voce gli annunci delle *yard sale*. Dagli altoparlanti uscì la voce di Dio. Diceva: «Rimettete i costumi da bagno. Ripeto: rimettetevi i costumi da bagno! State commettendo un reato. Signora, rimetta il top del costume».

"Maria" chiusi gli occhi e continuai a pregare. "Dimmi che non sta succedendo. Dimmi che un poliziotto non sta chiedendo a mia nonna di rimettersi il reggiseno."

Gli skater cominciarono a ridere. Uno di loro si calò i pantaloni, tirò fuori il suo grosso uccello e lo oscillò in direzione dell'elicottero.

«Vuole che mi rimetta il costume anch'io, agente?»

I suoi amici salirono sugli skate e scesero lungo la costa per vedere i nudisti fuorilegge dalla cima della scogliera. Io non volevo andare. Non potevo. Rimasi lì a fissare l'elicottero mentre accumulava polvere e sabbia e atterrava in una zona vuota della spiaggia.

Immaginai i miei genitori ammanettati e deportati, io sarei stata condannata a rimanere da sola su quella spiaggia per sempre. Mi sarei innamorata di uno skater, magari, e saremmo andati a San Francisco in autostop. Avevo sentito dire che era una città più europea. Ma volevo questo? Volevo tradire la mia famiglia appena arrivati?

Corsi alla spiaggia. Dalla strada, gli skater ridevano e urlavano a mia nonna.

«Nonnina sexy! Nu-da! Nu-da!»

Un agente di polizia stava compilando una multa davanti alla mia famiglia, tutti in piedi, mezzi svestiti e frastornati.

Appena arrivai da loro domandai cosa fosse successo.

«Il poliziotto ci stava spiegando che qui non possiamo stare nudi» sussurrò mia madre con voce sensuale, cercando di imitare un accento inglese. Pensava che esibire le sue origini europee – superiori e più sofisticate, secondo lei – avrebbe convinto i poliziotti a essere più tolleranti. Ma l'agente la squadrò e fece un cenno di riconoscimento con il capo.

«Italiani, eh?»

L'accento inglese non aveva funzionato.

«Ma quanto vi piace l'abbronzatura integrale, eh? Sono sempre italiani quelli che si spogliano. Be', ora siete a Los Angeles, e se volete sdraiarvi nudi in spiaggia dovete prendervi delle responsabilità.»

«Ma, scusi agente, qual è la cosa peggiore che potrebbe succedere? La nudità è una cosa naturale. Non facciamo male a nessuno» disse mio padre con il suo sorriso pacifico da Gandhi.

Era un suo classico tentare di ragionare con figure autoritarie e piene di muscoli usando un tono pacifista. Di solito non funzionava. Il poliziotto abbassò sul naso gli occhiali da sole.

«La cosa peggiore che potrebbe succedere è un maniaco sessuale che si apposta sulla scogliera e si masturba, traumatizzando bambini e civili.»

Provai a immaginare un pervertito che si faceva una sega guardando il seno informe di mia nonna.

«L'ho visto succedere» confermò, notando la mia espressione dubbiosa.

Mio fratello mi guardò e alzò gli occhi al cielo.

«Il mio è solo un avvertimento. Non fatevi ritrovare senza costumi un'altra volta... E lei, signora» disse, rivolgendosi a mia nonna, che non parlava una parola d'inglese e sedeva accigliata su uno scoglio, «non lo sa che il sole fa venire il cancro? Alla sua età dovrebbe proteggere certe... parti intime... delicate.»

«Non la capisco e secondo me lei è solo un brutto stronzo» rispose mia nonna in italiano.

Lui inclinò la testa, poi risalì per la scogliera fino all'elicottero parcheggiato. Il pilota accese il motore. Le pale girarono e i cieli ruggirono. Gli agenti volarono sopra i miei genitori, ormai vestiti, verso l'oceano.

«Se non è un cattivo presagio questo, allora non lo so!» urlai ai miei genitori.

«Signora, si rimetta il top del costume, signora» rispose mio padre imitando la voce nasale del poliziotto.

«Papà, non è divertente!»

«E dài, fatti una risata...»

«Ti odio. Odio questa spiaggia e odio questa città. Voglio tornare a Roma!»

«Anch'io voglio tornare a Roma» si infilò mio fratello.

Mio padre ci prese sottobraccio e si mise a camminare.

«Andiamocene, ragazzi. Questi sono tutti fascisti.»

Lasciammo il vento della costa ed entrammo con la macchina in un canyon fresco e ombroso. Risalimmo curva dopo curva, penetrando il suo grande utero protettivo. L'auto era un vecchio barcone rumoroso. Il vento dell'oceano cessò e la pelle d'oca scomparve dalle mie cosce. Adagiai la schiena sul sedile di pelle, calma. Avevamo smesso tutti di parlare. Mia nonna mi prese la mano e mi guardò con pietà. "Dove diavolo siamo finiti?" chiedevano i suoi occhi. Pochi minuti prima sulla costa quel suo sguardo appeso ed empatico mi avrebbe confortata, ma ora toccava a me confortare lei. A ogni curva i precipizi attorno alla foresta si addolcivano, e la vista, che a momenti sembrava selvaggia e potente, si trasformava in qualcosa di più intimo e naturale via via che ci inoltravamo. Eravamo a Topanga Canyon. Negli anni Venti era stato il rifugio delle stelle di Hollywood. Le loro case di campagna erano lì. Ci andavano nei weekend. Le dolci colline e gli alberi attorno creavano delle nicchie segrete ovunque. Il nome di quel luogo proveniva dal popolo indigeno dei Tongva. La parola significava "il posto in alto" e il motivo era chiaro. Eravamo sospesi in aria. Mi abbandonai contro lo schienale e chiusi gli occhi. Eravamo in alto, dove nessuno poteva vederci.

Due

"Maria, questo è il giorno più importante della mia vita e voglio che tu ne faccia parte. Ho intinto un rosario nelle ceneri di nonna per benedizione. Spero si possa fare. Odio il latte la mattina. Mi fa vomitare, ma il tè è troppo diuretico e non voglio dover cercare un bagno. Ho paura di chiedere dov'è. Parlo male inglese. Non voglio dover chiedere niente a nessuno. Ti prego, fa' che non debba fare pipì. O peggio. Amen."

Il mio primo giorno di scuola pubblica in America mia madre mi lasciò davanti al cancello e mi diede una piantina del campus che le aveva consegnato il preside quando mi avevano iscritta. Mi lanciò un bacio dalla macchina.

«Non ti preoccupare. Se ti viene da preoccuparti, gonfiati le scarpe» e mi fece l'occhiolino.

Avevo indossato le Reebok Pump. Le avevamo comprate da Ross Dress For Less, il nuovo grande magazzino a basso costo preferito dei miei. Le scarpe si gonfiavano grazie a un meccanismo interno che mi affascinava e quando usavo quella pompetta mi sembrava di avere i superpiedi. Potevo correre più veloce, saltare più in alto, avevo riflessi più pronti.

Scesa dalla macchina, raggiunsi il nugolo di zainetti che

attraversava il cancello principale. All'entrata ruotai sui tacchi e tornai alla macchina. Salii a bordo.

«Non entro. C'è un metal detector, cazzo!»

«Lo so» sorrise mia madre per tranquillizzarmi. Aprì la portiera per farmi uscire. «Così sarai al sicuro, no? Niente sparatorie!»

Il mio liceo era stato selezionato dai miei genitori in base a due criteri. Primo, non erano mai state trovate armi da fuoco addosso agli studenti: i miei seguivano la regola del "Fate l'amore e non fate la guerra" ed erano consapevoli che l'America aveva un problema con le armi. Secondo, il preside, Donald Peters, aveva un nome che ricordava il nostro, Petri. Questo, secondo i miei genitori, era incoraggiante. Era in uno dei quartieri residenziali più ricchi della San Fernando Valley: Woodland Hills.

«Oh, è un posto fantastico» disse Mr Douglas, l'addetto alla sicurezza che il giorno dell'orientamento ci fece fare il giro del campus. «Ci ha studiato persino Ice Cube. Ha scritto il testo di *Boyz N the Hood* durante le lezioni d'inglese proprio in quell'edificio lì. Cazzo di genio.» Douglas era stato lo stuntman di Bruce Willis in *Die Hard* e collaborava con la polizia di Los Angeles per il controllo delle gang. Ci spiegò che era fondamentale che non indossassi mai niente di rosso o blu a scuola.

«Niente Crip Walk quando cammini. Niente vestiti da gang. Niente mosse da gang. A meno che non vuoi farti sparare addosso.» Mi fece l'occhiolino. «Scherzo, scherzo...»

Provai a sorridere e guardai i miei genitori che continuavano a camminare per i corridoi, imperturbabili. I Bloods e i Crips erano le due gang più grandi di Los Angeles. Le loro divise militari erano rappresentate dal colore rosso per i Bloods e blu per i Crips. Quei due colori basilari erano vietati da quasi tutte le scuole pubbliche di Los Angeles. Questo complicato regolamento estetico generava soluzioni originalissime. Si vedevano molti rosa e verdi fluorescenti. Per Crip Walk si intendeva una camminata a singhiozzi con piccole mosse contenute sui tacchi o le punte. Lo stile di danza inventato dai Crips faceva sì che a scuola fosse vietata qualunque camminata un po' scherzosa o stravagante. Dovevamo muoverci in riga e vestirci in modo anonimo.

La scuola media di mio fratello a Van Nuys era peggio del mio liceo. Era circondata dal filo spinato. La lezione più stimolante si chiamava Idraulica, e ti insegnava le basi del mestiere.

Rimasi in piedi nel corridoio a osservare quelle orde di studenti. Non sapevo cosa fare. Nella mia scuola di Roma c'erano duecento studenti. In questa quattromila. Le mie Reebok Pump erano la scelta sbagliata. Tutte le ragazze portavano i tacchi.

Trovai in qualche modo l'aula di inglese. Siccome ero italiana, mi avevano assegnata a una classe per chi parlava inglese come seconda lingua, ma quando arrivai mi resi conto che era più che altro per chi l'inglese non lo parlava per niente. Cercai di imitare un accento americano. Quando mi avvicinai all'insegnante e le dissi che volevo andarmene disperatamente, sembrò che me la stessi tirando. Certo, il mio inglese non era perfetto, ma sapevo leggere e scrivere e costruire frasi. L'insegnante però non era minimamente interessata a quello che avevo da dire. Quella era la ESL (English as a Second Language), la classe standard per chi veniva da un altro paese. Dovevo andare a sedermi e seguire la lezione.

Le campanelle della scuola continuavano a suonare. Non capivo perché. Mi dissero che dovevo andare al mio armadietto. Osservai gli altri studenti che giravano le manopole da cassaforte di quei contenitori di ferro in senso orario e antiorario con movimenti rapidi della mano. Provai a fare come loro ma non ci riuscii, e visto che non volevo essere notata decisi di portarmi dietro i libri nello zaino. Il foglietto con gli orari di scuola era incomprensibile, la mappa del campus troppo intricata. Non riuscivo a decifrare il percorso per arrivare al fantomatico Edificio D, in cui si trovava la mia classe di matematica, e secondo l'orario di lì a poco sarebbe cominciata una cosa dal titolo "Nutrizione". Forse voleva dire che dovevo andare a nutrirmi da qualche parte: ma dove? La mensa era piena di ragazzi fuori controllo che si lanciavano addosso chicchi d'uva e scarti di pancake. Li guardai, con il dubbio se mettermi in fila o no, poi suonò un'altra campanella e scomparvero tutti in un attimo.

Mr Douglas e un agente di polizia sovrappeso in pantaloni corti e aderenti giravano per il campus su una macchinina elettrica da golf, urlando a tutti da un megafono di levarsi dai piedi e correre in classe. «Forza! Forza! Rastrellamento ritardatari!»

Non capivo quell'espressione assurda, "rastrellamento ritardatari", ma siccome ero persa e raminga, venni scambiata per una che voleva fare buca. Mi caricarono sulla macchinina da golf di Douglas insieme ad altri adolescenti vagabondi. A bordo, due ragazzini persiani improvvisarono un rap, facendo finta di stare su una Bentley in un video hip-hop. Li guardai senza dire una parola. Preferivo che i miei compagni mi considerassero una teppista, invece che un'idiota che non riusciva neanche ad arrivare alla sua prossima classe.

Ci mollarono davanti alla sala ritardatari, una stanza dove depositavano chi non arrivava puntuale a lezione. Un'insegnante ventenne un po' new age con una tuta di ciniglia multicolore teneva lezioni su come evitare gli scontri fra gang. Eravamo una quindicina, quasi tutti afroamericani, persiani e ispanici. La sala ritardatari era nota anche come "la stanza per la prevenzione delle gang", ma il rapporto tra fare tardi a scuola e sparare alle persone per strada mi sfuggiva.

«Si comincia arrivando tardi in classe e si finisce morti sul marciapiede» ci spiegò subito l'insegnante. Dopo Rodney King la nuova teoria era che gli adolescenti riluttanti alla puntualità avevano più probabilità di abbandonare il liceo e finire in situazioni di violenza. Se ti "rastrellavano" più di tre volte in un anno, venivi schedato e poi sospeso o espulso.

L'insegnante ci diede un volantino con i segni da gang da conoscere e non imitare mai.

Un'altra risata. Era evidente che nessuno aveva bisogno di un manuale d'istruzioni su quei gesti. I persiani della macchinina si erano messi in fondo alla classe. Si abbracciavano e ridevano, guardando le foto dell'estate, commentando le ragazze con cui erano stati.

Uno di loro, cappellino da baseball e occhi scuri profondi, si era seduto accanto a me.

«Di dove sei?»

«West side» risposi, citando il volantino sulle gang.

«Fumi erba?»

«Sì.»

«Che accento hai? Sei messicana?»

Le ragazze ispaniche scossero la testa, indignate.

«Non è mica latina quella. Guarda com'è vestita.»

«Sei persiana?» chiese lui.

«Italiana.»

«Piacere, Arash» mi strinse la mano confuso. «Italiana? Veramente?»

«No, la stronza è *siciliana*!» urlò una ragazza che si chiamava Ajane, dal fondo della classe.

«E certo» fece la prima ragazza latina. «Se no perché porta ancora le Reebok Pump? Lì sono indietrissimo con la moda. Hanno quel dittatore, come si chiama... Il pelato che ha fatto fuori tutti gli ebrei insieme a quel tedesco cattivissimo...»

«Mussolini?» le chiesi.

«Sì, se avessi come presidente quel cretino non penserei a che scarpe mettermi, penserei solo a scappare in un altro paese...»

Si misero tutti a ridere.

Rimasi al mio posto ad ascoltare la musica che proveniva

da un boom box anni Ottanta sulla scrivania dell'insegnante. Tupac Shakur rappava. Il patto era che lei ci avrebbe fatto sentire la musica se noi in cambio avessimo ascoltato le sue disquisizioni sui testi delle canzoni.

«Quando Tupac dice "Me ne fotto e ti spruzzo con l'AK-47", quel che vuole dire è: "Il fatto che siete razzisti ferisce i miei sentimenti e ora voglio anch'io ferire i vostri".»

Aveva una laurea in psicologia dell'adolescenza e studiava i codici della semiotica delle gang, cosa che però non sembrava essere di grande aiuto.

«Tupac parla in quel modo perché ha paura» spiegò con aria esperta. «Sapete farmi esempi di azioni che compiamo quando abbiamo paura?»

«Io di certo non ho paura di quella stronza siciliana lì!» disse Ajane ridacchiando e indicandomi. Risero di nuovo tutti.

Arash alzò la mano per interrompere la risata.

«Sì, professoressa, a volte la gente pensa che siamo dei bulli perché siamo persiani e rivendichiamo il nostro orgoglio etnico. Pensano che siamo una gang, mentre in realtà è solo che amiamo il nostro popolo...»

«Rapper sfigati e pelosi con ego enormi e cazzi piccoli!» divinò Ajane, provocando un altro sbotto della classe.

«Chiudi quella cazzo di fogna» intervenne uno degli amici di Arash.

«Tirchi di merda con le catene d'oro che guidate vecchie BMW per distrarre la gente dai vostri monocigli pelosi!» aggiunse la vicina di Ajane.

Un coro di "oooh" e risolini salì dai banchi.

«Che hai detto, stronza?» Arash e i suoi amici si alzarono dai banchi e si avvicinarono alle ragazze. «Vi piacerebbe... Noi non guidiamo vecchie BMW. Solo macchine fighe nuove. Di proprietà. Tu invece vai in giro con l'autobus!»

Rumore di banchi e sedie. Ajane e le sue amiche raggiunsero i persiani al centro della classe. Ajane mi diede una gomitata e con una manata mi buttò i libri per terra.

«Ehi!» protestai.

Si voltò a guardarmi.

«Vuoi prenderti due sberle pure te?»

L'insegnante new age in tuta provò a intervenire, ma Ajane resistette. Si inginocchiò e mi fissò con la testa inclinata.

«Vuoi fare a botte? Ho le scarpe da botte nello zaino, vuoi fare a botte?»

«No, no» mi guardai i piedi. Quanto mi sembravano brutte le Pump.

«Botte! Botte! Botte!» cominciarono a tifare gli amici iraniani di Arash.

Arash mi diede un'occhiata. Se facevo a botte, continuavo a dirmi, avrei aumentato la lista dei cattivi presagi. L'insegnante riprovò a far tornare tutti ai propri banchi, ma i gruppi tracimavano, in attesa di esplodere, e io ero ferma nel mezzo. Ma a quel punto vidi Arash ritirarsi di colpo. Alzò le mani in segno di tregua.

«Lasciate perdere, tutti.»

Gli amici cominciarono a prenderlo in giro perché si stava tirando indietro: «*Kuni! Kuni!*», la parola farsi per dire "frocio".

Mi feci piccola piccola al mio banco e continuai a guardare dritto di fronte a me, evitando ogni contatto con gli altri. Sola in prima fila, una ragazza bionda si metteva il rossetto davanti a uno specchietto, disinteressata a tutto. Aveva gli occhi azzurro ghiaccio. Era la sola cosa che potevo guardare, un rifugio per riposare gli occhi mentre il respiro tornava a un ritmo normale. Ridacchiava tra sé ascoltando le spacconate di tutti, e quando l'insegnante si girò un attimo, fece lo zaino in fretta, si alzò e sgattaiolò fuori. La porta le si chiuse alle spalle. Dall'oblò vidi la sua coda di cavallo che rimbalzava lungo il corridoio, poi scomparve.

Suonò la campanella. Secondo il mio foglietto era l'ora della mia lezione di Salute. Non sapevo cosa volesse dire, magari una lezione sulle medicine? Ero destinata a perdermi ancora in quei corridoi affollati. Mi voltai d'istinto verso la persona che fino a quel momento era stata meno minacciosa: Arash.

«Sai mica dov'è l'Edificio H?» chiesi in fretta, terrorizzata all'idea di un altro rastrellamento.

I suoi amici si strinsero intorno a lui facendo gesti con le mani. Uno davanti all'altro facevano il segno della P con le dita.

«Orgoglio persiano!»

Arash mi guardò con occhi dolci e indicò una specie di caserma militare in fondo a un campo da baseball desolato. Lo ringraziai e partii.

«Ehi, Sicilia!» mi urlò dietro.

Mi voltai. Sorrideva.

«Ti stavo prendendo per il culo. L'H è dalla parte opposta...»

Mi voltai e cambiai senso, passando davanti ai suoi amici che stavano ridendo. Appena se ne furono andati, Arash mi raggiunse.

«Ti accompagno io, dài...»

«Grazie. Non devi.»

Ma ero troppo disperata per rinunciare al suo aiuto.

«E insomma 'sta Sicilia è vicina alla Grecia? Sono stato in Grecia con la mia famiglia tempo fa... Abbiamo visto il Pantheon.»

«Il Partenone?»

«Sì, insomma quello. Un palazzo vecchio e grosso e bianco con le colonne.»

«Grande. Senti. Per il futuro: la Sicilia non è un paese. È una regione che è *parte* dell'Italia. Tipo un po' come qui ci sono gli stati.»

«Fico.» Mi fece l'occhiolino e mi lasciò davanti a una porta gialla. «Confondo sempre le due cose. Ci si vede, dea greca.»

Sputò per terra e se ne andò.

«Rome, Georgia?» chiese l'insegnante di Salute davanti agli altri studenti della classe. Aveva le idee confuse.

«No. Roma, Italia.»

«Oh. Che bello.»

Cantammo l'inno americano con la mano sul cuore. Non sapevo le parole, ma feci dei movimenti ovali con la bocca. Mrs Anders fece girare la foto di un'adolescente ispanica sovrappeso che teneva in braccio un neonato.

«Chi mi sa dire qual è il miglior contraccettivo che protegge anche dalle malattie veneree?»

Gli studenti mormorarono "preservativo", ma era ovviamente una domanda a trabocchetto. Mrs Anders ci scrutò con aria grave. Sotto la foto c'era un paragrafo scritto a mano: "Ciao, sono María Espandola. Ho sedici anni. Un anno fa ho pensato che fosse una buona idea usare un documento falso per comprare una bottiglia di Jack Daniel's col mio ragazzo. Ci siamo ubriacati, divertiti, e abbiamo fatto sesso non protetto. Un mese dopo ho scoperto di essere incinta di Julia. Il mio ragazzo mi ha lasciata e ora sono una ragazza madre single. Sognavo di andare al ballo della scuola. Non ci andrò. Non posso permettermi la babysitter".

«Il miglior contraccettivo che protegge anche dalle malattie veneree è l'*astinenza*. Scrivetelo sul quaderno. Sarà sul vostro test la settimana prossima.»

Mi guardai intorno. Era ovvio che nessuna delle ragazze di quella classe era vergine.

Mrs Anders ci consegnò un "contratto di autostima". Dovevamo scrivere un obiettivo positivo da raggiungere nelle successive dieci settimane. L'obiettivo doveva rappresentare qualcosa che avrebbe accresciuto la nostra autostima, allontanandoci da alcol, sesso e droga. L'alcol incoraggiava imprevisti atti di promiscuità che potevano avere conseguenze catastrofiche. Dovevamo evitare di diventare anche noi come María Espandola.

Scrissi il mio obiettivo: "Tra dieci settimane voglio tornare a Roma".

Alla fine della lezione mi venne una botta di solitudine. Guardai Mrs Anders e i suoi grandi seni finti. Avevo bisogno di empatia. Misi su una voce profonda e gutturale come quelle delle soap opera che vedeva mia nonna a casa. L'America era cinquecento episodi di "Beautiful" avanti a noi. Alcuni personaggi fondamentali erano già morti e risorti, erano saltate fuori sorelle gemelle dal nulla, nuovi attori avevano sostituito personaggi principali. Guardavo e traducevo ogni episodio per mia nonna in modo che la domenica potesse telefonare alle amiche a Roma e riferire le novità. Il mio personaggio preferito era Brooke Logan, l'inquieta moglie di Ridge Forrester, damerino con faccia d'alieno e figlio del magnate della moda Eric Forrester. Mi piaceva il lucidalabbra rosa che usava Brooke e il suo tono serio, drammatico, sempre lì lì per rivelarti qualcosa di disperato.

«Mrs Anders» le dissi, imitando Brooke. «Dalle mie parti gli studenti sono costretti a occupare le scuole perché i professori sono fascisti. La mia famiglia è venuta in America per scappare da una costante oppressione politica e ho pensato che dovessi essere onesta con lei e dirle queste cose su di me. So che gli insegnanti americani sono più democratici di quelli italiani.»

Le si accese lo sguardo.

«Oh, cara. Mi dispiace tanto. Famiglie di ogni parte del mondo scappano alla persecuzione per trovare sicurezza e opportunità in America. La nostra scuola accoglie tutti i rifugiati. Siamo felici di aiutarti a ricostruire la tua vita qui da noi.»

Pensava fossi una rifugiata di guerra. Non le dissi che la Seconda guerra mondiale era finita. Non le spiegai che in Italia si usava la parola "fascista" per descrivere ogni professore che non si trovava d'accordo con uno studente su un qualunque argomento, particolarmente sul diritto di occupare i propri licei per trasformarli in loculi bui dove farsi canne e dormire sui pavimenti delle palestre.

Le strinsi la mano.

«Grazie, Mrs Anders. Mi sento meglio sapendo di poter contare su qualcuno, qui.»

Uscii dall'aula e mi segnai a mente di cambiare il contratto di autostima. Tornare in un paese infestato dalla guerra nel giro di dieci settimane sarebbe stata una meta improbabile. Sotto "obiettivo di autostima" avrei scritto: "Ricostruirmi una vita negli Stati Uniti".

Tre

Dall'ombra dell'albero di limoni mio fratello e io spiavamo mio padre nel suo studio. Aveva chiuso un contratto con una piccola agenzia e stava lavorando con Robert, il suo nuovo collaboratore, uno studente di cinema di Cal Arts con due piercing alle sopracciglia e il rossetto nero che mugugnava tra sé e sé come se fosse il solo a conoscenza di un piano geniale. Robert si mangiava le unghie mentre mio padre si tormentava i riccioli con l'indice fissando lo schermo del computer. Quando lavoravano non parlavano mai.

«Che dici, oggi ti farà di nuovo la faccia da Terminator?» mi chiese mio fratello tossendo il fumo della sigaretta che gli stavo insegnando ad aspirare.

«Spero di no» sospirai.

Come Terminator, Robert non aveva espressioni facciali e non si toglieva mai i suoi occhiali da sole squadrati. Quando girava per casa ci metteva tutti in imbarazzo. Era difficile capire se avesse delle emozioni. Difficile capire se ci vedesse.

Ettore aveva conosciuto il ragazzo tramite Max, che li trovava perfetti per lavorare insieme. Robert era affascinato dalla Seconda guerra mondiale. Non aveva interessi al di fuori della biografia di Hitler e i film horror, ma secondo Max la sua virtù era proprio quella. «È monotematico e completamente ignorante. Come un ragazzo di strada di un film di Pasolini, solo a Los Angeles, trent'anni dopo.»

Nostro padre ascoltava con devozione tutto ciò che Max aveva da dire. Era uno dei motivi principali per cui ci eravamo trasferiti a Los Angeles. Ammiravamo la sua amicizia con Phil Collins. Era l'autore del testo di una canzone di successo semi-recente, *Another Day in Paradise*. Raccontavamo con fierezza di conoscerlo da prima che fosse famoso. Negli anni Ottanta aveva prodotto degli horror, tra cui un film di culto che parlava di camaleonti androidi che era stato girato a Cinecittà. Lui ed Ettore si erano conosciuti sul set ed erano diventati cari amici, bighellonando in giro per Roma alla ricerca dei resti della dolce vita. Dopo quell'esperienza, Max continuò a spedirci cartoline di Natale ogni anno, e provò a convincere i miei genitori a trasferirsi a Hollywood. Ci raccontò del suo lavoro con gli studios, la collaborazione con Phil Collins e la vita a Beverly Hills. Quando partimmo per Los Angeles nessuno poteva sapere se Ettore e Max sarebbero stati compatibili. Il suo ultimo film, *Devourlandia*, era una storia di cannibalismo in cui un gruppo di vecchi contadini texani scopriva che il sangue dei tossicodipendenti di un paesino di confine aveva il potere di allungare la vita. Mio padre era uno che sveniva alla vista del sangue, ma era disposto a prendersi dei rischi perché Max conosceva musicisti, attori e produttori. Sapeva come entrare nei club più fichi della città e sembrava essere amico di tutti. Non ero mai riuscita a capire davvero cosa c'entrassero i film horror sui cannibali con i testi di una hit umanitaria che parlava della dura vita dei senzatetto come *Another Day in Paradise*, ma eravamo tutti affascinati dal suo eclettismo.

«Non abbiamo nemmeno la piscina. A Los Angeles ce l'hanno tutti la piscina» sospirò mio fratello guardando nostra madre in fondo al giardino: stava a mollo in una piscinetta gonfiabile rosa di Pick'n Save. Era inclinata da un lato e perdeva acqua. Avevamo il permesso di riempirla solo una volta ogni tre giorni. Nostro padre diceva che Los Angeles era un deserto, e l'acqua nei deserti costava più dell'oro. L'acqua era tiepida, piena d'insetti e limoni ranciti, ma a Serena non importava. Scintillava sotto uno strato di Johnson's Baby Oil in topless. Si spalmava quell'olio su viso e seni ignorando gli effetti collaterali che il sole senza filtri della California avrebbe avuto sulla sua pelle. I suoi nuovi occhiali da sole a occhio di gatto da 99 centesimi le scivolavano sul naso unto. Li spingeva a posto ogni volta che girava una pagina del libro che stava leggendo: la sua quarta biografia di Toro Seduto. L'erba intorno alla piscinetta era coperta di ritagli di giornale, pagine staccate, libri sugli indiani d'America. Se le chiedevi cosa stesse facendo, ti guardava storto e diceva che era per lavoro.

Le sue ondate di passioni emergevano in maniera seriale. Ciascuna prevedeva la posizione del reclino. Serena si sdraiava su un letto o in una piscina o in una vasca, circondata da pile di ritagli e libri. A Roma aveva attraversato la fase gitana. Dopo aver letto per mesi testi e romanzi sulla cultura nomade dell'Europa dell'Est, aveva costretto me e mio fratello a guardare documentari sul disastro nucleare di Cernobyl, e organizzato pomeriggi di merenda con un gruppo di bambini che viveva in un campo rom al confine della città. Era stata instradata a questa passione da una donna gitana conosciuta a un semaforo, che le aveva detto che in un'altra vita erano state sorelle. Si erano fermate a chiacchierare ed erano diventate amiche. Dopo qualche settimana la donna ipnotizzò mia madre. Ettore l'aveva trovata che vagava a piazza del Popolo, nel centro di Roma, senza borsa né gioielli né macchina. Ci vennero a prendere al campo nomadi e non vedemmo più i nostri amici gitani.

Mio fratello spense la sigaretta fumata a metà e uscì in rollerblade con Creedence, il primo di sette fratelli mormoni che viveva in una lunga casa fatta a forma di fucile in fondo alla nostra strada. Creedence era il suo primo amico, e anche l'unico. Non avere amici era peggio che non avere una piscina, pensai. Erano passati tre mesi e mi sentivo invisibile. A scuola ero sola. A casa ero sola. Robert era una boccata d'aria fresca, o morta, visto che sembrava un cadavere. Ma non importava. Era qualcosa. Tirai fuori la mia copia di *Il secondo sesso* di Simone de Beauvoir sperando che mi notasse dalla finestra e fosse attratto dalla mia lettura intellettualmente impegnata. Non funzionò. Come mia madre, mi tolsi tutti i vestiti tranne il sotto del costume e mi sedetti su un asciugamano a leggere sotto il sole cocente, adocchiandolo da sotto l'albero di limoni. Non riuscivo a capire se potesse vedermi con i suoi occhiali da Terminator, ma guardò più o meno nella mia direzione alcune volte. Le mie sopracciglia si ispessirono e le guance si gonfiarono per il calore mentre cercavo di immergermi nel femminismo esistenzialista. Mi addormentai al sole.

Quando mi svegliai un'ora dopo ero bagnata di sudore. Serena non era più nella piscinetta. Mia nonna stirava sulla tavola pieghevole nel patio, canticchiando Claudio Villa. Anche lei si era presa un paio di occhiali da sole a occhio di gatto. Dopo averci aiutati a traslocare, e con tutto che disprezzava Van Nuys e l'America intera, aveva deciso di rimanere un altro po'. Il caldo della California le faceva bene all'artrite, diceva, e a Roma ormai era già freddo e pioveva. Chiamò l'Alitalia e fece amicizia con un'impiegata di Torrance che le spostò il biglietto di ritorno senza sovrapprezzo in cambio di alcune dritte salutiste.

Barcollai fino alla piscinetta di plastica con un cerchio alla testa e collassai nell'acqua calda e unta di Serena. La casa era vuota. C'era una TV accesa. Si sentiva dal giardino. Giocai un po' con l'acqua, finsi di fare delle flessioni e mi rialzai per andare dentro. In soggiorno trovai Robert seduto al buio, ancora con gli occhiali da sole.

«I tuoi sono andati a fare la spesa. Mi hanno invitato a pranzo» disse senza guardarmi.

Ero avvolta in un asciugamano bianco. Il pezzo di sotto del costume gocciolava acqua sporca sul parquet.

«Di solito non mangio niente, quindi mi sa che sarà un po' strano, ma amen. Tua madre non accetta un no.»

«Vuoi fare uno spuntino?» gli chiesi.

«Uno spuntino?» rispose con un ghigno da vampiro.

«Sì, uno spuntino.»

«No grazie. Te l'ho detto, non mangio. Il cibo è una roba strana.»

Mi voltai imbarazzata e andai in camera.

«Ehi!» mi urlò dietro. «Sto guardando *Necromantik*. Lo guardiamo insieme?»

«Ok. È una commedia?»

«È la storia di una coppia che si eccita scopando cadaveri.»

«Oh, ok.»

«È la cosa più sexy del mondo.»

Passammo il tempo fianco a fianco al buio, senza mai toccarci. Sentivo il suo odore. Il mio primo odore di maschio americano. Non un grande odore, un po' dolciastro, ma ne avevo bisogno. Potevamo essere amici. Avevamo cose in comune. Non sapevo quali, ma c'erano di sicuro.

Sullo schermo, il protagonista maschile dissotterrava un corpo morto da una tomba al cimitero e cominciava a scoparlo. Robert disse che era arrapante. Lo guardai con la coda dell'occhio.

«È vero. Molto arrapante.»

Tamburellava le dita sulle ginocchia e si scaccolò anche, una sola volta, e mi convinsi che non importava.

Dopo, ci ritrovammo tutti a tavola. Serena aveva preparato il pranzo. Quando mi sedetti, Ettore mi disse che a prendere il sole in topless vicino alla piscinetta gonfiabile sembravo una Lolita dei poveri. «È una cosa da sfigati e in più distrai il mio collaboratore» si lamentò in italiano. Ovviamente non contava il fatto che lui e Serena girassero in giardino completamente nudi tutti i giorni. Io dovevo seguire altre regole. Soprattutto quando c'era Robert.

Sentire pronunciare il suo nome mentre si parlava in un'altra lingua mise Robert a disagio. Ed era altrettanto a disagio davanti alla quantità di cibo servita a tavola e al numero di parenti radunati per mangiarlo. Serena servì spaghetti con zucchine fritte, canticchiando nel silenzio imbarazzante.

Robert fissò la sua pasta e cercò di arrotolarla con la forchetta.

Mia nonna sogghignò e indicò il suo piatto.

«Gli americani non sanno mangiare gli spaghetti.»

Robert mi guardò in cerca d'aiuto.

«Cosa stanno dicendo di me tutti quanti?»

«Che non sei bravo ad arrotolare gli spaghetti» chiarì Timoteo.

Gli diedi un calcio sotto il tavolo.

Esasperato dal suo piattone di cibo recalcitrante, Robert chiese a mia madre un coltello, ma tutti lo guardarono con orrore.

«*Macché coltello!* Se va in Italia e taglia gli spaghetti, cosa penseranno di lui?» sbottò mio padre.

«Che è un idiota! Un coglione idiota americano!» lo attaccò mia nonna.

Robert poggiò la forchetta sul piatto.

«Era troppo *al dente* forse?» gli domandò Serena, ansiosa di conferme. «Non ti piace? Ma sei uno scheletro! Ma ti fanno mangiare, a casa?»

«Mangiamo, sì, ma non mangiamo sempre insieme o a tavola. La gente normale non mangia sempre insieme, sapete?» farfugliò.

«*La gente normale?*» sogghignò mia nonna in italiano fissando il rossetto nero e i piercing. «Ma se sembra l'anticristo!»

«Che ha detto?» chiese Robert.

«Che non è vero che le vere famiglie americane non mangiano sempre a tavola insieme» mentii.

«È terribile!» sospirò Serena. «Tua mamma non cucina per te?»

«Mia mamma è morta.»

Finalmente chiusero tutti la bocca.

Quella notte mi venne la febbre per l'insolazione. Chiusi gli occhi a letto, in preda alle allucinazioni, meditando sugli effetti che Robert e la coppia necrofila avevano avuto su di me. Ero un cadavere vestito di stracci, portato a riva dal fiume. Robert trascinava il mio corpo molle al chiaro di luna. La mia carne consumata, trasparente – soffice e coperta di fango – era sua. Le sue dita ossute salivano per le mie gambe, sollevando gli stracci dalle mie cosce. La mia impotenza glielo fece venire duro. Cominciò a fare l'amore con me, prima con dolcezza, poi in modo sempre più rude, strappandomi dalla testa ciocche di capelli finché, con il cranio liscio e lucente, mi sbatté con forza contro un albero e mi scopò. Venni e mi addormentai. Sognai di essere Sue Lyon, l'attrice di *Lolita*, vecchia e sovrappeso, che sorseggiavo milkshake e masticavo pizza. Una Lolita dei poveri.

Quattro

Dopo il primo mese di scuola mi ero guadagnata il diritto di frequentare le lezioni d'inglese normali, ma mi resi conto presto di essere solo qualche gradino sopra al corso per stranieri. I miei nuovi compagni per lo più non sapevano né leggere né scrivere. Il test di spelling comprendeva parole come "tomorrow" e "teenager". Arash era seduto nella mia fila, lasciò il compito intonso. In classe non mi parlava, ma quando i suoi amici non guardavano alzava gli occhi al cielo e mi chiedeva di parlare in greco perché gli pareva una cosa arrapante. Non sapevo cosa dire, quindi elencavo cibi italiani.

«*Prosciutto, mortadella, carciofi alla giudìa, melanzane alla parmigiana.*»

«*Man o bokon*, facciamo sesso» rispondeva, pensando che cercassi di sedurlo.

Sputava dalla finestra e fischiava alle ragazze che passavano sotto la nostra aula. L'insegnante non riusciva a tenerlo a bada, non teneva a bada nessuno. Gli altri studenti smettevano di urlare solo quando la sentivano piagnucolare.

Il corso più difficile era Educazione fisica. Un allenatore gigantesco con pancia compatta e capelli rossi lucenti ci ordinava di correre per chilometri intorno a un campo da football. Avevo gambe lunghe, ma ero storta e lenta. C'era solo una persona peggio di me sulla pista: una bambolina persiana con un caschetto nero bombato anni Settanta e un gran neo sul mento. Aveva una testa enorme, sproporzionata, sembrava si potesse scardinare dal corpo con una schicchera. Né l'allenatore né gli altri compagni si occupavano di lei. Non sapeva correre. Non sapeva saltare. Non sapeva prendere la palla al volo. Sotto i baffetti impercettibili, le sue labbra gonfie emanavano una patina di saliva. Nessuno le si avvicinava. Fissò lo spazio con sguardo vacuo finché non mi raggiunse lungo la pista. Io mi stavo trascinando alla fine del mio primo chilometro, la mano piantata contro la milza dolorante. Eravamo state doppiate dai compagni ed eravamo le ultime rimaste sulla pista. Mi allungò la mano ossuta perché la stringessi. Si chiamava Fatima e il suo polso era grande come due dita. Sembrava malata e disperata e mi implorò di diventare sua amica. «O almeno fai finta di essere mia amica quando siamo qui» disse. «Puoi essere la mia amica di Educazione fisica? Per favore...»

Accettai di diventare sua amica per l'ora di ginnastica, ma quando rividi Arash a pranzo lui mi disse che era una scelta terribile per una nuova come me. Mi diede una pacca sulla spalla davanti al campo di football, una sigaretta che gli pendeva dalle labbra, mi aspettava. La sua teoria era che bastava continuare a muoversi e nessuno ti notava.

«Fatima è una freak. Tipo che è tecnicamente mezza ritardata mentale e ha un disturbo della crescita. Se stai con lei, penseranno che sei una poveraccia anche tu.»

«Ma va bene. Non è una perdente.»

«Lo dico per te. È zero cool. È una mia mezza cugina, quindi mi dispiace dirlo, ma è vero. Sto solo cercando di aiutarti.»

Passammo dalle panchine di un'area picnic e Arash lanciò la cicca sul pavimento, accettando senza parole di accompagnarmi per gli spazi della scuola in modo che mi ambientassi un po'. Non lo disse, ma sapevo che era per quello e gli ero grata.

«Ehi, è vero che in Grecia le donne non si depilano le ascelle?»

«Senti, sono italiana, non greca. E comunque è una scelta politica» provai a difendermi.

«In spiaggia ci andate in topless, vero?»

«Sì, ovvio. In topless e fiere di esserlo e non ci fanno delle multe idiote» insistetti.

«Sai una cosa? Sei mezza arrapante quando parli tutta seria, cazzo. Mi viene il durello.»

«Che ti viene?»

Mi prese la mano e se la poggiò sui jeans.

«La nuova arrivata deve imparare» ridacchiò.

Arrivammo davanti alla caffetteria. Arash rubò un piccolo cartone di latte alla cioccolata da un vassoio e lo aprì. Disse che sembravo una tristona ad andarmene in giro senza avere idea di cosa fare. Non c'era una sezione greco-siciliana, ma forse sarei potuta andare d'accordo con gli ebrei israeliani. Erano pacifici e si incontravano sotto i pochi alberi della scuola. «Ascoltano Dylan e si tingono i capelli di verde» disse. Potevo anche fare amicizia con Chris. Me lo indicò. Era una specie di *dude* fattone col berretto di lana, occhi a mandorla iniettati di sangue e bellissimi capelli lunghi parzialmente legati con spago di canapa e perline.

Palleggiava con una footbag, da solo. Era *sempre* solo, secondo Arash. Era cresciuto in una situazione hippie a Topanga Canyon e non aveva attitudini sociali. Ma la cosa buona era che aveva accesso a un'erba incredibile. Era un eccelso spacciatore, vendeva solo erba, e se ne volevo dovevo andare da lui. La prendeva in una comune su al canyon. Era la migliore della Valley.

Arash mi guidò fuori dalla caffetteria fino a un campo da baseball abbandonato, e lì mi lasciò. C'era un gruppo di ragazzini punk messicani con le borse sotto gli occhi che fumavano sigarette.

«Per ora resta con questi. Sono anarchici. Non gliene frega un cazzo di chi sei e da dove vieni.»

«Grazie.»

«Ehi! Non salutarmi quando mi vedi con i miei amici però. Mi stai simpatica solo perché una volta sono stato in Grecia.»

Si avvicinò e mi abbracciò.

«Devi sembrare meno spaventata. È un segno di debolezza.»

Mi sforzai e feci un sorrisetto furbo. «Anche il latte sulle labbra.»

Aveva lunghe ciglia e occhi scuri più profondi di quanto non sapesse. E aveva un mento pronunciato e grasso: era virile e quadrato, con una bella fossetta al centro che mi faceva pensare che potesse essere coraggioso come Kirk Douglas. Un mento per fare il padre, o il gladiatore. Un mento che mi faceva fidare di lui. Così ora avevo un'amica di Educazione fisica e un protettore. Stavo migliorando.

I messicani del campo da baseball sembravano più piccoli di me. Molti non parlavano inglese. Praticamente non mi salutarono, ma era vero, non erano infastiditi che stessi lì con loro. Mi sedetti a terra, fumai delle sigarette e lessi il mio trattato femminista. Sul limitare del campo notai la ragazza bionda che era sgattaiolata via dall'aula Prevenzione gang il primo giorno di scuola. Era una vagabonda, non stava mai in un posto. Ogni volta che la vedevo, una porta si apriva o si chiudeva al suo passaggio. Camminava rapida lungo la recinzione. Lanciò lo zaino dall'altra parte, si arrampicò e saltò via, sparendo lungo una strada residenziale: i lunghi capelli biondi che le ondeggiavano sulle spalle. Pochi secondi ed era libera.

Quando non ero a scuola la imitavo. Vagare per le griglie della San Fernando Valley divenne parte dei miei rituali quotidiani. Scelsi Sepulveda Boulevard. Era la strada più lunga di Los Angeles e tra i grandi viali era il più vicino a casa mia. Nessuno lo faceva a piedi, ma io sì. Fu molto naturale.

All'inizio mi sembrava la strada più brutta che avessi mai visto. Ogni area parcheggio era recintata col filo spinato, e spesso dalle punte di ferro penzolavano stracci e pettorine o altri capi d'abbigliamento. C'era una serie di tristi aree commerciali con oscure catene di ristoranti messicani, una fila di negozi d'auto usate e centri dimagranti Jenny Craig. Ma giorno dopo giorno, la strada si trasformava ai miei occhi. Più camminavo, più la bruttezza diventava parte della vita quotidiana e quelle recinzioni di filo spinato e quelle strisce di grandi magazzini diventavano il mio quartiere. Una realtà locale. Non sapeva della pizza appena sfornata di Campo de' Fiori a Roma, ma era familiare. Familiare in un senso nuovo. Sapevo per esempio che quando vedevo il sombrero di neon del fast food messicano, o la corona d'oro dell'insegna del Crown Car Wash, l'autolavaggio, significava che mi stavo avvicinando a casa. Cominciai a sentire la voglia di tornare a vedere quei piccoli monumenti, creare le mie storie mitologiche sul posto in cui vivevo. Capitai per caso davanti ai Sound City Studios, uno studio di registrazione fatiscente a pochi isolati da casa. Era un'ex fabbrica di amplificatori Vox accoccolata di fronte al birrificio Budweiser che sbuffava fumi nauseanti dai camini. Dall'area parcheggio sembrava l'ennesimo desolato negozio di Van Nuys, ma un giorno vidi Zach de la Rocha dei Rage Against the Machine là fuori che fumava una sigaretta appoggiato a una macchina. Mi avvicinai e, siccome la porta dello studio era aperta, mi infilai a guardare. Sapeva di urina di gatto. Era buio e sporco, ma i muri erano coperti da file di dischi d'oro e platino: Neil Young, Fleetwood Mac, Grateful Dead avevano tutti registrato i loro dischi più iconici là dentro. Il posto era quasi fallito negli anni Ottanta, finché i Nirvana non avevano deciso di registrarci *Nevermind*. Era successo l'anno prima. Sulle pareti, appuntati a una bacheca di sughero, c'erano scatti intimi di Kurt Cobain e Dave Grohl che facevano finta di prendersi a botte. Come accadeva a tanta gente della mia età, i Nirvana mi accendevano il combustibile necessario ad affrontare dolore e ansia. Gli occhi profondi e azzurri di Kurt mi rassicuravano. Se era riuscito a ricavare qualcosa da Van Nuys, allora potevo riuscirci anch'io. Camminare a LA voleva dire incrociare gente che di solito non vedresti. Se eri una ragazza, voleva anche dire che ti suonavano il clacson. Una volta su Sepulveda uno abbassò il finestrino e mi urlò qualcosa. Non capii nulla tranne "Baby", ma una ragazza ispanica alta, in un minidress coperto di lustrini, stravaccata a un semaforo davanti a un supermercato Food4Less, mi squadrò pensando volessi rubarle il lavoro. Era grossa come un uomo, con spalle larghe e un accenno di barba. «È il mio isolato, bella» sibilò. Tirai dritto. L'avrei incrociata ancora dopo quel giorno, e cercai sempre di farle capire che ero solo una che amava andare a piedi sulle strade: una dei pochi.

Durante una delle mie camminate su Sepulveda sbucai su Ventura Boulevard: la sola strada della Valley che non dava quella sensazione di suburbia fatte con lo stampino. Un'insegna davanti a un negozio chiamato Archstone Vintage & Rentals diceva: BENVENUTI AL VIALE DI NEGOZI CONSECUTIVI PIÙ LUNGO DEL MONDO. CI SCUSIAMO PER NON ESSERE ALL'ALTEZZA DELLE VOSTRE ASPETTATIVE. Il posto sembrava essere stato chiuso dall'esterno. Sulle vetrine c'era un'esposizione polverosa di bambole d'antiquariato in costumi western: ad alcune mancavano occhi o capelli. C'era anche uno spaventapasseri in sedia a rotelle con in grembo una pila di cestini da pranzo anni Ottanta. Spinsi la porta, si aprì. Un tipo con i capelli lunghi e una maglietta dei Metallica stava seduto su una sedia girevole con i piedi allungati sopra alla cassa.

«Com'è?» mi salutò.

«Posso entrare?»

Scrollò le spalle.

«Sicura che cercavi questo posto? Nessuno entra mai» rise.

«Le vetrine sono interessanti.»

«Ah, le bambole rotte? Phoebe dice che sono d'antiquariato.»

Mi feci strada in quell'antro polveroso.

«Lo sono se pensi che questa» si alzò e tirò giù da uno scaffale una bambola con un occhio mezzo chiuso «è il campione di prova di *Chucky*.»

«Chi è *Chucky*?»

«Non sei di qui.»

«No, e non ho idea di cosa stai parlando. È un film?»

«Quasi tutto quel che trovi in questo negozio è stato in un film. Anche lo spaventapasseri sulla sedia a rotelle. Quello è di *Devourlandia*. L'hai mai visto quel film assurdo?»

«Conosco il produttore. È un amico di famiglia.»

Non parve colpito.

«Max Velasquez? Me li ha venduti lui alcuni dei pezzi. Mi sa che era a corto di soldi.»

«Dubito. È amico di Phil Collins. Ha scritto le parole di *Another Day in Paradise*.»

«Canzone di merda» sogghignò lui. «Dovrebbero punirlo.»

Ero sorpresa che uno con le arie da gran signore come Max vendesse arredi scenici a un negozio così.

«Simone de Beauvoir, eh?» disse il ragazzo, notando il libro che mi spuntava dalla borsa. «Perché lo leggi? Non era tipo una che promuoveva la castrazione?»

«Cosa? No! Era un'esistenzialista. Pensava che le donne fossero condannate in un mondo costruito per gli uomini.»

«Una sfasciapalle quindi.»

«Ha posto le fondamenta per la seconda ondata del femminismo. È incredibile. Mi porto in giro questo libro ovunque. Come statement» dissi fiera.

«Be', è inutile. Nessuno legge libri a LA.»

Quando parlava, le labbra si arricciavano a forma di cuore dandogli un'affettazione un po' gay. Aveva un naso aquilino e gli occhi erano due piccole fessure azzurre che lo facevano sembrare un po' uno squilibrato.

«Io sono Eugenia, piacere. Sono italiana.»

«Ciao. Io sono Henry. Sono povero.»

Ci stringemmo la mano. Era grassottello e sudicio.

«Questa città ti fa schifo, vero?»

Feci sì con la testa.

«La scuola come va? Sei stata reclutata dalle ragazze pompon?»

«Ma se neanche so saltare su una gamba sola.»

«Che tristezza. Ti fai una canna?» propose, balzando giù dalla sedia girevole. Chiuse a chiave l'ingresso e sbuffò. «Tanto non passa nessuno.»

Mi portò in un bagno minuscolo sul retro. Caricò un bong e me lo passò. Non avevo mai visto uno strumento del genere. Diedi un tiro e in un attimo il negozio cominciò a sembrarmi un enorme tessuto di velluto morbido. Girai per quel paese delle meraviglie pieno di polvere affascinata: il set di trucchi originali di Elvira era esposto nella sezione Thriller accanto a un cappello di Bela Lugosi. I mantelli di *Dracula* costavano sui cento dollari. Le cinture di *Wonder Woman* novanta. Ce n'erano tre, sistemate sui fianchi di manichini sfigurati.

Un album di fotografie anni Cinquanta ricostruiva la storia dell'addestramento di Lassie, il collie della TV. Dischi in vinile, vecchie foto incollate una all'altra, pattini da ghiaccio: tutto era ammucchiato in pile muffose.

«Phoebe è una grassona disposofobica» spiegò Henry. «Non riesce a separarsi dalle cose. Odio questo lavoro. Va tutto a puttane.»

«Phoebe è la proprietaria?»

«Sì. È mia madre. Era una scenografa negli anni Settanta, ma poi è andata sotto col crack, ne è uscita, ha cominciato con l'eroina, si è ripulita. Ora beve solo bibite Diet e mangia schifezze piene di sciroppi colorati.»

Mi piaceva il suo modo di parlare senza fronzoli. Staccò dal muro la foto di un'hostess degli anni Sessanta e me la passò.

«Qui era giovane. Era bella prima di cominciare a farsi. Quindi è stata bella fino a tredici anni.»

Inarcai le sopracciglia.

«Scherzo. Cioè, no» ridacchiò.

Tirò fuori una grossa scatola di cartone dal fondo della stanza e la infilzò con un coltello. Era piena di vestiti vintage. Passai le dita sopra un esile mantello di *Dracula*. Sembrava troppo povero per essere stato in un film, ma Henry mi spiegò che tutto ciò che era fatto per lo schermo aveva quella qualità. Non era fatto per durare.

«E non puoi vendere cose false e dire che sono originali?» chiesi.

«Magari. Ogni costume da film ha il suo certificato di autenticità degli studios. Falsificarne uno è peggio che ammazzare, in questa città.»

«Wow.»

«La settimana scorsa un negozio qui vicino ha comprato la DeLorean di *Ritorno al futuro*. Stava marcendo sul retro della Universal. Devi darle un'occhiata se ti piacciono queste cose. È pieno di negozi di cinema in questa zona.»

Henry si scostò i capelli lunghi dagli occhi e notai che il suo orecchio aveva qualcosa di strano. Era tutto smangiato, sembrava quasi che non ce l'avesse. Provai a guardare da un'altra parte, fingendo di non averlo visto, ma Henry sbuffò subito.

«Eh sì... mi manca un orecchio.»

«Mi dispiace, non pensavo di...»

«Tranquilla. Ci tengo i capelli sopra apposta. Odio quei finti sguardi di compassione. È solo un orecchio.»

«Sì, be'...»

«Sei venuta in macchina?» chiese.

«No, a piedi...»

«Vivi da queste parti?»

«Non proprio...»

«Una camminatrice della Valley. Anch'io lo facevo. Ho incontrato tanta gente assurda.»

«Be', avranno detto la stessa cosa di te.»

«Giusto.»

Ridemmo.

Henry mi accompagnò a casa a piedi. Disse che la ripetitività di Sepulveda Boulevard confortava anche lui.

«Ogni volta che cammino davanti a questo posto penso a mia madre. Mi immagino di mollarla qui e non passare mai più a riprenderla» disse sogghignando a una signora sovrappeso nel parcheggio di un Jenny Craig.

«Dov'è ora?» chiesi. «Tua mamma.»

Henry piegò il collo verso di me per sentirmi meglio dall'orecchio che gli funzionava. Spostò il peso del corpo, sporgendosi abbastanza da non sembrare un vecchio sordo.

«A casa. Praticamente non si muove. È obesa.»

«Dài.»

«Non sto scherzando. È gigantesca. Cioè, ti giuro, morbosamente obesa. È orribile. La odio.»

«Ma lavori nel suo negozio.»

«È un lavoro...»

«Non preferiresti lavorare per qualcun altro?»

«Be', in effetti è abbastanza una figata avere un capo che non c'è mai. Faccio quello che mi pare, tipo accompagnare a casa italiane tristi a metà pomeriggio.»

Risi. Ero attratta dal suo orecchio mancante. Anzi, non era del tutto mancante. Il lobo inferiore c'era, ma arricciato all'indentro, come la codina di una lumaca. Cercavo di esaminarlo da vicino ogni volta che il vento gli scuoteva la criniera, ma Henry si sbrigava sempre a riportare i capelli a posto con la mano.

Passammo davanti al Crown Car Wash e Henry entrò in un piccolo centro commerciale. Mi chiese se ero mai stata al Taiwanese Party Store aperto ventiquattr'ore. Dovevo conoscere quella gente, disse. Vendevano tutto, dai palloncini alle medicine ai dolci e i tè freddi.

«Ti vendono le sigarette anche se sei minorenne. Due dollari a pacchetto per le Camel Light.»

Nel negozio, Henry diede il cinque a un gruppo di ragazzini taiwanesi silenziosi che portavano enormi cappellini da baseball inamidati. Mi presentò a tutti e ordinò due Bubble tea, un frullato ghiacciato in cui galleggiavano delle gelatine di frutta. Era esageratamente dolce e tossico e delizioso. Quel sapore era la prima cosa magica che mi era capitata nel quartiere, e mi ripromisi di tornare in quel negozio.

Quando raggiungemmo Sunny Slope Drive, Henry guardò bene la mia casa dal prato all'entrata. Dentro le luci erano accese. Vedevamo Serena in cucina, portava il grembiule.

«Sembra un bel posto.»

«A volte» sorrisi.

Si sporse verso di me e mi baciò una guancia e poi l'altra.

«Fate così in Italia, vero?»

Cinque

«Non possiamo essere felici in questa terra se non onoriamo chi l'ha abitata prima di noi» proclamò mia madre. Aveva appena finito di leggere la sua collezione di libri e biografie dei Sioux e sentiva che per "amare veramente" l'America dovevamo vederla "con gli occhi di chi ci aveva vissuto dal principio". Poco dopo il fiasco del nostro pranzo di famiglia, Robert il dark aveva smesso di prendere i suoi psicofarmaci e aveva avuto un esaurimento, era scappato dal campus della sua scuola d'arte e aveva provato ad ammazzarsi con la scarica elettrica di una recinzione ad alto voltaggio. Gli servivano un paio di settimane per rimettersi in sesto e cominciare la nuova terapia, così mio padre aveva tempo da perdere.

Per la festa del Ringraziamento decidemmo di andare a visitare il luogo che un tempo era stato il campo di battaglia del massacro di Wounded Knee, dove erano stati sterminati i Lakota, nella riserva indiana di Pine Ridge in South Dakota. Mia nonna non voleva viaggiare nella Ford decappottabile, la odiava, diceva che era ridicola e scomoda, così comprammo per cinquecento dollari una Pontiac station wagon usata, con i vetri oscurati. Tre giorni e una lunga serie di problemi meccanici dopo arrivammo in South Dakota.

Andammo dritti alla riserva. Parcheggiammo in un piazzale vuoto davanti al cimitero dei Lakota, con il motore spento si sentiva solo il ronzio della valle. Mia madre scese e si precipitò ad aprire il portabagagli. Era tanto che aspettava questo momento, avremmo reso omaggio alle anime della tribù Lakota e onorato il fatto che erano stati lì prima degli altri. Decise che dovevamo piantare bulbi di ciclamino sulle tombe e recitare preghiere. Aveva una valigia piena di semi di fiori sparsi e una pila di stracci bianchi da indossare per la cerimonia.

«Cento anni fa, trecento uomini, donne e bambini indiani, furono massacrati dalle truppe americane» disse con tono solenne mentre ci passava i vestiti sbiaditi. Non aveva trovato niente che potesse entrare a mia nonna, allora aveva optato per un vecchio lenzuolo bianco, insistendo che si togliesse i vestiti e si avvolgesse con quello in segno di rispetto.

«Non credo proprio» rispose mia nonna. Tornò in macchina e chiuse lo sportello del sedile posteriore. «Non mi faccio multare un'altra volta per nudità, e non me ne vado in giro con un lenzuolo.»

«Smettila di comportarti come una bambina!» si lamentò Serena.

Mia nonna puntò i piedi e rimase incollata al sedile della Pontiac.

«Non puoi costringermi.»

«Va bene. Quando lo spirito di Capo Piede Grosso ti apparirà in forma di un'antilope feroce e cercherà di infilzarti con le sue corna, non dirmi che non ti avevo avvertito!»

Io e Timoteo alzammo gli occhi al cielo. Era un fenomeno tipico di mia madre: prima mesi di ricerca intensiva, ritagli, libri, entusiasmo estremo... poi vittimismo appena qualcuno dissentiva.

«Non ci vado in quel cimitero del cavolo. Piede Grosso non mi fa nessuna paura e non mi metto addosso questo *coso*!»

Mia nonna prese il lenzuolo, lo lanciò dal finestrino e chiuse la serratura.

«Questa gente c'era prima di noi!» disse Serena battendo il pugno contro il vetro.

«Possono anche rimanerci, per quanto mi riguarda! Io tra un mese me ne torno in Italia e sai una cosa?» tirò giù il finestrino perché la sentissimo tutti. «Credo che dovreste tornare anche voi! Non potete trascinare i ragazzi ovunque.»

«Con i miei figli ci faccio quello che mi pare!» le urlò mia madre. «Mi amano e sono felici di seguirci ovunque, vero ragazzi?»

Non rispondemmo.

«Visto!» gemette mia nonna.

Il labbro di Serena cominciò a tremare. Sapevo come sarebbe andata finire.

«Bene. Non ne faccio mai una giusta, vero?»

E scoppiò a piangere in mezzo a quel campo desolato del South Dakota.

«Non fate altro che lamentarvi! Io sto provando a fare del mio meglio!» urlò compiangendosi.

Una scenata nel silenzio del cimitero non sembrava una buona cosa. Odiavo vedere mia madre singhiozzare, i suoi attacchi melodrammatici mi prendevano sempre alla sprovvista. Non mi piaceva quando si rovesciavano i ruoli, quando lei piangeva come una bambina e io dovevo fare l'adulta. Avrei dato qualunque cosa perché la smettesse.

«Ti seguiremmo ovunque, mamma. Siamo felici di essere qui» provai a consolarla con un abbraccio.

Mio padre si avvicinò, affettuoso. Era la solita solfa. Le disse quanto adorassimo lei, Piede Grosso, i nativi americani e tutto quello che lei scegliesse di fare della nostra vita. Noi non volevamo essere che lì, nel desolato campo di battaglia di Wounded Knee.

«E allora è troppo chiedervi di mettervi i vestiti bianchi?» piagnucolò.

Mia nonna fece una risata di scherno dal sedile della

macchina, le braccia incrociate, mormorando: «Stronzetta manipolatrice».

«Che hai detto, *mamma*?» sbottò mia madre, tornando a guardarla dal finestrino.

«Niente» mi intromisi. «È solo che non vuole mettersi la tonaca bianca.»

«È un lenzuolo!» urlò mia nonna dalla macchina. «Un lenzuolo per il letto! Non è una tonaca!»

Trovai un babydoll senza maniche nella mia valigia e lo diedi a mia nonna, poteva indossarlo sopra i vestiti, ma Serena continuò a tenere il muso, poco convinta. Diede a mio fratello il suo completino: boxer bianchi extralarge e maglietta, entrambi di mio padre.

«Non voglio mettermi le mutande di papà» si lamentò, ma il labbro di mia madre tremò ancora e lui indossò i boxer senza ulteriori discussioni.

Mio padre mise i pantaloni per fare yoga e una camicia indiana a maniche lunghe. Mia madre si infilò una camicia da notte stile tunica e io un pigiama termico ingiallito dell'Esercito della Salvezza.

E finalmente ci incamminammo tutti verso il cimitero.

La recinzione d'alluminio che proteggeva il campo di Wounded Knee era chiusa. All'interno c'erano tombe polverose e una cappella con il tetto mezzo crollato. Conigli selvatici si inseguivano tra le tombe in cerca di cibo, non avevano paura di avvicinarsi a noi. Scavalcammo e forzammo il cancello per far entrare mia nonna. Il grande campo di battaglia era silenzioso e faceva freddo. Un vento secco, brutale ci graffiava la pelle. Rimanemmo in piedi uno accanto all'altro davanti alla fossa comune dove erano stati seppelliti centinaia di Sioux. Una vecchia targa ci informava che ci trovavamo ufficialmente all'interno di un Monumento nazionale americano, ma non sembrava così. Eravamo gli unici visitatori, le tombe cadevano a pezzi, alcune erano così sporche che era impossibile leggere le lapidi. Altre erano fatte di fango, decorate con croci di legno marcio conficcate nel suolo.

Gli occhi di mia madre si riempirono di nuovo di lacrime. Erano mesi che leggeva le storie di quella battaglia, pensava che avremmo visitato qualcosa di simile a un museo dell'Olocausto, ma eravamo soli e attorno a noi c'era il vuoto assoluto. L'America non era interessata a commemorare certi capitoli della sua storia. Serena lesse ad alta voce da una lastra di cemento che ricordava vagamente un obelisco.

«In memoria del massacro di Capo Piede Grosso, 29 dicembre 1890. Qui sono morti donne e bambini senza macchia.»

«È tutto *qui*?» sospirò mia nonna. Adesso aveva anche lei le lacrime che le scorrevano sulle guance. «Neanche ci volevo venire in questo cavolo di posto.»

Serena la lasciò borbottare. Prese la mia mano, quella di mio fratello, poi chiuse gli occhi per pregare.

«Cari Sioux, oggi vi porto la mia famiglia e vi chiedo di accoglierci nella vostra terra. Questo paese è vostro e vogliamo che sappiate che veniamo in pace. *Namaste*.»

Mio fratello mi diede una gomitata.

«Gli indiani d'America non dicevano "pace" in quel modo, mamma. Quelli sono gli indiani d'India» la corressi timidamente.

Serena mi lanciò un'occhiataccia.

«Non importa. È l'*energia* della parola che conta. Dovreste saperlo.»

«Amen» concluse mio padre.

Il sole alto emanava una luce metallica che copriva l'erba intorno a noi di una luminescenza selvaggia, il vento soffiava attraverso i buchi del mio pigiama termico dell'Esercito della Salvezza. Ci sentivamo troppo esposti sotto il cielo enorme del South Dakota, sembrava stesse per inghiottirci tutti e seppellirci nella terra sacra insieme alle tribù perdute.

Piantammo i bulbi di ciclamino vicino alla fossa comune. Anche se sapevamo che non sarebbero mai fioriti. Un falco volteggiava con grazia nel cielo. Poi, all'uscita del recinto, notammo una grande insegna VENDESI. Gli ottanta acri del Wounded Knee Historic Landmark venivano offerti a un milione di dollari dai proprietari del terreno. I pochi rimasti della tribù dei Sioux non potevano permettersi di riprendersi la loro terra.

Dal piazzale del parcheggio, l'hotel e casinò Prairie Wind sembrava più un grande magazzino che un albergo. Una struttura orizzontale si allungava da entrambi i lati di una finta tenda indiana di cemento che faceva da iconico ingresso. Sui cartelloni pubblicitari arrugginiti ai lati del palazzo, dei cavalli multicolore galoppavano nel vento.

"Senti il vento & senti che hai vinto!" diceva la pubblicità del casinò.

A mia madre piaceva che il posto fosse di proprietà e gestito dai Sioux, scegliere di dormire in quell'albergo era un modo per rendergli omaggio. Mentre i miei genitori si registravano, attraverso le porte girevoli intravidi un indiano vestito da Elvis Presley che si ubriacava al bar preparando la performance della sera. Eravamo tutti consapevoli di essere finiti in un luogo miserabile in mezzo al nulla, ma sapevamo che anche la minima protesta avrebbe scatenato il definitivo esaurimento nervoso di Serena, rovinandoci il resto della vacanza. Evitammo di menzionare l'Elvis ubriaco o gli anziani giocatori d'azzardo che sedevano come zombie davanti alle slot machine della sala accanto.

Il pranzo del Ringraziamento venne servito al tavolo del buffet del casinò. Potevamo mangiare quanto ci pareva per $13.99. Il fervore idealista di mia madre sugli indiani e le loro tribù, sulla purezza che dovevamo restituire a questa terra un tempo vergine, svanì in un piatto di nugget di tacchino fritti e salsa al mirtillo in scatola. Alcuni schermi sopra le nostre teste pubblicizzavano il gioco d'azzardo con frasi a effetto, le lettere erano formate da tanti piccoli diamanti.

"*Cold Days, Hot Cash!*"

Da un altro schermo, un tacchino gigante animato ci faceva l'occhiolino, la sua coda a ventaglio era formata da banconote verdi: "Giocate al bingo del Ringraziamento! È gratis! Vi daremo noi qualcosa di cui essere grati!".

Mangiai controvoglia, forzando dei sorrisi e sperando che il tempo passasse veloce. L'importante era che le sopracciglia aggrottate di mia madre cominciassero a distendersi, che il suo labbro smettesse di tremare.

Dormivamo tutti e cinque nella stessa stanza, si chiamava Suite Imperiale Piede Grosso. Nel cucinino svettava il ritratto incorniciato di Charles Fey, l'inventore ariano della slot machine: UN GRANDE GRAZIE MR FEY! diceva una placca d'oro sotto la cornice. Nel cortile interno del casinò c'era la pool room, una stanza a vetri con una vecchia vasca a idromassaggio e una piscina. L'acqua della vasca era tiepida e marroncina, ma noi eravamo comunque eccitati all'idea di farci il bagno. In famiglia c'era grande esaltazione per qualsiasi genere di piscina o contenitore d'acqua: idromassaggi, bolle e getti vari erano sinonimo di sfarzo e un bagno in una pozza calda piena di bolle poteva valere un intero viaggio.

Eravamo immersi nell'acqua, in silenzio. Nella stanza a vetri non c'era nessun altro.

Mia nonna indossava un costume intero dorato e inalava i vapori della vasca immaginando di stare in un centro termale. Sotto alle luci al neon i suoi capelli cambiavano colore e diventavano turchesi. Cercava di posizionarsi per bene davanti ai getti per sollevare la parte bassa della schiena che le faceva sempre male. La imitai, immaginando anch'io di avere mali incurabili.

«Eugenia, mi raccomando, attenzione all'ano» mi disse, preoccupata. «Se ci fai entrare troppa acqua, ti vengono le emorroidi.»

Non sapevo cosa fossero le emorroidi, ma sapevo che non

volevo nulla nel mio ano che fosse un problema per quello di mia nonna. Galleggiavo sotto le luci al neon. I vetri erano tutti appannati. Stavamo facendo il bagno in una squallida stanza d'ospedale e capii, con lucidità totale, di non voler essere lì.

Sei

"Maria, ti prego, perdonami e fa' che i miei genitori mi perdonino. È arrivato il momento di andare. Non posso vivere con loro in questo paese. Devo trovare una soluzione. Tu eri adolescente quando è nato Gesù, quindi dovresti sapere cosa si prova a vivere una situazione ingestibile alla nostra età. So che penserai che partorire il figlio di Dio sia più traumatico che vivere a Van Nuys, ma è solo perché quando eri viva non sei mai stata nella San Fernando Valley. È più facile essere una vergine incinta che un'italiana che vive all'angolo di Victory e Sepulveda. Amen."

Ettore e Serena tornarono esultanti dai tavoli del black jack, i free drink della sala da gioco avevano sortito l'effetto desiderato. Quando si addormentarono, riempii una borsa dal minibar: noccioline, wafer mosci, due bottigliette di vodka e una banana, e scappai dal Prairie Wind Casino. Un gruppo di ragazzini del posto aveva occupato la zona della piscina, facevano il bagno nudi, circondati da bottiglie di whiskey: era un segno della Madonna. Andai dritta verso di loro e scelsi il ragazzo che pensavo potesse salvarmi: Alo. Assomigliava vagamente a Ethan Hawke, con uno sforzo di immaginazione potevo fingere che fosse un po' una celebrità. Non sapevo come avvicinarlo, era nudo e pallido. Tornai dentro l'albergo, aprii la mia sacca e scolai le due vodka del minibar per prendere coraggio. Aspettai un paio di minuti per accertarmi di non avere più alcuna lucidità. Quella sera la cosa importante era fare una scelta sbagliata. Qualunque scelta sbagliata. Era l'unico modo per liberarmi.

Dall'esterno osservai la stanza della piscina con i vetri appannati, ammirando le tette e i culi dei ragazzi che correvano tra i vapori delle vasche. Appena Alo lasciò il gruppo per andare a raccogliere le sigarette, presi fiato e feci la mia mossa. Gli chiesi una sigaretta e con aria ubriaca mi presentai, cercando di non gettare lo sguardo tra le sue gambe. Gli dissi che ero italiana, stavo facendo un giro per gli Stati Uniti da sola e avevo voglia di divertirmi.

«Hai mica erba o fumo o Jack Daniel's?» domandai con voce distaccata.

Alo esalò il fumo di una Marlboro rossa e mi guardò con occhi concentrati, eccitato.

«Stai scherzando? Ma dove sei stata tutto questo tempo?»

Mi lasciai andare a una risata forzata un po' lasciva, come quelle delle attrici nei vecchi film americani.

Alo disse che l'erba era una cosa sacra, era importante fumarla in luoghi naturali e isolati. Salutò i suoi amici nudi e ubriachi, mi caricò sul suo pick-up e cominciammo a salire verso le colline.

Alo era metà bianco e metà nativo americano. Il suo nome voleva dire "colui che guarda in alto" in Sioux. Durante l'anno viveva a Ventura, un paesino di surfisti sopra Los Angeles, ma per le vacanze veniva in South Dakota a trovare la madre, una cameriera da cocktail bar che lavorava al Prairie Wind Casino. Era sposata e divorziata da un Sioux alcolista che viveva nella riserva e aveva dei guai con la legge. Alo non lo disse, ma capii che stava in carcere.

«*OhmyGod*, cioè, tipo abbiamo un sacco di cose in comune!» esclamai forzando un accento da ragazza della Valley. «Cioè, anch'io vivo *totalmente* a Los Angeles. Tipo ci tengo la mia roba mentre sono in giro in viaggio.» Era la prima volta che Los Angeles mi dava qualcosa in comune con qualcun altro.

«Fico. Io sono scappato dal South Dakota quando avevo la tua età, ma qui siamo troppo lontani dal mondo per raggiungere qualcosa di fico. Ho dovuto aspettare anni prima di cominciare a divertirmi.»

«Oh, ma io non sono mica scappata di casa. I miei sanno che sto viaggiando. Loro sono bohémien.»

Non sapevo da dove venissero quelle dichiarazioni così coraggiose, ma sentivo che mi stavano mettendo nella direzione giusta.

Eravamo l'unica macchina sulla statale. La luna piena sorgeva nel cielo, non l'avevo mai vista così immensa e radiosa. In America ogni cosa – anche la luna – era più grande. Lasciammo la strada principale e inforcammo una sterrata a curve che portava nel bosco.

«Dove andiamo?» chiesi dopo aver bevuto un sorso di Jack Daniel's.

Alo si chinò verso di me e mi prese il collo con la mano, accarezzandomi i capelli sgraziatamente, un gesto che voleva essere rassicurante ma che ebbe l'effetto opposto.

«Moira sarà felicissima. Non ha mai conosciuto una francese.»

«Italiana» lo corressi a bassa voce. «Chi è Moira?»

«La mia macchina» sorrise e diede una pacca da papà orgoglioso al cruscotto del pick-up. Guardai a terra: relitti di bottiglie di whiskey, un posacenere da tavola traboccante di cicche.

«Dove stiamo andando?» chiesi ancora, l'odore marcio dei tappetini sporchi nelle narici.

La luna saliva più alta nel cielo, oscurata da una fila di pini ricurvi che formavano un arco naturale sopra di noi. Arrivati in cima alla foresta, Alo spense motore e luci. Il pick-up cominciò a scorrere in discesa dall'altra parte della montagna, verso l'oscurità.

Ero nervosa, ma Alo mi disse di non temere, era un gioco che faceva sempre, conosceva quella strada così bene che poteva guidare a occhi chiusi. E lo fece. Chiuse gli occhi e lasciò andare il pick-up. Afferrai il volante ma non vedevo nulla. Il furgoncino volava per la discesa aumentando di velocità, precipitando in un mare nero di alberi. Non c'era rumore se non il capitombolare sordo degli pneumatici sul brecciolino, che ripetevano il loro ciclo a un ritmo sempre più incalzante.

«Fermati!» urlai. «Accendi i fari!»

Schizzammo sempre più in basso finché i pini non si diradarono e il chiaro di luna cominciò a trapelare attraverso la foresta. Moira ci sputò fuori dal tunnel nero in una distesa di luce iridescente.

Eravamo atterrati.

Alo fermò il furgone e si lasciò andare a una risata fragorosa per liberare l'adrenalina. Scesi dalla macchina e mi misi a camminare a passo spedito più lontano che potevo, verso la grande luce che illuminava il campo.

«Oh, dài, non te la prendere. Ti ho detto che era tutto sotto controllo» mi urlò dietro.

L'erba alta risplendeva nella luna. Mi resi conto che eravamo di nuovo al cimitero di Wounded Knee. Alo mi raggiunse. Mi diede una coperta e la sua bottiglia di whiskey. Avanzammo nel prato accompagnati da un suono di tamburi che proveniva dalle colline.

«Lakota.» Alo mi fece segno di stare zitta. «È il loro rituale di purificazione per la terra. Vengono a cavallo ogni inverno da tutta l'America, un viaggio spirituale per benedire le anime dei loro antenati.»

Sentii una fitta al cuore. Allora la mia povera madre, con la sua biancheria stropicciata e i suoi bulbi, aveva ragione. Era davvero in sintonia con i Lakota, una tribù che attraversava addirittura un paese intero a cavallo in un clima artico per radunarsi lì.

Ci avvicinammo al suono dei tamburi, avanzando nascosti tra l'erba alta.

«Il primo anno hanno chiesto anche a me di partecipare, perché mio padre è Lakota, ma l'iniziazione è una tortura. Devi farti mesi di Inipi, chiuso in capanne roventi a sudare, ore di meditazione, e poi devi metterti in cammino alla ricerca di visioni cosmiche. Non ce la potevo fare. Praticamente ridotto alla fame, poi cammini senza meta nella natura per giorni finché non ti appare uno spirito che ti mostra lo scopo della tua vita. Non sono cose che si possono fare a Los Angeles, a meno che non vuoi saltare nell'oceano e farti mangiare dagli squali. E poi mi piace troppo il whiskey.»

Avanzammo ancora fino ad avvicinarci a un folto gruppo di uomini, donne e cavalli raccolti intorno a un pioppo vicino al vecchio cimitero Sioux. Eravamo nascosti nella zona più buia del campo, ma vicini abbastanza da poter sentire le loro voci. Alo stese la coperta in terra e si mise seduto. Si gelava.

Il ritmo tribale dei tamburi aumentò e un uomo tarchiato con il viso dipinto cominciò a cantare.

«E ora godiamoci lo spettacolo» disse Alo caricando una pipetta di erba. Prese un gran tiro e me la passò.

«Forse è brutto che li stiamo spiando.»

«No, tranquilla.» Mi coccolò un po', per fare il romantico o per rassicurarmi, ma non gli riuscì né l'una né l'altra cosa. «Loro lo sanno che siamo qui. Ci lasciano guardare, basta che non diamo fastidio.»

Mi passò di nuovo la pipa incandescente.

Aspirai profondamente come mi aveva insegnato Henry al suo negozio. Trattenni il fumo nei polmoni il più possibile, poi lo sputai fuori con un colpo di tosse. Alo mi offrì un sorso di whiskey per scaldarmi. Ne mandai giù fin quasi a strozzarmi. L'alcol scese veloce e mi sembrò portasse con sé particelle della mia gola. Lo stomaco cominciò a bruciare e d'un tratto mi sembrò di intuire l'esatta consistenza del liquido che avevo ingerito. Il malto era spesso, si condensava dentro di me e scendeva per tutto il corpo. Vedevo le molecole che componevano il whiskey apparire e poi dissolversi nell'aria, scivolavano nel mio esofago e mi bruciavano le viscere. Mi alzai nel panico e urlai che andavo a fuoco. Bruciava tutto.

Alo mi prese la mano e mi fece sedere.

«Calmati o ci mandano via. Va tutto bene, respira. Ho aggiunto una spolverata di peyote all'erba. Rilassati. Lo sentirai appena, giuro» disse mentre osservavo un dragone con gli occhi rossi uscire come vomito dalla sua gola. Aprii la bocca sperando che l'aria gelida della prateria potesse estinguere il fuoco che mi bruciava dentro, ma peggiorai la situazione.

Ero fatta.

La voce di una donna – forse la Vergine Maria – mi parlò da dentro. Disse di continuare a respirare e non muovermi.

«Stai ferma. Se i fuochi non si espandono si estinguono da soli dopo un po'» disse lei.

«A meno che il vento non ci soffi sopra» rispose un'altra voce.

Rimasi immobile.

I Lakota nel cerchio cominciarono a lanciare oggetti nel fuoco, faceva parte del rituale. Tenevo gli occhi fissi sulle loro fiamme. Guardando più attentamente rimasi sconcertata: gli oggetti lanciati erano, ormai ne ero certa, nugget di tacchino del pranzo del Ringraziamento del casinò. Gli indiani li scagliavano con violenza: pallette di carne unte e croccanti.

Era il loro modo per ripudiare quella festa così ipocrita, quella falsa dimostrazione d'amore fraterno tra pellegrini e nativi americani. Stavano punendo la mia famiglia per essersi venduta al Ringraziamento e aver ingurgitato nugget come quelli di McDonald's proprio nella riserva dei poveri indiani. Che insulto, certo. Li avevamo offesi a morte, era ovvio, e non c'era modo di recuperare.

Sentii un dolore fitto in fondo alla schiena come se il muso di un cane, un muso d'acciaio, mi stesse annusando, sco-standomi le mutande. Tirai il braccio di Alo per attirare la sua attenzione e mi accorsi che il muso di cane era in real-tà la sua mano. Mi aveva sbottonato i pantaloni e aveva già superato le mutande. Avevo le sue dita nel culo.

«Cosa fai?» gli chiesi. «Non lo vedi che stanno bruciando i nugget di tacchino?»

Rise. «Lo so... Mannaggia a quei nugget.»

Provai a spingerlo via. Alo ruzzolò un po' sul fianco, si ri-sollevò e mi si schiacciò addosso, soffocandomi. «Rilassati.»

«Ti rendi conto? La mia famiglia non capisce un cazzo! Non ci posso credere che abbiamo mangiato quei nugget!»

«Lo so. Ma consolati, *tutti* hanno mangiato i nugget. Quin-di *nessuno* ci capisce un cazzo, ok?» disse Alo, provando a calmarmi.

Ora era completamente sdraiato sopra di me. Cominciai a piangere, non tanto per le sue dita nel mio culo, ma per-ché avevo avuto un flash dei Chicken McNugget di McDo-nald's, quelli veri. Mi ero ricordata un servizio della CNN che raccontava di come fossero composti da una purea di becchi e ossa di pollo mischiati a una sostanza colorante rossastra, fritti nel grasso. Per assecondare il nostro deside-rio imperialista di tacchino fritto, avevamo peccato grave-mente contro la tribù Sioux. Cosa avrebbero pensato i miei compagni di scuola di Roma?

«È stato un errore enorme mangiare quei cosi. Per la festa del Ringraziamento, poi! E in una riserva indiana!» Il pani-co stava aumentando. Alo spinse le sue dita più profonda-mente dentro me e mi disse di smettere di pensare ai nug-get e di pensare alla luna. Guarda com'è bella, come te, mi diceva. Cominciò a baciarmi il collo.

«Arrenditi» disse la voce nella mia testa. «Arrenditi o sarà peggio.»

«Mi ecciti» sussurrò Alo con voce sdolcinata e alterata dall'alcol.

Chiusi gli occhi e mi lasciai andare sull'erba. Il suono dei tamburi rimbombava nelle mie orecchie, il fuoco che avevo dentro cominciava ad affievolirsi. Alo abbassò la cerniera dei pantaloni tenendomi le dita nel culo, e tirò fuori il pisello. Nonostante il freddo gelido se ne stava forte ed eretto a sfidare il vento della prateria. Mi abbassò i jeans e si fece strada dentro di me. Arrenditi o sarà peggio, mi dicevo. E iniziammo a scopare.

«Ma sei vergine?» mi chiese infastidito dalla mia secchezza e dalla frizione dei nostri corpi freddi. Lo ero. Disse che con me c'era un bel po' di lavoro da fare, e spinse più forte. Sentii la parte bassa del corpo scardinarsi, scattare verso l'alto e slanciarsi fino al cerchio di fuoco. Fluttuò sopra il campo, poi si ancorò, scaldandosi sulle fiamme. Il battito dei tamburi creava una sorta di scudo spugnoso che leniva il dolore e mi proteggeva dentro. Tutto era gommoso e insensibile e pensai che quello fosse il significato di essere due persone che facevano l'amore. Ero piena di lui. La sua carne si espandeva nelle mie fessure, ma andava bene così perché riuscivo a non sentire niente. Il mio corpo non era con lui. Danzava nel campo sotto la luna piena. Sentivo i miei piedi nudi sfiorare l'erba e rimbalzare sulla terra, le gambe si muovevano al giusto ritmo, i fianchi ondeggiavano nel fuoco. Le fiamme consumavano ogni cosa.

Ora che l'effetto della droga cominciava a svanire, avvertivo un tremore fastidioso pulsare da qualche parte sotto di me. Era il mio culo, trafitto. Sentii la voce di mia nonna echeggiare tra i vapori della vasca idromassaggio, "Attenzione all'ano. Se ci fai entrare troppa acqua, ti vengono le emorroidi".

Persi coscienza.

In sogno vidi delle scale mobili scendere verso un treno sotterraneo. Erano lunghe e ripide e coperte da confezioni di tacchino fatto a pezzi. Petti gialli, becchi rossi, parti sparse coperte di piume, sparpagliate dappertutto. Una discesa agli inferi dove l'inferno era composto interamente da tacchini. I passeggeri dovevano essere coraggiosi.

«Siate forti!» urlava il conducente dal suo trespolo nella locomotiva.

La sfida, mi resi conto, era di non interagire con i tacchini. Non importava quanti pezzi di carne ostacolassero la mia strada, la missione era salire a bordo del treno. Rimasi concentrata. Riuscii a non guardare un solo uccello morto finché non arrivai ai vagoni. Saltai in avanti mentre si chiudevano le porte, mi infilai dentro appena in tempo. Ce l'avevo fatta, ero stata forte, avevo sfidato i tacchini confezionati. Quando mi voltai a guardare i becchi rossi e le piume ammassate sulle scale mobili in movimento, capii che ormai ero al sicuro.

Mi svegliai dentro un letto umido in una casa con pareti di plastica e pavimenti di linoleum, immersa in un odore di bacon fritto. Ero nuda. Mi infilai mutande e maglietta e finsi di non averci fatto caso. Mi dissi che era una cosa normale, dormivo sempre nuda. Quando scesi al piano di sotto, una donna con i pantaloncini corti strappati alla Daisy Duke friggeva salsicce e pancake ai fornelli. Su uno sgabello accanto a lei c'era un piatto unto coperto di strati di bacon. Mi guardò e sorrise.

«Ah, la francesina!»

«Sono italiana.»

«Oh, adoro l'Italia. Non ci sono mai stata, ma *adoro* il cibo!»

Volevo fare due chiacchiere, ma non mi uscivano le parole. Non preoccuparti, pensai. C'erano altre priorità.

«Dove siamo?»

Alo entrò in cucina indossando una salopette lercia, era stato fuori a tagliare la legna. Gli sorrisi perché era una faccia conosciuta. La donna con i pantaloncini corti gli sculettò davanti per stuzzicarlo. Lui la raggiunse e la abbracciò da dietro. Si baciarono sulle labbra.

Rabbrividii ripensando al treno del sogno. Dove mi aveva portato? Cercai di ricordare la faccia di quella donna. C'era stata anche lei con noi al campo degli indiani? Avevo perso la mia verginità con due persone in una volta sola? Mi forzai a smettere di pensare.

«Buongiorno, ma', che profumino» disse Alo.

Diede una pacca al sedere della donna, che si sfilò con un gridolino.

«Occhio, sto friggendo!»

Li guardai male.

«Tu sei... sua...»

Lei si voltò verso di me e alzò gli occhi al cielo.

«Sì, l'ho avuto a quindici anni» rispose, senza capire che non era la differenza d'età a imbarazzarmi, ma quel bacio così protratto sulle labbra. Sul tavolo, accanto al bacon fritto c'era una caffettiera.

«Ma siediti! Mi sa che vi serve un po' di caffè... avete fatto tardi.» Ridacchiò mentre ci squadrava.

Prese il bacon e ci preparò i piatti. Si versò una tazza di caffè, poi si mise in braccio al figlio. La canottiera bianca le rotolò su per la schiena rivelando la fessura del sedere e le due fossette sopra. Aveva un diavoletto rosso tatuato sul fianco destro. Sedevo dall'altra parte del tavolo, li osservavo e non sapevo cosa dire, da dove cominciare. Alo non alzava lo sguardo. Non avevo fame, ma mi serviva una via d'uscita. Fuori dalla finestra c'erano solo pini e massi, eravamo in un parcheggio per roulotte in mezzo a una specie di formazione rocciosa. Dei bambini con le bocche lerce giocavano su trattori rotti davanti a case prefabbricate. Come fare per scappare di lì?

La madre di Alo sorseggiava il suo caffè, scrutandomi con occhi indagatori e sbattendo le ciglia compulsivamente.

Silenzio.

Si voltò verso Alo con un broncio preoccupato e gli scostò i capelli per esaminargli la faccia, le borse sotto gli occhi, i solchi profondi sulla pelle disidratata. Gli fece un grattino sulla barba e gli stirò le guance con le dita. Ogni volta che si girava verso di lui, i seni gli arrivavano quasi in faccia, soffocandolo con quei due palloncini solidi e gommosi. I capezzoli premevano sul cotone della canotta. Alo strofinò la nuca contro, scuotendola e fingendosi disperato.

«Mammina, sono stanco morto! Mettimi a letto! Ti prego!» Rise, poi si accese una Marlboro rossa.

Lei gli rubò la sigaretta dalla bocca e la infilò nella sua.

«Alo ha il cancro alla gola» dichiarò con nonchalance. «Non dovrebbe fumare.»

Ecco perché la sua voce era tanto roca.

«Ma allora dovresti smettere, no?» chiesi, ma Alo disse che preferiva morire che non fumare.

La madre sollevò i suoi occhi liquidi e sconfitti al cielo.

«È una causa persa» disse, poi si alzò e si trascinò fino allo stanzino del bucato, improvvisamente annoiata dalla nostra compagnia.

Eravamo soli.

«Ti ricordi ieri notte al cimitero degli indiani?» finalmente Alo mi guardò. Si alzò dalla sedia per avvicinarsi. Era affettuoso e parlava con una certa intimità. «Ce l'avevi così stretta. Non volevo romperti.»

«Rompermi?»

Ma io avevo voluto che mi rompesse. Così ora nessun altro avrebbe potuto farlo. Cercare di ricordare esattamente com'era andata, cos'era successo avrebbe solo reso tutto più difficile. Non volevo parlarne. Mi importava solo che stavo bene, non avevo ferite o lividi. Ero sopravvissuta alla perdita della mia verginità, me l'ero cavata. Ma ora avevo freddo e volevo tornare in albergo.

Pensavo ai miei poveri genitori. Dovevano essere impazziti senza di me. Tutta la famiglia unita a cercarmi, scaricandosi la colpa l'uno con l'altro, aizzati da mia nonna. Immaginavo macchine della polizia che raggiungevano sgommando il parcheggio del casinò, detective concentrati a prendere appunti, una sciamana Lakota che provava a rintracciare il mio zaino pieno di alcol usando poteri telepatici. Tutti devastati dalla mia assenza che si crogiolavano pentiti delle loro scelte di vita.

«Mi riporti in albergo?»

Alo mi baciò le labbra.

Dovevo evitare di ritrovarmi il suo pisello dentro di me un'altra volta, così gli dissi che mi dispiaceva per il suo terribile cancro e che speravo non finisse con uno di quegli apparecchi in gola che faceva la voce da robot.

«Non me lo metto il laringofono di merda in gola, col cazzo» disse alterandosi. La mia vagina era al sicuro.

Tornammo indietro con il pick-up. Alo mi fece fare una romantica visita guidata delle Badlands, la grande distesa rocciosa di collinette bucherellate che si allunga attraverso il sudovest del South Dakota. Fermò il furgone su una strada sterrata che si affacciava per chilometri su aridi pinnacoli di roccia erosi da vento e acqua. Sembravano ammassi di sculture a forma di seno che emergevano dalla terra. Proseguivano per le lande a perdita d'occhio.

«Wow, tette infinite» disse Alo. «È qui che hanno girato quel film sulla coppia di ragazzi che scappano di casa e ammazzano tutti quelli che incontrano. Badlands. L'hai visto? È basato su una storia vera, sai? Quando ero piccolo anch'io avevo voglia di ammazzare tutti da queste parti.»

«E che è successo ai due dopo?»

«Lui sedia elettrica. Lei diciassette anni di galera, poi ha cambiato nome ed è scomparsa.»

«Che storia!»

Tremavo dal freddo. Alo si tolse la giacca di pelle e me la appoggiò sulle spalle, un gesto cavalleresco che non sapevo come interpretare. Disse che la potevo tenere, voleva lasciarmela. Veniva da Berlino, la toppa con il teschio dei Suicidal Tendencies sulla schiena era molto rara.

Riflettevo sulla mia, di fuga. Forse era stata troppo poco epica, dovevo scappare dalla mia famiglia, ma dopo solo dodici ore stavo già tornando indietro. Mi sentii ipocrita per non aver fatto le cose come si doveva, come i serial killer di *Badlands* che erano fuggiti senza mai guardarsi alle spalle.

Alo mi spostò una ciocca di capelli dagli occhi. Dovevamo scambiarci i numeri di telefono, disse. Magari ci saremmo potuti rivedere in California, gli sarebbe piaciuto molto. Scribacchiò il suo numero su un pezzo di carta con una penna viola che trovò in macchina, sommersa tra le cicche di sigaretta. Mentii e dissi che ancora non avevo un telefono. Gli lasciai il mio indirizzo. Sapevo che non volevo rivederlo mai più.

Arrotolai il giubbotto di Alo sotto il braccio e corsi verso la Suite Imperiale Piede Grosso, sicura di trovare la squadra di investigatori accalcata intorno alla mia famiglia in lacrime. Avrei abbracciato mia madre, le avrei detto che mi dispiaceva di averla presa in giro, che quella valigia piena di stracci bianchi era stata un'ottima idea. Aveva fatto bene a insistere fino alle lacrime per farci indossare quei vestiti. L'avrei rassicurata sui Lakota, sapevano badare a loro stessi, montavano a cavallo e galoppavano attraverso chilometri di campi spogli e gelidi per commemorare i loro antenati. Digiunavano e andavano in cerca di visioni spirituali e sapevano gestire il loro grande lutto e fare tutto quello che c'era da fare. Aveva ragione lei, noi avevamo torto.

Quando aprii la porta della stanza, vidi mio padre a testa in giù allungato contro la parete in una posizione yoga; mia madre leggeva ad alta voce da un libro di esercizi.

«Eccola.» Si voltò verso di me con un sorriso radioso e assente. «Ti cercavamo.»

Non c'erano investigatori e la cosa non mi fece piacere.

Aspettai che arrivassero le urla di Serena, che mio padre si rimettesse in piedi per darmi un ceffone.

«Ho fatto una gita. Dietro il casinò c'è un sentiero» dissi.
«Che bella idea.»

Mia madre si alzò, venne da me e mi accarezzò i capelli.
«Abbiamo una bella notizia. Max ha preso appuntamento con un coproduttore che è interessato a finanziare il nuovo progetto di papà. Robert è uscito dall'ospedale psichiatrico ed è pronto a finire la sceneggiatura. Si torna a Los Angeles.»

«Ma mancano quattro giorni.»

Serena fece finta di non sentire.

Mia nonna sedeva sul letto e mio fratello giocava a Tetris sul Game Boy. Non alzò lo sguardo.

«Non si sono neanche resi conto che sei stata via tutta la notte.» Mia nonna scosse la testa turbata mentre piegava i nostri vestiti e li impilava ordinatamente su una valigia.

«Non sono stata via tutta la notte» dissi con fermezza.

Poi mi misi sul letto, mi accoccolai con la testa nel suo grembo e mi addormentai.

Continuai a dormire per quasi tutto il viaggio di ritorno. Non potevamo fare troppe soste perché mio padre non voleva sprecare soldi per mangiare e dormire, visto che il casinò ci aveva fatto pagare una penale per la partenza anticipata. Dal finestrino vedevo segnali di fumo e scie colorate infuse dalla natura cangiante: le Colline Nere del Wyoming, i cristalli iridescenti delle piane di sale dello Utah, le onde di luci al neon di Las Vegas. Attraversammo lo Strip affollato dove la notte non diventava mai notte. Dove tutto era sempre giorno, qualche volta solo un po' più scuro, e sentii quanto eravamo piccoli davanti a tutto quello. Nel fulgore dell'alba attraversammo i cespugli secchi del deserto di Barstow, fino a raggiungere l'impero suburbano dell'entroterra di San Bernardino. Poi il traffico si infittì. Le freeway cominciarono ad accavallarsi una sull'altra, incrociandosi, cambiando allineamenti e direzioni, segnalandoci che eravamo alla fine del nostro viaggio.

Mi svegliai davanti alla capsula di smog che torreggiava

su downtown Los Angeles. La luce del sole si diluiva nella foschia folta dell'inquinamento e sapevo che casa nostra era da qualche parte oltre quelle superstrade, subito dopo un cartello verde d'uscita identico a quello precedente e a quello successivo. Casa nostra era in quel posto. Eravamo quasi arrivati.

Sette

"Cara Maria, la penetrazione non fa più male! Posso fare l'amore quando voglio. Mi sono costruita un costume di gomma interno che funziona da antidolorifico e non voglio più essere un fantasma. Voglio essere riconosciuta e abbracciata. Amen."

Il mio nuovo costume di gomma era l'accessorio perfetto per affrontare paure, cambiamenti e smarrimento, aveva anche un cappuccio che funzionava da casco. Potevi sbattere la testa contro un muro e non sentire nulla. Alo me l'aveva consegnato in una notte gelida, tra i suoi pregi c'era anche l'isolamento termico. E poi non vedevi mai quello che stavi facendo perché c'era sempre uno strato di gomma che ti copriva gli occhi, ti proteggeva e separava dal mondo allo stesso tempo. Cominciai ad affrontare le giornate come se fossero quei sogni in cui hai gli occhi aperti ma vedi male. Anche la mia visione periferica era oscurata dal costume e dalla sua sostanza elastica, e io riempivo quello spazio buio con la presenza del sesso, ovunque, con chiunque e con grande frequenza. Avrei fatto qualunque cosa pur di farmi notare.

Cominciai con Arash perché anche se se la tirava e sputava dalla finestra dell'aula era il mio protettore segreto, qualche volta mi trattava bene, e odorava di flanella e foglietti profumati per l'asciugatrice. Quell'odore di talco tra le pieghe della pelle mi diceva che era protetto e amato come un pupo troppo cresciuto. Dietro ai suoi vestiti c'erano devote madri iraniane che facevano il bucato e preparavano cestini per il pranzo della scuola, madri coscienziose e affidabili che possedevano macchinari per lavare e asciugare indumenti. Noi ovviamente non avevamo l'asciugatrice. Nelle nostre esistenze non c'era spazio per "le botte di vita", come le chiamava mia nonna. L'asciugatrice, era quella la vera frontiera, e il fatto che mio padre si rifiutasse di comprarne una confermava quello che la nonna aveva sempre pensato di lui: tante chiacchiere, poca sostanza. Eravamo i soli nel quartiere con i fili per appendere il bucato in giardino, la versione californiana di un basso napoletano. I mutandoni in finta seta di mia nonna, presi da Ross Dress for Less, pendevano sopra la piscinetta gonfiabile, saldi e pesanti come cinture di castità. Ma a mio padre non importava. Se a nonna non piaceva la nostra casa, era libera di tornarsene a Roma. Tanto lui non moriva certo dalla voglia di vivere con lei.

La mia professoressa di Inglese si era accorta che non mi piaceva sputare dalla finestra o farla piangere come gli altri studenti. Sapevo leggere e scrivere e mi piacevano i libri, così mi diede un lasciapassare per andare in biblioteca a leggere durante le lezioni. «Imparerai di più da sola» aveva detto, sarebbe stato il nostro segreto. Una persona in meno di cui occuparsi e poi nessuno tranne Arash avrebbe notato la mia assenza. In quei momenti di solitudine per i corridoi mi capitava di spiare la ragazza con le lentiggini che scavalcava le reti di scuola. Esaminavo il modo naturale con cui chiudeva e apriva i portoni, si arrampicava sui muri, scompariva dietro qualche scalinata. Era agile e non aveva mai paura e io volevo essere come lei. Aspettava che suonasse la campanella e si svuotassero i corridoi, poi, appena le guardie cominciavano il loro giro, apriva i portoni e scappava. Fu così che scoprii che le porte laterali non si chiudevano automaticamente quando le sbattevi.

Non avevo idea di dove andasse, finché un giorno non la seguii. Ci scambiammo uno sguardo sulla soglia di un'uscita di sicurezza e lei mi fece un sorriso caldo, poi poggiò l'indice sulle labbra per suggerirmi di muoverci senza far rumore.

«Vuoi venire con me?» domandò con la voce roca, lo sguardo che ti diceva "benvenuta" e "addio" allo stesso tempo. Non riuscivo a smettere di fissare i suoi occhi svelti da cane randagio, le guance lentigginose. Era ipnotica, come le pietre preziose dei bauli con i tesori di Walt Disney, quelli che brillano in maniera spropositata, non puoi che desiderarli con furore.

Scivolò via da me. Prima che le porte le si chiudessero dietro, saltai fuori usando un piede per tenere aperta un'anta. Rimasi a metà tra il corridoio del liceo e il mondo esterno fissandola, rapita dai suoi movimenti. C'erano due buchi nella rete esterna della scuola grandi abbastanza per metterci dentro le scarpe e arrampicarsi. La ragazza infilò un piede nel primo, poi l'altro nel secondo, e si sollevò. Quando raggiunse la cima della rete, si voltò con uno sguardo un po' confuso, il vento che le scompigliava la coda di cavallo. Strinse insieme pollice e indice e li puntò verso il sole come per prenderne una goccia. Indicò verso le mie palpebre.

«Un po' di luce per i tuoi occhi» disse con un'aria sbandata. «Basta quella per saltare dall'altra parte. Devi guardare il sole. Pensa a cosa c'è dall'altra parte. Non pensare mai a quello che c'è dietro. Funziona sempre. Diventi invisibile per un istante e poi sei libera.»

E così fece. Saltò e scappò via, una bestiolina allo stato brado.

«Non lo dire a nessuno dei buchi, ok? Li ho fatti io.» E proseguì di corsa lungo il marciapiede.

Rimasi a guardarla come una scema, sospesa tra due

mondi, il piede che ancora teneva aperta l'anta della porta. Quando raggiunse la fine del marciapiede, si voltò e mi indicò di nuovo il sole.

«Fissa in alto, non fermarti!»

Le feci un cenno goffo, ma lei era già sparita. Guardai la recinzione e capii che non ce l'avrei fatta. Mi ritirai nel palazzo come una codarda e sentii la porta chiudersi alle mie spalle. Non avevo abbastanza coraggio per prendere dei rischi del genere da sola. Continuai a vagare per il corridoio verso un punto nascosto fuori, una lastra di cemento vicino a un idrante dove batteva il sole. Preferivo leggere lì che in biblioteca, non ci veniva mai nessuno. Passai accanto a Ajane e le sue amiche. Ormai sapevo quando distogliere lo sguardo, come tenermi a distanza per evitare provocazioni. Nel cortile interno le ragazze pompon si esibivano in coreografie a forma di diamante al ritmo di *Rhythm Is a Dancer*. Continuai fino a raggiungere il mio angolino sicuro. Lì accanto cresceva un piccolo arbusto di ibisco. Mi sdraiai sul cemento caldo, la banda della scuola stava facendo le prove. L'eco delle loro trombette orgogliose mi rimbombava nelle orecchie. Sentii le mie gambe aprirsi sul pavimento e una folata di aria di mare mi raggiunse attraverso i canyon. Se chiudevo gli occhi sentivo l'odore del sale. Pensai a quello che aveva detto la ragazza con la coda di cavallo, di puntare al sole senza guardarmi indietro. Vedevo le sue dita affusolate prendere la luce per mettermela negli occhi e feci finta di essere su una spiaggia del Mediterraneo. Lasciai che i raggi riempissero i cerchi scuri sotto agli occhi.

«Ehi, Grecia» mi chiamò una voce. «Cos'è 'sta storia che non vieni a lezione?»

Era Arash, da solo, in maglietta bianca stagliato contro il cielo azzurro. E fu lì che lo scelsi.

Due giorni dopo eravamo io e lui ad aprire le porte antincendio della scuola. Raggiungemmo il recinto con i buchi e gli mostrai dove mettere i piedi per arrampicarsi. Lanciammo gli zaini dall'altra parte per avere le mani libere e quando raggiunsi la cima guardai il sole e mi dissi che ero invisibile, che era tutto facile e sicuro. Non mi voltai, come aveva detto la ragazza. Saltammo dall'altra parte e cominciammo a correre. Su una stradina residenziale dietro la scuola scoppiammo a ridere col fiatone e Arash mi prese la mano. Eravamo soli e la Valley era silenziosa, quasi bella. Le collinette verdi di Woodland Hills ora mi sembravano vette maestose.

Arash mi attirò a sé.

«Certo che hai le palle per essere una pischella, eh. Che ne sapevi dei buchi?»

«Non dirlo ai tuoi amici però, ok?»

Dietro alle ville dei ricchi con le grandi vetrate ad arco, ci imbattemmo in una scuola media abbandonata, incuneata fra due piccole montagnette. Una squadra di giardinieri ispanici in tute arancioni fluorescenti lavorava sulle colline, gli angeli custodi del mondo naturale della San Fernando Valley. Si occupavano del suo ecosistema, contenevano la sua biologia esplosiva, rimuovevano foglie, cortecce e talpe. Ci arrampicammo su un cartello sbiadito per il parcheggio disabili inchiodato alla rete della scuola e atterrammo dall'altra parte.

Tra le crepe di un campo da basket di cemento cresceva l'erba alta. I giardinieri sulle colline non erano pagati per tenere a bada la natura quaggiù. Nessuno si preoccupava dell'ortica che spuntava fuori dalle aule, sigillate dalle grandi tavole di legno e inchiodate alle cornici delle porte, o dell'edera rigogliosa che si arrampicava su per le recinzioni arrugginite. Un cartello su uno degli edifici abbandonati diceva PROHIBIDO ENTRAR. Forse la gente di Woodland Hills pensava che gli ispanici fossero gli unici abbastanza disperati da invadere una scuola abbandonata. Girammo per i corridoi della scuola fantasma alla ricerca di una tana. Arash provò a dare una spallata contro una porta chiusa che non si aprì. Nel cortile, capovolto, c'era un carrello del supermercato. Lo mettemmo dritto e, prendendo la rincorsa con le rotelle storte che partivano da tutte le parti, lo sbattemmo forte contro la porta fino a sfondarla. Lamine di luce illuminavano le particelle di polvere che si depositavano sopra i banchi, impilati uno sull'altro. Al muro era ancora appesa una lavagna. Qualcuno ci aveva taggato sopra NWA: Niggaz Wit' Attitudes.

Ci sedemmo su un letto di foglie secche sul pavimento dell'aula. Arash si appoggiò al muro e si accese una sigaretta. Sputò per terra vicino a me poi mi guardò negli occhi.

«Si sta bene qui, no?» disse con un sorriso.

«Perché sputi tanto?»

«Boh. È un vizio. E poi non voglio avere la bocca piena quando ti bacio.»

«Quando mi cosa?»

Si sporse in avanti e mi baciò, facendomi sbattere la testa contro il muro. Anch'io lo baciai. Non pensavo che mi sarebbe piaciuto, invece era bello. Aveva le labbra morbide e mi piaceva la sensazione di quella lingua grande e dolce. Tenni gli occhi chiusi e sbottonai i suoi jeans, sniffando l'odore dell'ammorbidente che usava la madre per le sue mutande di flanella.

Aveva un cazzo scuro e compatto, un pene adulto, più maturo della persona che gli stava dietro. Lo avvolsi con le labbra e sentii le gocce dolci e amare sulla punta. La testa di Arash cadde all'indietro, le sue dita, avvolte attorno alle mie orecchie mentre cercava goffamente di accarezzarmi le tempie, cominciarono a tremare. Allargai ancora la bocca e succhiai meccanicamente, controllai che il mio costume di gomma fosse intatto e vidi lui che strabuzzava gli occhi incredulo.

«Ma che, così? Davvero? Non devo nemmeno sbattermi?»

Alzai gli occhi per sorridergli. «Così.»

Lo attirai a me, prendendogli i fianchi. Faceva dei respiri affannati, più per lo stupore che per il piacere. Sentii salire il liquido e me lo spinsi ancora più in fondo alla gola. Lo lasciai venire in bocca e ingoiai, perché mi vergognavo di sputare per terra e non volevo contribuire al suo mucchietto. Rimanemmo abbracciati sul pavimento polveroso ad ascoltare il ronzio ipnotico delle seghe elettriche sulle colline, i cani che abbaiavano lontani, gli uccelli che cinguettavano. I giardinieri facevano il loro lavoro, spazzavano ghiaia e segavano alberi, vestiti con i loro giubbotti arancioni catarifrangenti. Erano i soli a sapere quanto crescesse in fretta l'erba della Valley, come si spingessero in alto i rami degli olmi. Erano pagati – molto poco – per ridurre e comprimere il macrocosmo esplosivo di quella città, per sbarazzarsi dei bellissimi alberi dalle larghe foglie leggere, disposti in file ordinate in cima alle colline. Dovevano intervenire quando i bianchi del quartiere piantavano salici piangenti nei luoghi sbagliati per assicurarsi un po' d'ombra per i loro giardinetti, le radici profonde scavavano in cerca di terra umida, infilandosi dentro alle tubature delle loro case, intasando i sistemi idraulici. Sdraiata lì immaginavo gli uomini arancioni scuotere la testa in segno di disappunto mentre parlavano agli alberi e alle piante, scusandosi per tutte le volte che avevano dovuto troncarli per motivi stupidi.

Posai il capo sulle spalle di Arash.

«Ora vuoi che te lo faccio io?» chiese educatamente.

«No, sto bene così. Grazie che sei venuto qui con me.»

Spostò il peso e mi strinse più forte.

«Voi persiani a scuola vi chiamate sempre *kuni* tra di voi ma poi state lì a strusciarvi e vi acchiappate il cazzo a vicenda... Non pensi che abbiate qualcosa di omoerotico?»

«Boh, non so. Probabile. In che senso omoerotico?»

«Gay.»

«Mavaffanculo. Non sono gay. Ti sembravo gay mentre ti venivo in bocca poco fa?» scattò sulla difensiva.

«No. Non lo so. Lasciamo perdere.»

«Ehi, Grecia, tu pensi troppo. Dammi un bacio.»

Si sporse e mi baciò di nuovo.

«Sono italiana, cazzo. Idiota.»

Ero felice di stare con lui.

«Sai di sborra» disse.

Io avevo il mio lasciapassare per la biblioteca e Arash, che non aveva nulla, cominciò a saltare la lezione di Inglese per accompagnarmi alla scuola abbandonata. Ogni volta che andavamo era la stessa cosa. Lo facevo venire, ma non venivo mai. Non mi levavo mai i vestiti. Mi facevo baciare e toccare il seno e rimanevo concentrata sui gesti fisici per non pensare e non cominciare a sentire cose. A scuola lui fingeva di non conoscermi, non voleva che i suoi amici lo sapessero. Non avevo il permesso di salutarlo quando era con loro, ma non mi importava. Mi vendicavo della mia condizione di emarginata sociale con Simon, il nerd supremo della scuola: alto, intellettuale e poetico, già gobbo a sedici anni, denti larghi e gengive spesse. L'avevo notato in biblioteca. Passava il tempo lì, a leggere e studiare per il suo corso di Dibattito di cui era il capitano. Era l'anti-atletico per eccellenza, il capitano di qualunque club scolastico che non richiedesse movimenti fisici. Sembrava un coglione, ma si vedeva subito che sotto quelle gengive c'era una persona ferocemente competitiva e questo mi piaceva. Era un anno avanti a me e si portava sempre dietro un libro spesso che sembrava un mattone. Un giorno gli chiesi se potevo dargli un'occhiata, aveva le pagine sottili e la scrittura fitta, sulla copertina c'era il dipinto di una donna bellissima vestita di rosso. Era un'antologia di letteratura americana. Simon mi parlò del suo corso avanzato di Lettere. Se volevi entrare in una buona università dovevi frequentare i corsi avanzati, sennò non c'era speranza. I suoi esami di ammissione al college erano andati così bene che aveva fatto domanda alle università con un anno di anticipo ed era stato accettato a Harvard. Sfogliai le pagine di quel libro e me ne innamorai subito. Edgar Allan Poe, Harriet Beecher Stowe. Mi appassionai di Thoreau e di come raccontava la natura. Piansi leggendo Harriet Jacobs, mi feci tormentare dalle poesie di Emily Dickinson e annotai ogni titolo possibile di Gertrude Stein per cercare tutte le sue opere al negozietto di libri usati di Van Nuys. Simon parlava di come sarebbe stata la vita al college, diversissima dalla Valley. Usava un linguaggio forbito che non avevo mai sentito usare a nessuno della nostra età. Il suo naso era sottile e lungo, gli occhi sempre concentrati. A scuola cominciai a notare altri studenti con la stessa antologia. Erano una setta di nerd, ma sentivo di avere qualcosa in comune con loro. Erano più calmi, quasi invisibili, un sottostrato del liceo. Volevo quel libro, volevo essere dov'era quel libro, ma non ero ancora pronta per togliermi il mio costume invisibile. Lo tenni addosso, continuando a rispettare le sue regole. Mi autoinvitai a casa di Simon chiedendogli di darmi ripetizioni e gli dissi che volevo trasferirmi dalla mia classe regolare di Inglese, dove la gente sputava dalle finestre, e inserirmi nel corso avanzato di Lettere che seguiva lui. Non aveva amici e neanche io e portava le Birkenstock con i calzini di spugna bianchi. Uno con i calzini di spugna e i sandali non mi avrebbe potuta rifiutare.

Mi presentai a casa sua con un vestitino corto argentato, senza mutande e reggiseno. I suoi genitori erano al lavoro. Il loro cocker, Leonard, si faceva i fatti suoi. Simon cercò di spiegarmi le strategie per completare al meglio i test di ammissione all'università, ma io lo fissai negli occhi finché lui non arrossì e distolse lo sguardo. Arricciò gli alluci nei suoi calzini di spugna. Gli presi la mano e me la infilai sotto al vestito aprendo le gambe, concentrandomi sui piedi. Continuavo a pensare: ma perché i calzini con i sandali? Erano così brutti che mi ripromisi che non avrei mai raccontato di noi a nessuno. Avrei chiuso gli occhi e finto che non fosse successo nulla. Un'erezione sporgeva dalla patta satinata della sua tuta grigia informe. Mi alzai, sollevai il vestitino e mi misi in braccio a lui, lasciando scivolare il poliestere dei pantaloni sulla pelle nuda delle mie cosce. Leonard abbaiò sotto il tavolo e Simon gli diede un calcio, mentre io gli tiravo giù i pantaloni. Mi voltò e mi baciò di getto, con grande incertezza e goffaggine. Avvinghiati, ci spingemmo verso il letto e ci lasciammo cadere lì, nudi. Fu un susseguirsi di movimenti scomposti e dopo poco lui non era più vergine.

Mantenemmo la storia delle ripetizioni di inglese e sesso due volte a settimana dopo scuola. A letto facevamo tutto, con lui non provavo vergogna e mi piaceva comandarlo a bacchetta. Gli intimai di non dire di noi a nessuno, come Arash faceva con me. Il giorno del suo compleanno appoggiai il suo pisello sul mio sedere e me lo infilai dentro per fargli un regalo. Mi sembrò una cosa troppo intensa e profonda e mi spaventai perché per un istante il mio costume di gomma cominciò a sfilarsi e sentii le mie gambe tremare. Feci dei grandi respiri finché la mia armatura non tornò al suo posto e corsi in bagno a lavare via tutto. C'erano dei confini da rispettare se volevo mantenere intatto il costume ed era importante non oltrepassarli. La mia scrittura migliorava, come anche il mio inglese. Finalmente Simon mi presentò a Mrs Perks, l'insegnante del corso avanzato di Lettere. Mi chiese di scriverle dei saggi letterari ad hoc. Se fossero andati bene mi avrebbe presa in considerazione.

A scuola avevo una tresca con Arash, dopo scuola con Simon, e a casa cominciai a pomiciare con Robert, lo sceneggiatore goth di mio padre. Finalmente si era accorto di me. Mi infilava bigliettini nello zaino e faceva degli scarabocchi sui miei libri di scuola. Un giorno lo attirai in bagno, lo baciai forte contro la parete della doccia e gli chiesi di raccontarmi le cose folli che faceva all'università e gli psicofarmaci che doveva prendere per i suoi problemi mentali. Speravo che mostrargli interesse per il suo lato oscuro mi facesse sembrare affascinante ai suoi occhi.

La sera che uscii con lui dissi ai miei genitori che stavo andando a giocare a bowling nella Valley con degli amici di scuola. Erano troppo contenti di sentire la parola "amici" per impedirmelo.

Io e Robert andammo in macchina a un festival di cinema a Pomona, a un'ora dalla Valley. Gli chiesi se potevo fumare in macchina e mi rispose che odiava i fumatori.

«Tirate giù il finestrino sempre solo di un dito e pensate che basti a far riempire meno la macchina di fumo. È una cazzata. Un dito non fa niente. Se devi fumare, fuma e basta, ok? Ma lascia chiuso il finestrino.»

Arrivammo al cinema che puzzavamo di nicotina. Dentro era pieno di studenti universitari ubriachi.

Robert mi offrì il Valium che gli avevano prescritto in clinica per gli sbalzi di umore. Lo mandai giù con la vodka della sua fiaschetta di acciaio. Quando si spensero le luci cominciai a sentirmi di piombo. Era uno di quei festival dove veniva richiesta la partecipazione del pubblico in sala, e tutti urlavano durante la proiezione. Sullo schermo un susseguirsi di cartoni animati sconci: orsetti con piselli giganti, nanetti gobbi strozzati dalle loro cravatte e un uccellino con un enorme sedere rosa che molestava un gatto spelacchiato sul ramo di un albero. Robert, esultante, gli lanciò addosso la sua fiaschetta di vodka, gridando "vaffanculo".

Il pubblico lo imitò e cominciarono tutti a tirare oggetti a caso contro lo schermo. Saltarono fuori pomodori e bicchieri pieni di Coca-Cola. Sui titoli di coda Robert fece un gran rutto e disse che non conosceva altri posti carini da primo appuntamento. Capii allora che quello era il mio primo *date* americano, un'uscita romantica a due, di quelle in cui ti metti i cardigan della squadra di football della scuola e ti parcheggi davanti ai panorami per baciarti. L'appuntamento classico in cui la ragazza indossa il reggiseno e il ragazzo prova a slacciarglielo goffamente a fine serata, ma sapevo che era troppo tardi per aspettarmi del romanticismo da quella città. Le mie esperienze con Arash e Simon me lo avevano già fatto capire.

Chiesi a Robert di portarmi nel suo posto preferito e andammo in macchina fino al vecchio tunnel delle fogne sotto l'autostrada di Pomona, dove un gruppo di senzatetto dormiva per terra sui cartoni. Inciampai su uno di loro ma era troppo ubriaco per farci caso. C'erano murales e graffiti alle pareti ispirati alla rivolta di Rodney King: RIOTS, NOT DIETS!, CRIPS, BLOODS e MEXICANS TOGETHER, FUCK LAPD. Il suono dell'acqua che sgocciolava nel tunnel faceva pensare a un fiumiciattolo di montagna ed era difficile capire quanto dovessi essere veramente spaventata da quel mondo sotterraneo. Ci inoltrammo a piedi nel buio finché arrivammo in un'area asciutta alla fine del cammino. Robert si tolse la giacca e la gettò a terra, invitandomi a sedere accanto a lui. Finalmente mi baciò, alzò il mio vestito da brava ragazza e mi tirò giù le mutande. Avevo così tanto freddo che quasi non mi accorsi della sua piccola lingua insidiosa e inefficace che mi esplorava tra le gambe. Sentivo solo l'aria gelida graffiarmi le cosce. Mi voltai e provai a fargli un pompino. Anche lui aveva freddo e il suo pene era rattrappito come il cucciolo di un pipistrello addormentato, rimaneva flaccido anche quando ci soffiavo sopra il calore interno dalla bocca. Robert farfugliò che era colpa del freddo e mannaggia a quel Valium, decidemmo di pomiciare e basta. Mi fece un succhiotto e rise, provocatorio.

«Ti ho fatto un casino sul collo. È proprio brutto.»

Mi ricordai di un episodio di "Happy Days" in cui gli amici si riunivano da Arnold's intorno a Ralph Malph che sfoggiava il suo nuovo succhiotto. Erano tutti gasati e curiosi. Ma non era una cosa romantica ed eccitante ricevere succhiotti?

Il nostro *date* non stava funzionando e Robert propose di andare a casa sua. Viveva in un postaccio sperduto che si chiamava Soledad Canyon dove il paesaggio brullo e lunare aveva fatto da set a molti episodi di "Star Trek". La casa era alla fine di una strada senza uscita in una zona residenziale. Dentro al salotto freddo e asettico con i mobili ricoperti da fodere di plastica, suo padre, un investigatore della polizia di Los Angeles, russava davanti alla TV sdraiato sul divano accanto a un paio di stampelle. Si svegliò quando ci sentì entrare e borbottò qualcosa sul fatto che Robert dovesse avvisarlo quando usciva di notte.

Lui lo ignorò e tirò dritto verso la sua stanza. Feci un cenno di saluto con il capo, ma l'uomo mi ringhiò e chiuse gli occhi, sgommando fra i cuscini plastificati e accoccolandosi in posizione fetale.

«Ma ce la fa a fare il poliziotto con le stampelle?» chiesi a Robert quando entrammo in camera sua.

«È in congedo. Era di turno durante gli scontri e le merde che saccheggiavano i negozi gli hanno fatto il culo.»

«Wow, non ci credo, era lì per le rivolte. Ha *partecipato*.»

Sopra il letto c'era un poster incorniciato di *Nekromantik* con la mano di uno scheletro che strizzava il seno di una donna. Robert aprì un cassetto e tirò fuori un coltello a serramanico.

«Sì, peccato che non l'hanno ucciso.»

«Perché?»

«Scherzo, scherzo» mormorò. «Non capisci il mio senso dell'umorismo, vero?»

Provai a ridere. Volevo sembrare una dura.

«Be', comunque ha pestato un paio di bastardi con il calcio della pistola. Anche loro gliene hanno date parecchie. Follia pura.»

«Perché cavolo li ha picchiati? Dopo tutto quello che è successo, direi che la polizia ha menato abbastanza, no?»

«Non si mena mai abbastanza.» Robert fece un ghigno e mi passò il coltello. Era quello originale di *Nekromantik*. Valeva tanto, disse, e me lo regalò.

«Vuoi vedere a cosa sto lavorando?» chiese mentre facevo rotolare il coltello sul palmo della mano. «È un cortometraggio che ho girato all'università. È da paura, ma ti avverto, potresti vomitare.»

Collegò la telecamera alla TV. Sullo schermo c'era lui che attraversava un parcheggio verso una recinzione elettrica ad alto voltaggio. Arrivato al recinto, ci poggiò sopra il braccio. La scarica elettrica lo scosse come una marionetta, poi fece un tonfo e cadde a terra, folgorato.

Capii che era stato quel corto a farlo rinchiudere nel reparto psichiatrico.

«Non è pazzesco?» mi chiese.

«Un sacco.»

Robert si alzò la manica della felpa e mi mostrò quattro strisce parallele di carne viva, rossastra. «Ti piacciono le cicatrici? Queste mi hanno cambiato la vita.»

«Sei finito in manicomio dopo questo film, giusto?»

«Sì, mi ha fatto rinchiudere mio padre, una roba assurda. Pensavano fossi pazzo, che mi volessi ammazzare.»

«Chissà perché.»

«Poi in clinica non gli è piaciuto che dicevo che Hitler era il mio idolo.»

«Hitler?»

«Sì, cazzo, adoro Hitler.»

Non riuscii a sorridere davanti a quelle parole, per cui mi feci dare altro Valium. Accendemmo la TV e appoggiai la testa sul suo torace esile, il resto del mio corpo era attorcigliato contro il pavimento gelido e duro. Pensai ai miei amici a Roma, quelli con cui avevo occupato il liceo, che mi avevano fatto appassionare alla politica e insegnato a diffidare dell'America e del *demone imperialista*. Cosa avrebbero pensato di me se mi avessero vista lì, buttata per terra, aggrappata a un neonazista psicopatico? Ma le regole del mio costume di gomma erano chiare. Se volevo che funzionasse, non dovevo pensare troppo. Non dovevo sentire troppo.

Ci spogliammo e abbracciammo. Robert gettò a terra le mie mutande, notai che erano macchiate e le voltai con la punta del piede. Poi sentii un tremore, un brivido impercettibile, e il suo minuscolo pene si alzò. Si mise un preservativo e mi spinse sopra di lui. I miei fianchi straripavano sul suo bacino ossuto e cercavo di sollevare il peso per rendermi più leggera, temevo di soffocarlo con le mie curve. Feci su e giù, avanti e indietro, ma non sentivo niente dentro di me, speravo che le sue espressioni tradissero una sensazione di piacere o almeno un po' di presenza, e invece niente. Pensai a tutti quei piatti di pasta che mia madre aveva cercato di fargli ingurgitare, al nostro piccolo mondo italiano con i pranzi di famiglia a Van Nuys, alla sceneggiatura che stava scrivendo con mio padre: a tutte quelle cose erette tra noi come barriere.

Durò due minuti quel movimento apatico spacciato per sesso. Lo guardavo dall'alto, una strana piccola creatura dagli occhi vuoti, stava fissando una pubblicità in TV. Era tutto finito? Srotolò via il preservativo e lo gettò a terra, non riuscivo a capire se ci fosse dentro qualcosa.

In macchina, tornando verso casa mia, non parlammo. Questa volta mi accesi una sigaretta senza chiedergli il permesso. Robert tossì e tirò giù il finestrino di un dito.

Otto

"Uomini brutti che non leggono mai. Mi piacciono. Per gli incontri occasionali è sempre meglio scegliere persone con particolarità fisiche interessanti. Fare sesso con uomini stupidi e avvenenti non è mai bello come fare sesso con uomini stupidi e brutti. Gli uomini brutti che non leggono mai forse non diventeranno persone importanti, ma di certo saranno aiutati dai loro menti importanti. Alcuni di loro hanno menti quadrati o con la fossetta al centro: menti ingannevoli, che ti illudono di essere coraggiosi. A questi uomini piace sputare dalla finestra e palpare le ragazze negli edifici abbandonati. Vogliono fare cose semplici, cose che sembrano giuste, come folgorarsi con il filo spinato elettrico. A volte in luoghi pubblici possono sembrare stupidi, come quando si infilano nei canali abbandonati delle fogne o gridano agli schermi. Amano l'arte, il cinema e i cadaveri. Guardano film che parlano di persone che fanno sesso con i morti. Li chiamano commedie romantiche.

"Nei momenti di solitudine troverai un uomo brutto che non legge mai proprio dove lo vorresti. Ti darà supporto morale o una giacca di pelle berlinese con una toppa rara sulla schiena. Il tuo corpo entrerà nelle loro bocche a piccole dosi, non sono molto intuitivi, ma va bene così. Tu continuerai a dargli ciò che vogliono perché all'orizzonte non comparirà niente di meglio."

Era bastato questo estratto del tema che avevo scritto per l'esame finale della mia classe di Salute a farmi sospendere dalla scuola. Mrs Anders lo aveva letto al telefono ai miei genitori e li aveva chiamati per chiedere un colloquio. La traccia del tema era sull'astensione dal sesso come prevenzione dalle malattie veneree. Non riuscivo a capire perché dovessi essere sospesa. Pensavo di aver scritto un bellissimo saggio, ne ero così soddisfatta che l'avevo spedito anche a una rivista letteraria che avevo scoperto in biblioteca. Cercavano proposte per il loro nuovo numero il cui tema era "sesso brutto". Pensavo di essere particolarmente adatta. Non fu solo il saggio a mettermi nei guai, sfogliando i miei manuali del corso di Salute, Mrs Anders scoprì delle orribili frasi naziste e delle svastiche scarabocchiate. Qualcuno aveva trasformato la faccia di un boyscout in quella di un giovane Hitler facendogli i baffi e la riga dei capelli da una parte. Dovevano essere i disegni di Robert. Tutte quelle volte che era entrato in camera mia e si era infilato nel mio zaino, non era solo per lasciarmi i bigliettini ma per deturpare i miei libri, libri che ovviamente io non avevo mai aperto.

Il preside mi convocò nel suo ufficio e chiese di vedere gli altri materiali di scuola. Trovammo una sfilza di disegni e scritte offensive.

«Da te non me l'aspettavo» disse Mrs Anders mentre attendevo che i miei venissero a prendermi. «Dopo tutto quello che sta passando il tuo paese sotto al fascismo.» Provai a farle capire che non ero stata io. Io ero figlia di due comunisti, non sapevo disegnare e quella non era la mia calligrafia, ma non importava. Il solo fatto che qualcuno che io conoscevo avesse potuto fare una cosa del genere la diceva lunga sul mio conto, sulla mia immoralità innata.

Rimasi in attesa sulla sedia dell'ufficio del preside. Fatima, la mia amica macrocefala di Educazione fisica, sbucò sulla porta con la sua testa enorme. Le dissi che stavo andando a casa perché non mi sentivo bene e lei cominciò ad agitarsi.

«Non sarà niente di grave, no? Domani ci sei, vero? Ci vediamo a Educazione fisica?»

Si guardò attorno e si infilò nella stanza.

«Domani è il mio compleanno. Devi venire. E portami un palloncino.»

Ero confusa.

«È una cosa che fanno tutte le amiche per i compleanni. Funziona così, che più palloncini ricevi e più sei popolare. Mia madre dice che me ne prenderà tre, ma non voglio che sembri che mi compro i palloncini da sola.» Mi guardò con occhi seri e supplicanti. «Devi portarmene uno e darmelo davanti a tutta la classe.»

La sua testa deforme mi commuoveva sempre. Avrei voluto dirle che doveva farsi crescere i capelli per smettere di sembrare una palla.

«Certo, Fatima, lo faccio. Ti porto il palloncino.»

«Dev'essere rosa. Con la scritta BUON COMPLEANNO in corsivo. Meglio se lo trovi con cuoricini o gattini.»

«Non ho parole.» Mia madre camminava a passo spedito attraverso il parcheggio della scuola con l'aria da martire, in mano impugnava le carte della mia sospensione: tre giorni più una settimana di volontariato per pulire la scuola il pomeriggio.

«Zoccola!» mi urlò mio padre quando salimmo in macchina. «Mia figlia è una zoccola!»

Ettore si era improvvisamente trasformato in un patriarca italiano che non conoscevo.

«Guarda che eri tu che lavoravi con uno psicopatico. Non è colpa mia se Robert ha il mito di Adolf Hitler!» provai a difendermi.

«Be', se poi ci fai sesso è colpa tua, sì. Ed è colpa tua aver scritto quel tema delirante!» gridò mio padre.

«Sei fuori di testa, Eugenia! Ti sei messa in pericolo! E poi chi sono tutti questi uomini con cui vai a letto? E poi Robert?

Di tutte le persone possibili! Lo sai che poteva ammazzarti?» esplose mia madre.

«Grazie a voi che ci avete messo un potenziale assassino in casa allora!»

«Ancora non lo sapevamo, noi l'abbiamo frequentato prima dell'episodio!»

"L'episodio", come lo aveva chiamato Max, era il motivo per cui Robert aveva smesso di frequentare casa nostra. All'insaputa di tutti, aveva ottenuto un appuntamento con due produttori ebrei potentissimi di Hollywood e gli aveva presentato la sua nuova idea per un horror da scrivere da solo, *Holocaust 2: Che la festa cominci*, una storia di zombie ebrei che organizzavano rave nei campi di concentramento di Dachau. I produttori, che grazie a Max erano vagamente interessati al progetto di Robert con mio padre, rimasero pietrificati e giurarono che Robert non avrebbe mai più messo piede nel loro ufficio. Lui si presentò pochi giorni dopo e li minacciò con una falcetta da macellaio spuntata dicendo che stavano commettendo un grosso errore. Fu arrestato, ma suo padre – l'agente di polizia con le stampelle – lo fece uscire grazie ai referti della clinica psichiatrica dove era stato rinchiuso poche settimane prima. I produttori erano così disgustati da tutta la faccenda che smisero di rispondere alle telefonate di Ettore. Eravamo da capo a dodici, senza prospettive.

Dalla mia camera da letto quella sera ascoltavo Max che parlava in sala da pranzo dopo cena.

«Sta diventando una ninfomane! Dovete tenerla chiusa in casa. In America si fa così quando gli adolescenti si comportano male.»

Lo odiavo da sotto le coperte. "Ninfomane" era un termine un po' forte, pensai, ma forse aveva un suo perché. Per la prima volta da quando eravamo arrivati, i miei genitori si preoccupavano di qualcosa. Finalmente li sentii dire che forse avevano fatto la scelta sbagliata. La loro figlia femmina si stava trasformando in una maniaca sessuale e il maschio veniva malmenato e bullizzato regolarmente a scuola perché non apparteneva a nessun gruppetto. Era soprannominato "Tomato: il pomodoro italiano". Una cosa era far parte di una minoranza etnica – era difficile, ti discriminavano, ma almeno avevi le spalle coperte dai tuoi simili –, un'altra non avere nessun punto di riferimento come gli italiani, difficili da classificare.

«Non potete lasciare questi ragazzi alla deriva. Hanno bisogno di regole. Eugenia dev'essere messa in punizione» spiegò Max. «Questa furia sessuale è un grido disperato, una richiesta di aiuto. Levatele la linea privata dalla camera da letto» ordinò.

«Mica ce l'ha» rispose mio padre.

«Allora levatele la TV!»

«È rotta» ammise mia madre.

«Levatele la paghetta.»

«Mmh... non gliela diamo.»

«Be', allora tenetela chiusa in casa» gemette impaziente.

«Tenetela?» chiese mia madre. «Ma ci sta sempre a casa. Non so nemmeno quando sia riuscita a incontrarli tutti questi ragazzi.»

Mi piaceva sentire le loro voci preoccupate. Mi piaceva che si riunissero a un tavolo per parlare di me, anche se era per discutere di come punirmi al meglio per i miei casini.

Decisero di segregarmi in casa per la durata della sospensione da scuola. Quella solitudine non mi costava fatica. Ci ero abituata, ma alla quarta notte di isolamento, mentre ero a letto che cercavo di prendere sonno, di colpo mi resi conto di essermi persa il compleanno di Fatima. Era stata sola a scuola per il suo giorno speciale: niente palloncini, niente gattini, niente amici. Il pensiero di lei da sola sul campo da corsa con la sua grande testa che aspettava il mio arrivo mi devastò. Le avrei detto che ero stata male, che era successa una tragedia. Meglio un palloncino in ritardo che niente palloncino. Avrei risolto la cosa.

Mi infilai i pantaloni sporchi di una tuta e delle scarpe da tennis, saltai dalla finestra della mia stanza e andai a piedi al Taiwanese Party Store su Sepulveda, quello sempre aperto che mi aveva fatto conoscere Henry. I ragazzi taiwanesi alla cassa succhiavano dei palloncini di gas esilarante, il protossido d'azoto li faceva ridere come dei matti, lo chiamavano il crack degli hippie. Nel retrobottega si faceva un altro genere di festa rispetto a quello suggerito in vetrina. Comprai il solito Bubble tea, un pacchetto di sigarette e un palloncino rosa e argento con sopra dei cuccioli di cane e la scritta TANTI AUGURI in corsivo. I gattini non ce li avevano.

Con il filo del palloncino allacciato al polso, mi incamminai verso casa con uno strano ottimismo addosso, quando per la strada suonò un clacson insistente.

«Scusa, che è, il tuo compleanno?» gridò una voce.

Una BMW blu metallizzata accostò al marciapiede. Mi avvicinai per guardare.

Era Arash. Senza pensarci aprii la porta, ficcai dentro il palloncino e saltai a bordo.

«Mi sono persa il compleanno di tua cugina e le avevo promesso un palloncino. Glielo porto lunedì a scuola.»

«Quando la smetterai di passare il tempo con quella sfigata?»

«Mai. Non essere cattivo.»

Eravamo felici di vederci, ma non volevamo dirlo.

«È vero che ti hanno sospesa?»

«Sì, e sono pure in punizione.»

«E allora che ci fai in giro?»

«I miei pensano che sono a letto. Non controllano mai, di solito non se ne accorgono quando scappo di casa.»

La macchina di Arash superò la nostra casa. Non gli dissi dove vivevo e non gli chiesi di fermarsi. Volevo stare con lui e non pensare a niente.

«Sembri felice di vedermi» lo stuzzicai.

«È sabato sera. Sei fortunata che non avevo niente da fare» disse con il solito tono spaccone, ma i suoi occhi tradivano una piccola lucetta calda e gli dissi che anch'io ero felice di vederlo.

Arash era vestito da sera. Sotto il cappellino degli Yankees, le ciocche di capelli ricoperte dal gel sembravano punte rigide e unte, e aveva diversi strati d'oro sul petto.

«Perché sei tutto acchittato se non avevi niente da fare?»

«Quegli idioti dei miei amici mi hanno dato buca perché hanno rimorchiato.»

«Oh.» Abbassai lo sguardo e mi lasciai andare contro il sedile.

Passammo davanti ai Sound City Studios sperando di incontrare qualche rockstar in pausa sigaretta, ma il parcheggio era vuoto. La fabbrica di Budweiser accanto sputava un fumo dolciastro dai comignoli e Arash tirò dritto. Andammo avanti senza parlare fino a Chatsworth, un'antica comunità agricola ai piedi delle Santa Susana Mountains nella periferia orientale della San Fernando Valley. Ci fermammo davanti a un agglomerato di rocce su una collina, Stoney Point, un luogo di ritrovo per i ragazzini fattoni della Valley. Su tutti i massi erano incisi foglie di marijuana e testi di canzoni dei Grateful Dead.

Ci arrampicammo fino in cima e Arash stese per terra la sua felpa col cappuccio. Ci sedemmo a guardare la distesa di luci basse di Chatsworth e la catena di montagne nere a est. Arash sospirò verso il cielo e mi prese la mano.

«Contenta? Questo è un posto perfetto per la gente stramba come te.» Sorrise.

«Non sono una stramba» risposi, appoggiandomi contro di lui, troppo stanca per discutere.

«Come cazzo sei vestita?»

Guardai la mia tuta imbarazzata. «Non avevo in programma di uscire.»

«Quindi ti vesti così quando sei a casa da sola?»

«Oh no, a casa mi vesto molto peggio!»

Arash ridacchiò.

Il venticello notturno della Valley ci soffiava sulla faccia, caldo e carico dei fumi dello smog di fine giornata. Aspirai la brezza, poi lo baciai forte. Con il pilota automatico mi chinai verso di lui e lo spinsi contro la roccia, pronta a prenderlo in bocca, ma Arash mi mise la mano sulla fronte e mi tirò su.

«Ferma» disse, e mi scostò una ciocca di capelli dagli occhi.

Guardai le stelle affondate che provavano a brillare nel cielo viola e inquinato della città.

«Sono belle anche quando si vedono poco» dissi, ma quel che volevo dire era "grazie". Ero sollevata.

«Stai diventando troppo romantica» mi prese in giro. Mi attirò a sé e sorrise. «Guarda che siamo sdraiati sotto un tetto di smog.»

Mi baciò, spingendo le mie mani tra le sue, e continuammo a baciarci finché non ci vennero le labbra blu. Stavamo cercando di capire chi eravamo quando non eravamo nascosti tra le mura delle scuole abbandonate. Chi eravamo di notte, da pari a pari.

«Sai che c'è? Vaffanculo. Usciamo e facciamo qualcosa» disse a bassa voce.

«Tipo là fuori nel mondo? Dove c'è altra gente? Wow» risi. Mi strattonò.

«Vuoi vedere un film? Danno *Le iene* al centro commerciale di Woodland Hills» disse con aria incerta.

«Sei sicuro?» chiesi preoccupata dalla rapidità con cui stavamo modificando i nostri parametri usuali.

«Perché no?» disse lui, più per convincere se stesso che altro.

Il centro commerciale di Woodland Hills scoppiava di teenager urlanti, finalmente liberi. Erano ovunque, quelli della nostra età. Uscivano a sciami dai minivan dei loro genitori.

Ecco dove andavano a finire, mi resi conto. Ecco perché le strade erano sempre silenziose. I ragazzi si rifugiavano nei centri commerciali, spargendo popcorn sulle moquette ammuffite e prendendosi per il culo mentre masticavano gomme e ruttavano, gonfi di bibite gassate.

Lasciammo il palloncino di Fatima a un bigliettaio perché me lo tenesse d'occhio ed entrammo nell'atrio principale. Sugli specchi lungo i corridoi vidi il riflesso di una coppia male assortita che avanzava a rallentatore: la goffa italiana in tuta e il macho iraniano con il cappellino degli Yankees perfettamente inamidato e la camicia pulita. Arash si stava trasformando nella versione notturna del suo personaggio di scuola. Camminava tronfio a passi ampi e obliqui, un ritmo rilassato ma vigile. Io non andavo al suo stesso ritmo, i miei passi erano rigidi, costretti. Il mio corpo non voleva comunicare nessun messaggio agli altri.

I poster di *Le iene* erano bellissimi. Tutti i ragazzini si fermavano a guardare gli uomini in abito nero spruzzati di sangue e ridevano gasati. Arash mi offrì i popcorn al burro e una Coca-Cola. Il modo in cui sorseggiava la sua bibita, succhiando la cannuccia da un angolo della bocca con un ghigno da duro, era una performance, ma mi dissi che andava bene così perché anch'io sentivo di far parte di una performance, quella in cui eravamo due adulti che condividevano delle cose da adulti: uomo e donna, popcorn e Coca, uno a fianco all'altra sulla scala mobile.

Quando raggiungemmo l'entrata del cinema, Arash sbiancò. Là davanti c'erano i suoi amici di scuola e un altro gruppo di tipi con la barba, forse i loro fratelli maggiori: stavano litigando con una maschera per farsi mettere tutti vicini. Spintonavano il ragazzo minacciandolo amichevolmente. Indossavano tutti dei pantaloni kaki troppo larghi con i sederi di fuori, catene d'oro, camicie di flanella abbottonate fino al collo come Arash, sembravano un plotone. Noi eravamo ancora a distanza di sicurezza, ma vidi il nostro riflesso nello specchio: stavamo cominciando a separarci, appena uno strappo. Arash si voltò verso di me, tesissimo.

«I tuoi amici?» dissi senza aspettarmi una risposta o una spiegazione.

Uno dei più giovani, Faraj, riconobbe Arash e ci venne incontro. I suoi occhi si trasformarono in due punti interrogativi quando mi vide.

«Ehi coglione! Che ci fai qui? Ti abbiamo scritto sul cercapersone tutta la sera.»

Il corpo di Arash si rattrappì, i suoi gesti di colpo meno grandiosi.

«Sì, sì. Non sono riuscito a trovare una cabina del telefono in tempo per richiamarvi.»

Mi guardò imbarazzato. Non era vero che gli avevano dato buca i suoi amici. Voleva stare solo con me. Per un attimo la cosa mi fece sorridere, ma quando mi vidi riflessa nello specchio mi accorsi che sembravo una bambina, le braccia incrociate per proteggermi il petto, l'orribile tuta. Ma perché ero salita su quella macchina?

«E lei?» chiese Faraj con un sorrisetto.

Arash distolse lo sguardo e disse che mi aveva incontrata per caso. Ero solo una tizia della classe di Lettere, quella che gli scriveva i temi.

I suoi occhi esitarono.

Faraj mi si avvicinò incuriosito.

«Quanto mi costi per un tema? Devo farmi fare il saggio per la domanda al college. Cerco qualcuno.»

Gli dissi che avevo troppo da fare.

Nello specchio, un ragazzo più grande interrogava un ragazzo più piccolo sulla presenza di una ragazza italiana. Il ragazzo più piccolo rispondeva con un cenno del capo e della mano, segnalando che aveva la situazione sotto controllo. Si sarebbe sbarazzato di lei in un secondo.

E così andò.

Faraj mi fece un cenno di saluto con il capo e sfilò via.

Accartocciai il mio biglietto del cinema strappato e me lo infilai in tasca.

Gli occhi di Arash ebbero tempo per recuperare coraggio. Quando tornò a guardarmi erano già più forti e duri.

Allo specchio il ragazzo più grande si unì agli amici che aspettavano in fila davanti al cinema. Quello più giovane tirò fuori il portafoglio dalla tasca di dietro, estrasse un biglietto da venti dollari e lo consegnò alla ragazza italiana.

«Sotto ci sono i telefoni. Chiamati un taxi, così torni a casa.»

I suoi amici in fondo alla coda erano quasi dentro al cinema, e lo guardavano.

«Sbrigati, *kuni*!»

Arash scrollò le spalle. «Mi dispiace. Saremmo dovuti andare da un'altra parte.»

Riprese la sua camminata elastica e raggiunse gli amici. I pantaloni gli calavano sotto la vita e mezzo sedere sbucava da sotto.

Guarda quei boxer di flanella, pensai, chissà come profumano.

Nove

Lunedì mattina Arash non si presentò in classe. Era un sollievo perché non avrei saputo come guardarlo senza rabbia o imbarazzo. Prima di Educazione fisica passai a recuperare il palloncino di Fatima dal mio armadietto. Si era sgonfiato, ma decisi che gliel'avrei dato comunque. Nell'armadietto trovai una lettera per me, era di Mrs Perks, la professoressa del corso avanzato di Letteratura che mi aveva presentato Simon. Le avevo dato alcuni miei scritti prima della sospensione, ma dopo quello che era successo non pensavo che mi avrebbe contattata. La lettera non faceva riferimento alla mia cattiva condotta. Mrs Perks diceva che aveva letto i miei temi e che intendeva lasciarmi provare il suo corso il prossimo semestre. C'era una lista di libri che avrei dovuto leggere durante le vacanze di Natale e, se le avessi portato delle buone analisi scritte e mi fossi impegnata a fare qualche esame in più degli altri studenti, mi avrebbe presa. "L'inglese non è la tua lingua madre, ma potrebbe diventare la sua brillante sorella minore" scrisse. Leggevo quei titoli esotici e la sua lettera mentre camminavo per andare a Educazione fisica e sorridevo. Mi sembrava di avere finalmente un piede fuori dalla fossa.

Quando arrivai Fatima era seduta sul campo da corsa che si guardava i piedi mentre il coach obeso faceva l'appello.

Sembrava più depressa del solito. Mi lanciò un'occhiata, vide il palloncino sgonfio e sospirò.

«Grazie» disse senza sorridere quando glielo passai. Gli altoparlanti della scuola cominciarono a gracchiare. Era la voce del preside.

«Buongiorno, cari studenti. È con grande tristezza che vi rivolgo il seguente annuncio: sabato sera, lo studente del secondo anno della Winnetka High School, Arash Yekta, è stato ucciso durante una sparatoria al centro commerciale di Woodland Hills. Il suo amico Nadir Javan, del terzo anno, è stato ferito gravemente e rimane in condizioni stabili all'Encino Medical Center. Arash sarà sempre ricordato con affetto dalla sua famiglia, i suoi amici, e tutti noi del Winnetka High. Era un ragazzo estroverso e generoso e ci resterà nel cuore. Mandiamo i nostri auguri di pronta guarigione a Nadir e alla sua famiglia. Questo pomeriggio alle quattro ci sarà un raduno per commemorare Arash al centro commerciale di Woodland Hills. I dettagli sul funerale saranno indicati la settimana prossima. E ora osserveremo un momento di silenzio.»

I vecchi altoparlanti stridevano e i suoni delle "s" facevano un rumore assordante. La cosa mi rassicurava: se non si sentiva bene quello che veniva detto forse quelle cose non erano accadute. Il vento dei canyon soffiava sul campo di football e i gabbiani rovistavano tra avanzi di cibo della partita del weekend. Infilavano gli artigli nel terreno e gridavano i loro versi striduli, contendendosi delle patatine fradicie. Il palloncino di compleanno di Fatima era diventato un mucchietto di plastica luccicante che le pendeva dal polso. Continuavo a sbattere le ciglia e a guardarlo. Riuscivo solo a pensare che avrei dovuto comprare un nuovo palloncino quella mattina. Avrei dovuto svegliarmi presto per andare al negozio taiwanese e presentarmi con qualcosa di bello. Forse avrei dovuto prenderne cinque di palloncini coi i gattini e la scritta in corsivo, e già che c'ero, anche un orsacchiotto, ma come mai di colpo i miei compagni erano muti? Perché guardavano tutti a terra? Non l'avevano capito che c'era stato un errore, avevamo frainteso tutto. Tra poche ore avrei visto Arash, saremmo andati alla scuola abbandonata come sempre. Ok, mi ero ripromessa di non parlargli più, che non sarei stata neanche in grado di guardarlo in faccia senza rabbia, ma avevo cambiato idea: ritiravo tutto quello che avevo pensato, promesso. Saremmo scappati dalle porte antincendio e avremmo scavalcato la rete come sempre. Saremmo andati in quel posto con le crepe per terra e l'erba alta e le lame di luce che facevano brillare la polvere nelle aule: quella scuola infilata fra le colline con i giardinieri solitari vestiti con i gilè arancioni. Avremmo parlato di niente e sputato per terra e ascoltato le seghe elettriche che tagliavano gli alberi. Ci andavamo tutti i giorni in quella scuola. Era quello che facevamo, e perciò non era morto.

Alcuni studenti si misero a piangere. Fatima cercava con gli occhi qualcuno che la consolasse, era la cugina di Arash, ma lo sapevo solo io. La strinsi come per rassicurarla che avremmo chiarito insieme quell'equivoco. Mi abbracciò anche lei, fingendo di credermi. Mi cingeva la vita con le sue manine scheletriche e io mi sentivo come una madre. Il suo corpo esile sembrava un ramo spezzato tra le mie braccia. Ero circondata dai suoi peli neri. La grande testa piena di capelli scuri e folti mi accarezzava il collo, i lunghi peli sulle sue braccia mi abbracciavano e i suoi baffetti premevano contro il mio petto. I sipari scuri delle sue sopracciglia si aprivano e chiudevano contro le mie clavicole mentre piangeva. Si sfilò il nastro argentato del palloncino dal polso, sperando in un gesto catartico, una fuga liberatoria, ma il palloncino aveva perso tutto l'elio e gravitava a mezz'aria davanti a noi. Neanche il vento riusciva a trascinarlo via. Non saliva su in cielo e non si accasciava a terra. Rimaneva lì, sospeso a metà come una brutta notizia di cui non sapevamo che fare.

L'ultima volta che io e Arash ci eravamo rifugiati alla scuola abbandonata avevo provato a fargli una foto con una macchina che avevo comprato a un mercatino per tre dollari, ma mentre scattavo lui mi aveva spinto via con la mano. Diceva che avrei potuto ricattarlo e dire di noi ai suoi amici, poi mi aveva abbracciato e scostato i capelli dagli occhi. Quando sviluppai la fotografia trovai il volto di Arash semicoperto dalla sua mano che cercava di allontanarmi e il gesto sembrava un saluto di addio.

«Lo so che non è una cosa seria tra di noi, ma stare qui è la parte più bella delle mie giornate» aveva detto.

«Anche delle mie.» Ed era vero.

«Non potrei mai venire in un posto così di merda con i miei amici.»

No, non avrebbe potuto. Avevo riso alla battuta e avevo alzato il viso dal suo petto. L'osservavo, mezzo nudo com'era, i pantaloni ancora sbottonati e la maglietta bianca morbida tirata su fino al petto. Le macchine che scorrevano lente per le vie residenziali erano in un altro mondo e noi eravamo sdraiati nel nostro salotto immaginario sul pavimento freddo della scuola abbandonata. Mi era sembrato solo un bambino. Un bambino con un pene da uomo, un essere semplice riportato alla sua vera essenza. Niente orgoglio persiano, niente collanone d'oro, niente pantaloni extralarge. Era lui: nudo con i suoi occhi scuri e profondi, le sopracciglia folte e la fossetta sul mento. Ma quel sabato sera in cui gli avevano sparato era stato un'altra cosa. L'avevo capito appena avevamo superato le porte scorrevoli del centro commerciale, guardando il suo passo improvvisamente ciondolante e spaccone.

Quella sera, dopo essersi sbarazzato di me, aveva messo in scena il suo personaggio pubblico: forte, rozzo, offensivo. Nel cinema Arash e i suoi amici avevano urlato allo schermo e si erano fatti cacciare per quel casino. Chissà perché Arash aveva urlato allo schermo, o Robert: chissà perché lo facevano tutti. Forse urlare agli schermi era il solo modo in cui i giovani potevano far parte della cultura della città, sovvertirla. I cinema erano luoghi in cui bisognava stare fermi e in silenzio, ma erano anche i pochi che i minorenni potevano frequentare il sabato sera, e quella libertà era una concessione troppo piccola.

I giornali dissero che la sparatoria era un segnale: la cultura gangster stava cominciando a esercitare un fascino sugli adolescenti della Valley. Leggevo e rileggevo gli stessi articoli perché era l'unico modo per capire cosa fosse successo. Nessuno sapeva della mia relazione con Arash, quindi non avevo accesso a informazioni di prima mano. Così analizzavo i pezzi sui giornali e provavo a immaginare quella notte, inserivo i dettagli dove non me ne venivano dati, riempivo gli spazi vuoti.

Sabato sera ero tornata a casa in autobus dal centro commerciale di Woodland Hills, mangiando popcorn al burro stantio e risparmiando la banconota da venti dollari che mi aveva dato Arash per il taxi. Mentre lui e i suoi amici urlavano in farsi e si lanciavano addosso cartacce e gomme masticate, in un'altra parte della città non troppo lontano da lì tre ragazzine annoiate delle scuole private della Valley senza precedenti penali ragionavano su come passare il fine settimana.

Leggevo furiosamente le loro descrizioni. Sarebbero potute essere qualunque ragazza della nostra scuola. Natalie era bionda e aveva sempre una treccia perfetta. Lavorava da Gap alla Galleria, il centro commerciale di Sherman Oaks. Audrey era identica a Natalie, ma con le ciglia più lunghe e gli occhi più verdi. Le scambiavano tutti per sorelle, solo che una aveva la frangetta e l'altra no. Erica, la terza, era grassa e nessun giornale si impegnò per descriverla meglio di così. Le amiche stavano facendo l'idromassaggio nel giardino della magione di Erica a Encino. Mentre leggevo l'articolo mi sembrava di sentire i venti secchi del Santa

Ana che gli soffiavano sulla pelle, l'acquetta tiepida in cui erano immerse che le rendeva tutte uguali e indolenti. Immaginai Erica a mollo con le grandi braccia spalancate, una maglietta bianca sopra al costume per coprire i rotoli, che fissava il cielo. Avrebbe passato quel sabato sera a guardare un film in videocassetta, lo sapeva benissimo. Probabilmente era quello che faceva tutti i sabato sera mentre le sue amiche più carine chiamavano i ragazzi e poi sgattaiolavano via dalla finestra, lasciandola sola. Immaginai le ragazze sovraeccitate che mormoravano i dettagli delle feste dove andare sulla linea privata di Erica, tutte le ragazze ricche della Valley avevano la linea privata in camera. Erica rimaneva sempre indietro perché i ragazzi delle sue amiche la chiamavano Big Bertha e dicevano che occupava troppo spazio in macchina. Magari a lei andava bene così, però. Le bastava vedere Audrey e Natalie che si preparavano per uscire: vivere l'eccitazione e l'attesa di una serata fuori senza correre il rischio di essere scoperta.

La serata della sparatoria, Natalie, quella con la frangetta perfetta, telefonò a due ragazzi che aveva conosciuto alla motorizzazione quando aveva fatto il test di guida. Erano più grandi e facevano parte di una gang della San Fernando Valley. I loro nomi da battaglia sembravano usciti da un film: No Good Capone e Baby Huey. Natalie li aveva scelti perché erano diversi e conoscevano personalmente Ice Cube e Eazy-E dai tempi della scuola. I ragazzi avevano rimorchiato le due amiche promettendogli serate nel villone che Dr. Dre aveva comprato a Woodland Hills per fare le feste. Avevano le pistole e questo per Audrey era molto sexy. La gang si chiamava Every Woman's Fantasy, la fantasia di ogni donna. Sembrava un nome promettente, facevano le feste migliori della Valley e sia Natalie che Audrey erano stufe di passare i sabato sera a farsi di cocaina nei parcheggi dei McDonald's.

Scegliere di stare con loro era un'idea sensata, le avrebbe salvate dalla noia.

Immaginavo Natalie e Audrey mentre si calavano dalla finestra lasciando Erica a casa, ricordandole di non rispondere mai al telefono perché sarebbero potuti essere i loro genitori. Pensavo a Erica delusa, che spingeva la cassetta di *The Bodyguard* nel registratore, come avevo fatto tante altre volte anch'io, sognando di essere Whitney Houston. Magari accendeva una candela e chiudeva gli occhi. Kevin Costner l'avrebbe presa tra le sue braccia senza sforzo: lui non la trovava grassa.

Audrey e Natalie girarono un po' in macchina per la Valley con i ragazzi. No Good Capone conosceva qualcuno che conosceva qualcuno che frequentava lo studio di registrazione della Death Row a Tarzana, ma quella sera non lo si trovava da nessuna parte. Continuarono a guidare, in attesa che saltasse fuori un piano. I membri della Every Woman's Fantasy erano famosi per le loro nottate selvagge, ma cos'era successo quella sera? Dov'erano Dr. Dre e Suge Knight? Dov'era il villone di Ice Cube con le ragazze che lavavano i vetri delle macchine con le chiappe? Le amiche cominciavano a diventare impazienti. Sonnolenza suburbana, ancora vento caldo, una serie di parcheggi e centri commerciali, niente pistole e divertimento, niente musica e feste. Solo una pipetta di crack nel parcheggio di un Burger King. Un altro sabato sera di quelli da dimenticare.

«Cosa facciamo?» «Cosa c'è da *fare*?» «Dove andiamo?» Audrey e Natalie continuavano a chiedere le stesse cose. Erano strafatte e agitate, si dimenticavano quello che avevano appena detto e lo ripetevano. Dagli articoli si capiva che era scattata una specie di gioco di ruolo tra tutti in cui ognuno doveva interpretare la sua parte. Audrey e Natalie avevano fatto il loro dovere: body spray sdolcinati al lampone, shampoo alla mela, mutande e reggiseni Victoria's Secret rubati alla Sherman Oaks Galleria. No Good Capone e Baby Huey invece non stavano rispettando i patti. Continuavano a fissare i loro cercapersone, sperando di sentire il *bip* che avrebbe salvato la serata.

In un'intervista Audrey aveva detto che si era preoccupata un po' quando uno dei ragazzi aveva deciso di chiamare un amico che viveva a West Adams, una zona molto pericolosa a sud di downtown. Si vantava che l'amico avesse fatto sparatorie, rapito neonati e ammazzato persone. Soltanto in quel momento si era accorta che le cose avrebbero potuto prendere una brutta piega, ma la sua amica Natalie non aveva paura, anzi. Andare a West Adams sarebbe stato perfetto, almeno sarebbero uscite dalla Valley.

Una volta deciso che sarebbero andati oltre la collina, si fermarono a una cabina telefonica nel parcheggio del centro commerciale di Woodland Hills per avvertire il loro amico. Il telefono era circondato da una schiera di ragazzini persiani molesti e sovraeccitati. Dopo essere stati cacciati dal cinema, Arash e i suoi amici erano a loro volta a corto di idee. Si erano radunati attorno alla cabina per dei giri di telefonate: provavano a capire cosa fare della loro serata, proprio come No Good Capone e Baby Huey. Indossavano i pantaloni kaki larghi, avevano l'oro sul petto e le camicie di flanella abbottonate fino al collo. Baby Huey e No Good Capone si vestivano come loro, avrebbero potuto far parte dello stesso plotone, se non fosse che loro erano neri e gli altri persiani.

Gli amici di Arash che avevano rilasciato le interviste ai giornalisti avevano spiegato che No Good Capone non voleva aspettare il suo turno per usare il telefono. Non voleva sembrare uno sfigato. Non è da gangster aspettare in coda.

No Good si avvicinò ad Arash con passo sicuro. Aveva la sua stessa falcata, ma era meno dondolante e ritmata, più simile a una marcia da battaglia.

«Di dove sei?» gli chiese.

Arash aveva la cornetta in mano e si voltò senza rispondergli. Dalla macchina, le ragazze si erano messe a seguire la scena.

«Ho detto di dove sei?» ripeté.

Arash gli fece cenno di levarsi e non dargli fastidio. Stava cercando di parlare al telefono. Gli amici avevano spiegato ai giornalisti che nessuno di loro aveva pensato che quello facesse sul serio. Sembrava un ragazzino, magari con qualche anno più di loro, ma sempre un ragazzino.

No Good insisté.

«Siete una gang di questa zona, te e i tuoi amici?» chiese forzatamente. Ma Arash non si fece intimidire. Alzò la faccia dalla cornetta, impaziente.

«Ma porco cazzo, ti sembriamo una gang?» rispose, poi voltò le spalle a No Good. «Levati, va'.»

Troppo macho, troppo volubile, me lo immaginavo benissimo. La domanda rimase in sospeso. La semplice risposta di Arash aveva lasciato No Good senza parole, cosa che non gli piacque per niente. Dopo quella reazione non lo voleva più usare il telefono.

Tornò alla macchina parcheggiata. Natalie rise. «Sai che lo conosco quel deficiente? È un coglione. Ti fai mettere i piedi in testa da lui? Pensavo fossi un duro. Non dovevi essere la fantasia di tutte le donne?»

Natalie lo aveva riconosciuto Arash, da un campo scuola estivo qualche anno prima. Avevano tredici anni e lui che sentiva nostalgia di casa si era fatto la pipì a letto. I giornali avevano scritto che nelle interviste, quando parlava, Natalie assumeva un tono da gangster di colore, ma ero sicura che questo la facesse sembrare ancora di più una ricca bianca della Valley.

No Good Capone le chiese di mettersi al volante e fece sedere Audrey davanti, accanto all'amica. Lui e Baby Huey scavalcarono e si misero dietro. Sembrava una cosa innocente, come un gioco delle sedie, aveva detto Natalie a un giornalista. No Good le disse di fare il giro del parcheggio con la macchina mentre lui si preparava. Poi tornarono in fondo, sul lato poco illuminato del centro commerciale dove c'erano le cabine dei telefoni. No Good ordinò a Natalie di spegnere i fari e guidare lentamente verso il gruppo di ragazzini.

Mi immaginavo Natalie che si voltava verso l'amica con lo sguardo fiero. Ce l'avevano fatta, non sarebbe stato un altro noioso sabato sera. La macchina frenò, poi cominciò ad avanzare lentamente. Arash e i suoi amici non se ne accorsero neanche, erano troppo occupati a ridere a una battuta scema di Nadir, avevano le lacrime agli occhi da quanto si stavano divertendo. Natalie premette il piede sull'acceleratore. La macchina raggiunse il gruppo, poi rallentò fino quasi a fermarsi.

«Abbassatevi!» gridò Baby Huey alle ragazze. Lo sentirono tutti quell'urlo, anche il gruppo di persiani, ma prima di capire cosa stesse succedendo No Good Capone stava già sporgendosi dal finestrino con la pistola. Sparò dieci volte, colpendo Arash sei volte allo stomaco. Nadir fu preso alla gamba sinistra.

«Non siete una gang, eh?» urlò No Good Capone ad Arash mentre cadeva a terra. «E adesso sì!»

Infilò la testa dentro la macchina e schizzarono via dal parcheggio. Nelle interviste le ragazze avevano detto che il suono degli spari era stato più forte di quello che pensassero, le conseguenze molto più reali. Audrey si voltò e vide i corpi a terra dal vetro posteriore. Il suono delle sirene cominciò quasi subito.

Quando arrivarono le ambulanze, Arash aveva già perso molto sangue e stringeva forte la mano di Nadir.

«Mi fa male lo stomaco» furono le sue ultime parole.

Morì poche ore dopo in un ospedale di Encino, a cinque isolati dalla casa di Erica.

Dopo la sparatoria il gruppo si divise. Le ragazze tornarono dalla loro amica, se qualcuno fosse venuto a farle delle domande, doveva dire che avevano passato la serata insieme. Erica accettò, ma poche ore dopo, all'alba, svegliò i genitori e gli disse di chiamare la polizia. A Natalie e Audrey fu promessa l'immunità in cambio delle loro testimonianze. No Good Capone e Baby Huey furono condannati all'ergastolo.

Dopo scuola andai da sola a piedi fino al centro commerciale di Woodland Hills. Erano tutti lì, dietro al multisala dove avevano sparato ad Arash. Studenti, insegnanti e parenti accendevano candele, si abbracciavano e posavano ghirlande di fiori. Tutti piangevano, i marciapiedi erano coperti da scritte di addio.

CONTINUA A SORRIDERE. RIP DAI TUOI FRATELLI. TI VOGLIAMO BENE.

I giornalisti televisivi si erano appollaiati attorno all'area dei telefoni, ricostruendo gli eventi di quel sabato sera per le telecamere.

«Pensano che siamo una gang» spiegava uno degli amici di Arash. «Ma avere orgoglio persiano significa solo essere fieri della nostra cultura d'origine. Magari facciamo dei gesti un po' sbruffoni con le mani o portiamo i pantaloni larghi, ma quella è solo moda. I pantaloni larghi ce li hanno tutti, li vendono pure da Gap.»

Il parcheggio si riempì di persone. Si sentiva la presenza di Arash nell'aria. Era stato lì poco fa, proprio lui, per fare le cose normali che facevano tutti, ma – mi resi conto – vivevamo in un luogo dove le cose normali potevano farti morire. Rimasi ai bordi di quel nugolo di esseri umani in lutto. Non potevo condividere il mio dolore con le sorelle di Arash, come facevano le altre ragazze, non potevo dire cosa stavo pensando: che se solo i suoi amici non l'avessero visto in fila all'ingresso di quel cinema, in piedi accanto a quella goffa ragazzina italiana, se fosse rimasto da solo con me quella sera, lontano dal centro commerciale, senza camminare come un bulletto per quei corridoi, oggi sarebbe ancora vivo.

Raccolsi una candela rossa tutta sola sull'asfalto e mi allontanai dal parcheggio. Andai a piedi alla nostra scuola fantasma e saltai il recinto. Nella nostra aula accesi la candela per Arash, era quasi Natale e indossavo una maglietta. Pensai a questo e solo a questo: che le cose non erano come sembravano, che l'inverno era estate e Natale era Pasqua, e la morte era un altro dettaglio incongruo che componeva il paesaggio di quella città. Non piansi, pensai alla ragazza lentigginosa della scuola e mi tirai i capelli in una coda di cavallo. Saltai su per la rete e guardai il sole che scendeva oltre le colline. "Pensa a cosa c'è dall'altra parte. Non pensare mai a quello che c'è dietro" aveva detto. Funzionava sempre quando mi arrampicavo con Arash. Diventavo invisibile e poi eravamo liberi, speravo funzionasse anche stavolta.

Lasciai il nostro nascondiglio e mi incamminai accanto alle ville dei ricconi, ai condomini dei poveracci, alle case unifamiliari. Quando gli ultimi raggi del sole scomparirono, la strada in cui mi trovavo si accese di colpo. Un Babbo Natale di plastica era sospeso a un albero sopra la mia testa con un grosso cartello: HO HO HO, BENVENUTI A CANDY CANE LANE. AMMIRATE LE NOSTRE DECORAZIONI NATALIZIE DAL COMFORT DELLE VOSTRE AUTOMOBILI, MA PER FAVORE NON DATE DA MANGIARE AI PINGUINI!

A scuola avevo sentito parlare di questo delirio natalizio di Candy Cane Lane, la strada del bastoncino di zucchero, ma non credevo esistesse davvero. L'intera via era un gigantesco set natalizio kitsch che rivendicava il diritto della città di godersi un bianco Natale nonostante le temperature tropicali. Una coltre di finta neve copriva i pratini inglesi davanti a tutte le ville. I loro proprietari avevano investito assurde somme di denaro e migliaia di kilowatt di energia elettrica per le luminarie, i pupazzi di neve di plastica e i Babbi Natale elettrici. C'erano installazioni a tema Disney, Robin Hood, Aladini e Sirenette ovunque, d'altro canto Hollywood era solo dall'altra parte della collina. Un Babbo Natale gonfiabile a grandezza naturale girava in tondo su una motocicletta inseguita da un elicottero con le pale di zucchero. All'orizzonte le palme stanche e addobbate oscillavano nel vento caldo. Non si vedevano abeti. La strada finiva sotto al cavalcavia della Ventura Freeway. Arrivai di fronte all'ultima casa dove tre giardinieri ispanici stavano spostando dei pesanti generatori per il giardino. Mi guardarono e alzarono gli occhi al cielo.

«*Locos*, eh?» Uno di loro rise mentre l'altro infilava nel terreno un Gesù bambino fluorescente con una vanga. Scavarono buche a terra anche per Maria e Giuseppe, ridacchiando fra sé.

All'inizio della strada le macchine cominciavano a mettersi in fila per il tour serale. A nessuno di loro era venuto in mente di parcheggiare e vedersi lo spettacolo a piedi. Sparare alle persone e celebrare il Natale: a Los Angeles si poteva fare tutto dal proprio comodo automezzo.

I giardinieri collegarono un presepe di plastica al generatore. Il vestito blu elettrico della Madonna brillava come una palla da discoteca sacra, era così bella sotto quel cavalcavia. Mi misi in ginocchio davanti a lei, feci il segno della croce, giunsi le mani e chiusi gli occhi di fronte alla sacra famiglia.

"Maria, ti prego, sii gentile con l'anima di Arash. Aiutalo a volare via, lontano dalla Valley, sopra Woodland Hills e lungo i canyon. Accompagnalo sulla spuma delle onde e dentro al sole calante. Sommergilo nell'oceano e fallo sfociare nelle viscere della terra, lontano dalla costa della California. Riportalo in Persia a ricevere il saluto del loro nobile leone e del sole rosso e potente. Che le melodie dei suonatori di liuto risuonino quando entra nei cieli. Svestilo, è così bello quando è nudo. Coprilo di gioielli. Butta via gli ori e i pantaloni larghi. Digli che il prossimo semestre vorrei cominciare il corso avanzato di Letteratura a scuola: è una classe dove la gente legge. Avremmo comunque dovuto smettere di andare alla scuola abbandonata. Amen."

Decisi che sarebbe stata la mia ultima preghiera a Maria, l'ultima possibilità che le avrei dato di sistemare le cose. Quando raggiunsi Sepulveda Boulevard, invece di prendere verso casa, tirai dritto. Andai al negozio di Henry. Non sapevo perché mi andava di stare con lui in quel momento, forse era il suo orecchio mozzo. Anch'io mi sentivo amputata: mi mancavano degli arti qua e là, delle parti del cuore.

Seconda Parte

RITORNO

Dieci

Alma era in piedi su uno scoglio in mezzo al Mediterraneo che si faceva lo shampoo, i lunghi peli ricci le si attorcigliavano sulle gambe.

«Venite a fare la doccia!»

Io e mio fratello ci avvicinammo, lei ci versò del bagnoschiuma scaduto in testa, massaggiandoci il cranio. Ci tuffammo dallo scoglio dentro l'acqua pulita, la spuma dello shampoo ci accarezzava il collo, scivolava dalle spalle lungo le nostre schiene, disperdendosi nel mare.

«Perfetto, ora siete puliti!» esclamò Alma, e si tuffò dietro di noi nella scia di sapone. Era un rituale quotidiano, lo chiamavamo il bagnoschiuma personale di Nettuno. Nella casa dove eravamo non c'era acqua corrente.

Al largo passò un barcone di turisti, ne venivano molti ogni giorno dalle altre isole, giravano attorno al nostro isolotto senza mai far scendere i passeggeri. Dall'altoparlante il capitano intratteneva i turisti con racconti folkloristici sulle particolarità dell'isola: la popolazione inesistente, la prevalenza di asini, l'assenza di macchine, strade e cibo, uno scoglio desolato e respingente. Ci passò vicino e suonò la sirena in cenno di saluto, Alma si arrampicò fuori dall'acqua e alzò il dito medio con fermezza. Odiava i turisti. Una pallida signora inglese con una visiera di plastica ci urlò dal pontile dicendo che stavamo inquinando il mare con i nostri prodotti.

Alma le rispose con un ruggito: «*Verpiss dich!*», "Vaffanculo" in tedesco. «Non abbiamo acqua corrente qui! Tu dove te li laveresti i capelli?»

La nostra isola sembrava un panettone o un cono tronco che emergeva dal mare. Come tutte le isole Eolie, aveva origini vulcaniche, ma non eruttava da migliaia di anni. Era incredibile pensare che i pascoli verdi in cima al cratere fossero stati un tempo delle fumarole che emettevano lava e gas vaporosi. Tutto era costruito verso l'alto, un'architettura verticale composta da blocchi di pietra grezza basaltica. La mulattiera saliva dal mare fino alla cima della montagna ed era l'unica strada. Da anni nel porto giaceva un'Alfa Romeo coupé parcheggiata fra i cassonetti arrugginiti della spazzatura. Un pescatore l'aveva vinta alla lotteria da giovane. Era arrivata in nave, avvolta da un grande fiocco d'oro, e da allora non si era più mossa. Non c'erano strade su cui guidarla.

Era il giugno del 1993 ed eravamo sull'isola più appartata dell'arcipelago delle Eolie. I nostri genitori avevano deciso che avremmo trascorso l'estate lì per riprenderci da quel difficile primo anno a Los Angeles. Io e Timoteo lo conoscevamo quel posto, ci avevamo passato le vacanze della nostra infanzia, affidati al fratello di Ettore, zio Antonio.

«Non mandateli in quelle spiaggione orribili piene di lettini e ombrelloni. I ragazzi devono imparare a muoversi nella natura o non sopravviveranno mai nel mondo, figuriamoci a Los Angeles» aveva detto Antonio ai miei genitori, e non ci era voluto molto per convincerli. A Los Angeles Max era a un passo dall'ottenere i fondi per un nuovo film che voleva far dirigere e coprodurre a nostro padre. I nostri genitori erano rimasti lì, in teoria per lavorare, ma spesso mi chiedevo se il vero motivo non fosse che non avevano i soldi per i biglietti aerei.

Sull'isola c'era un porticciolo con un alimentari, un baretto e un'edicola. I massi lavici accanto al porto facevano da spiaggia. Dormivamo a casa di Antonio e Alma, la moglie tedesca, su un altopiano centrale a quattrocento gradini dal mare. Era un paesetto punteggiato dalle tipiche case eoliane con l'intonacatura a calce bianca, le colonne cilindriche e i bisuoli tradizionali in muratura. Sulla cima del vulcano c'era il vecchio villaggio abbandonato, dove si era insediata una colonia di hippy tedeschi che da anni occupava le vecchie case dei pescatori emigrati in Australia alla fine dell'Ottocento. Vivevano a patate ed energia solare. Alma era stata una di loro prima di incontrare mio zio e sposarsi "con la civiltà", come diceva lei, il suo viso era indurito dagli anni passati sotto il sole.

Stavano tutto l'anno in un rudere ben organizzato appollaiato su una rupe che affacciava sull'arcipelago. Niente elettricità, niente acqua corrente, ma molta armonia. Le cisterne raccoglievano l'acqua piovana e d'estate il cibo veniva conservato in una grotta sotterranea umida e fresca. Quando gli zii si allontanavano per più di qualche giorno, gli isolani costruivano delle complesse tubature per rubargli l'acqua dalle cisterne, lasciando appena il necessario per le docce estive e i piatti da lavare. Mio zio però non si lamentava, era il prezzo da pagare per vivere sull'isola, diceva.

«Siamo in Sicilia. Se vuoi essere protetto, qualcosa devi sacrificare.»

Mi piaceva quell'isolamento: il caldo torrido, le cicale, l'assenza di aria condizionata. Dopo la sovrabbondanza di Los Angeles era il turno della scarsità, al posto degli scaffali dei supermercati carichi di diciannove tipi di latte, un rilassante regime comunista: latte, formaggio, pane, uova. Dovevi prendere quello che c'era o morire di fame. L'approccio "tutto o niente" era più semplice di qualunque via di mezzo. Io e Timoteo eravamo passati da Roma e ci eravamo rimasti per qualche giorno prima di scendere all'isola. Da nostra nonna Celeste, che era tornata in Italia con noi, dormivamo sui divani. Nelle notti insonni in preda all'ansia e al jet-lag, leggevo gli estratti dall'antologia di letteratura americana. La città era vuota e silenziosa, non c'era nessuno dei miei vecchi amici di scuola e non riuscivo a orientarmi. Una sera incontrai per caso Alessandro, il leader rastafariano del mio vecchio liceo. Si era tagliato i dreadlock e lavorava all'entrata di un disco-bar estivo sul Tevere. Aveva fatto la maturità e si rifiutava di andare all'università. Non aveva progetti. «Roma è deprimente, non c'è niente in cui sperare.» Provai a consolarlo. Gli raccontai dell'America feroce e imperialista. Aveva ragione lui, vivere a Los Angeles era un inferno, molto meglio gli acari dei golf di lana peruviani, i centri sociali con la pasta al sugo scotta e gli ingressi a sottoscrizione. Laggiù un negozio su due apparteneva a una catena e il padrone regnava sovrano. Alessandro scrollò le spalle e disse che ero fortunata lo stesso, i maglioni ruvidi di Porta Portese avevano fatto il loro tempo e con loro tutte le zecche della scuola. «Abbronzati bene e stai lontana da qui. Non te ne pentirai.» Poi mi timbrò il polso e mi lasciò entrare gratis.

L'isola era praticamente deserta, così mi concentrai sugli animali. Intanto i topi, erano ovunque e Timoteo aveva paura delle loro infide code. Li immaginava arrampicarsi su per le sue gambe fin dentro al costume, li sentiva sgattaiolare tra le travi di legno. Dalle brandine militari dove dormivamo in cucina, li sentivamo avanzare nelle vecchie madie, rosicchiando il legno in cerca di briciole e avanzi. Come soluzione per placare mio fratello, mio zio adottò dieci delle centinaia di gatti selvatici che vivevano sull'altopiano centrale. Erano quasi tutti privi di zampe, occhi o code.

«Sono perfetti. Mangiano di tutto, pure le formiche» proclamò Alma.

«Meglio del vostro tritarifiuti californiano» aggiunse Antonio.

La sera lanciavamo gli avanzi della cena dalla terrazza e i gatti mangiavano quelli e lasciavano perdere i topi. In quel luogo gli animali si rispettavano senza fare discriminazioni, avevano forme diverse ma affrontavano le stesse sfide: l'accordo era di non mangiarsi a vicenda.

I miei animali preferiti vivevano in una fattoria improvvisata che apparteneva a Santino, il tuttofare dell'isola. Aveva due asini, Angelina e Maradona, chiamato così perché tirava calci, due sorelle struzzo, una mucca, un cane da guardia, gatti e galline. Erano male assortiti eppure armonici nell'insieme, come una grande famiglia disfunzionale. Mi piacevano perché mi facevano pensare alla mia. Santino era in grado di sollevare frigoriferi e letti di ferro su per la montagna, solo o con l'aiuto dei suoi asini. Caricava cibo e acqua per i turisti e li portava su a pagamento. Viveva con sua moglie Rosalia e due figlie vicino al container della spazzatura di fronte al mare: una mini bidonville, come Dharavi a Mumbai. Gli animali rovistavano tra le pile di rifiuti, inalando il fetore dell'immondizia e della plastica che si scioglieva al sole ed emanava un odore denso e dolciastro.

Tutti sull'isola avevano riconosciuto me e mio fratello dalla pubblicità della Manzotin che avevamo girato l'anno prima. Lo sbarco al molo dall'aliscafo era stata una parata imbarazzante. I ragazzini ci avevano inseguiti con le macchine fotografiche e i foglietti di carta per gli autografi.

«*Whatsamerican!* Sono arrivati gli americani!» avevano gridato.

Ci eravamo fermati al bar a prendere qualcosa da bere ed eravamo stati accolti come stelle del cinema: granita di gelsi e tè freddo offerti dalla casa.

«Chi ha voglia di un'insalatina di verdure tagliate sottili sottili con tanta carnina, buonina buonina?» ci chiese il barista facendoci l'occhiolino e citando la battuta di nostra madre nella pubblicità.

Gli isolani ridevano fragorosamente.

«Carne in scatola per i nostri cucciolotti?» intervenne un altro.

«Putimu viniri a stare 'n 'ta casa tùoppu bidda a San Pietro?» chiese una bambina, incoraggiata da sua zia.

«Macché! Chisti vivono a Hollywood. Chidda era una pubblicità, nun era mica a loro vera casa» si intromise uno dei ragazzini dell'isola.

«Sono ricchi! Hanno 'a casa a Roma e puru a Hollywood, chi fa, unnu sai?» rispose la zia della bambina.

Esprimevano le loro idee ad alta voce, parlando di noi come se non ci fossimo. Le adolescenti facevano dei versi di antipatia quando mi vedevano, io avrei voluto dirgli che non c'era nulla di cui essere invidiose. Era passato appena un anno da quando ci eravamo trasferiti negli Stati Uniti e non era cambiato molto. La Manzotin ci aveva compensati a modo suo per il nostro lavoro, un po' in soldi, un po' con una fornitura interminabile di carne in scatola. I miei genitori avevano spedito le scatolette ad Antonio e Alma per darle ai gatti randagi. Non eravamo ancora esattamente un esemplare di grande successo hollywoodiano. Quando mi chiesero se avessi incontrato persone famose a Los Angeles, parlai di quella volta che avevo incrociato l'attore che interpretava Eric Forrester, il padre di "Beautiful", sulla freeway. Sulla targa personalizzata della sua Jeep aveva fatto scrivere PATRIARCH e da come la guidava si vedeva che ne andava molto fiero. Il suo personaggio televisivo, che esisteva già da oltre mille puntate, era diventato più importante di quello reale. Nel parcheggio di un centro commerciale di Encino avevo visto anche David Hasselhoff, il Michael Knight di "Supercar". Era a bordo di una Pontiac TransAm dei primi anni Ottanta. Anche nella vita vera girava a bordo di KITT, la macchina del telefilm. Quando mi ero avvicinata, il sensore rosso sul cofano aveva cominciato a muoversi e a parlare, pregandomi di non invadere il suo spazio personale.

Mio zio aveva acquistato una vecchia barchetta in vetroresina qualche anno prima e l'aveva chiamata *Samantha Fox IV*, il nome era stato scritto in corsivo da un bambino isolano con una vernice blu sulla prua. Era un po' scassata e piena d'acqua stagnante, ma i numeri romani a fine nome le conferivano un minimo di dignità. Salpammo dal porticciolo, arrancando per il mare calmo con il motore a cinque cavalli. Alma svuotò l'acqua ingiallita che era a bordo con una bottiglia di plastica segata a metà. Indossava dei finti Ray-Ban da aviatore con le stanghette storte. Amava ripetere che l'ultima volta che aveva acquistato qualcosa per se stessa era il 1979. Si tagliò le unghie dei piedi a bordo e poi le lanciò in mare, l'igiene intima andava sempre curata all'aria aperta. Aveva i talloni neri perché camminava scalza sulle rocce dell'isola.

Mio zio non parlava molto con me e mio fratello, non approvava le scelte di Ettore. A lui e Alma per vivere bastavano il sole, l'acqua piovana e le verdure che coltivavano sugli altipiani del cratere.

«Perché andare così lontano quando tutto quello che serve è davanti ai tuoi occhi?» ci chiese, indicando il suo cuore con un colpetto della mano, mentre con l'altra impugnava il manico del motore. Soffiò via dagli occhi il fumo della sigaretta MS che gli penzolava dalle labbra.

Scrollammo le spalle.

«Boh, per fare dei film?» tentai una risposta vaga.

Alma scosse la testa.

«L'America» disse con un lamento sapiente. «Un paese pieno di film di merda!»

«Ettore e Serena dovrebbero esportare la loro cultura dove può essere apprezzata, non a Hollywood dove sono tutti dementi!»

«Non viviamo proprio a Hollywood noi, non vi preoccupate» spiegai.

Mi accoccolai su un cuscino bagnato e chiusi gli occhi

sotto il sole, cullata dal ronzio di quel motore lento e stanco. Borbottava come un vecchio lamentoso, pronunciando le stesse parole a ripetizione, "Rimpicciolisci, vola basso, svanisci". Seguii i suoi ordini e schiacciai il corpo contro il cuscino spugnoso. Svanisci e fatti piccola, diceva una voce dentro di me. Svanisci e vola basso.

Ancorammo *Samantha Fox* allo Scoglio Galera, un isolotto scuro in mezzo al mare di fronte alla vecchia sciara del vulcano. Mio zio spiegò il tendalino per fare ombra.

«Perché chiudersi in una sala con l'aria condizionata quando il cinema ce l'hai all'aperto? Benvenuti al nostro *Jurassic Park* personale» annunciò Antonio, sollevando lo sguardo verso il cielo incontaminato.

Erano anni che non andavo in quel lato dell'isola. Mi ero dimenticata quanto fosse selvaggio: un'enclave preistorica priva di presenze umane, solo capre selvatiche e grandi rapaci che sorvolavano le spiagge di lava nera. Alma si sfilò il pezzo di sopra del costume e si tuffò tra le alghe verdi e viola che galleggiavano sulla superficie del mare. Timoteo, ricoperto di crema solare fosforescente, resistente all'acqua – l'unica cosa che nostra madre si era curata di infilarci in valigia –, si tuffò dalla barca e si allontanò con un tridente spuntato alla ricerca di polpi. Gli uccelli volteggiavano sui cumuli di lava sopra la montagna, gracchiando ferocemente gli uni contro gli altri come pterodattili, erano gridi ancestrali, diversi da quelli degli uccelli della terra. Andavano a beccare le capre selvatiche aggrappate alle rocce scivolose e quelle gli belavano addosso per difendersi. Tutti si esprimevano con pianti allarmati, richieste urgenti di farsi ricondurre nell'era paleolitica a cui appartenevano.

Nuotai fino alla riva e mi asciugai sulle rocce calde. Dopo poco comparve mio zio, tonico e rinfrescato, con le gocce d'acqua che gli scorrevano sul petto, in mano aveva una maschera piena di ricci viola. Li aprì contro una pietra e tolse le uova dall'interno con un dito, offrendomi parti delle creature decapitate. Mi lasciai pungere il palmo dalle spine e raccolsi le uova con la punta delle dita. Antonio alzò gli occhi verso le capre selvatiche che combattevano con gli uccelli sulle rocce, e indicò una fila di fichi d'India smangiucchiati dalle capre che sembravano delle forcule apocalittiche.

«Qui sull'isola sono tutti affamati o moribondi. Pesce ce ne è poco. D'inverno i pescatori delle altre isole usano gli esplosivi subacquei e per l'estate non rimane più niente.»

Lanciò i gusci vuoti a mare e indicò una nicchia nella montagna.

«Io e Alma abbiamo vissuto in quella grotta per sei mesi. Filtravamo l'acqua del mare e mangiavamo solo pesci e fichi d'India. Credo di non essere andato al bagno per mesi.» Rise.

Si distese a terra trovando uno spazio comodo per la schiena e appoggiò, una alla volta, una serie di pietre laviche sopra al torace, sistemandole a forma di croce. In lui vedevo tracce dello spirito pionieristico di mio padre, ma il suo era più selvaggio. Le dita abbronzate sistemarono le pietre dal petto fino al centro della fronte.

«La croce nera è per Tindara. Nel caso ci stia guardando» spiegò, gettando un'altra occhiata verso la montagna. «Vive là sopra. All'epoca era la nostra vicina.»

Da quando ero bambina avevo sentito parlare di Tindara. Era la persona che toglieva il malocchio agli isolani. Sapevo che viveva sola in una grotta sul lato occidentale dell'isola, in una rupe dentro una gola, non scendeva quasi mai al mare. Coltivava ortaggi e praticava dei riti pagani in una sorta di anfiteatro di cemento che aveva costruito con le sue mani. Gli uomini non le servivano, non le piacevano, come non le piacevano il sole e il caldo. Era una creatura notturna, con occhi azzurri di ghiaccio. Di notte i pescatori ancoravano le barche sotto la sua caverna perché portava bene. Si diceva che avesse il potere di filtrare la luce della luna e regolare le maree. Credevano avesse una forza magnetica e che potesse attirare i pesci nelle reti con un solo gesto delle mani. «Un giorno, dopo un litigio, un enorme masso rotolò dalla montagna fino in acqua, vicino a dove stava nuotando Alma. È così che abbiamo capito che era ora di andarcene.» Antonio ridacchiò, poi si fece il segno della croce per respingere ancora i potenziali influssi di Tindara.

«Quella è potente» spiegò, e si afferrò i testicoli tre volte: un rituale superstizioso italiano di cui mi ero dimenticata.

Andai a piedi fino alla discarica accanto alla fattoria di Santino con una busta della spazzatura sulle spalle. Il container dei rifiuti era così alto che non riuscivo a raggiungere l'apertura. Asini e struzzi osservarono impassibili le mie manovre goffe. Angelina, l'asinella più grande, era incinta. Lasciai il sacco a terra ed entrai nel recinto della fattoria per osservarle il pancione da vicino. Era enorme, impossibile distinguere i capezzoli dalle mammelle, un tutt'uno esplosivo. Poggiai le mani sulla sua pancia per sentire se dentro si muovesse qualcosa. Angelina sbatté le palpebre cacciando le mosche dai suoi occhioni malinconici. Mi innamorai all'istante di quello sguardo triste e rassegnato. Le baciai la fronte e le accarezzai la criniera crespa e il muso. Sentii qualcosa che mi spingeva contro la mano dall'interno della pancia, erano piedi.

«Eccolo, ci sei quasi» le sussurrai, emozionata.

Gli struzzi erano sorelle e stavano sempre in piedi in un angolo infangato della fattoria una accanto all'altra, perfettamente immobili sulle zampe a due dita. Avevano perso quasi tutte le piume sotto al sole e sembravano confuse e disorientate, come tutti gli animali dell'isola. Apparivano sempre smarriti e sentivo una gran pena per loro – quelli nel cielo, quelli sulle rocce, o nel mare –, spelacchiati e brutti, con le zampe mutilate, le tane sporche, il pelo a chiazze bruciato dal sole. Ero attratta dal loro disagio e dalle loro urla. È troppo caldo, è troppo difficile, è troppo roccioso, abbiamo troppa fame, sembravano dire. Perfino i topi, che squittivano tra le travi della cucina di notte, suonavano disperati.

Sentii un tonfo provenire dalla discarica. Quando mi voltai mi accorsi che il mio sacco della spazzatura era scomparso. Santino era lì, accanto al grande container di metallo, a piedi nudi nella terra sporca. Non disse ciao, non mi guardò nemmeno in faccia.

«Troppo pesante per te» farfugliò. «Lo buttai io.»

Mi si avvicinò fissandomi negli occhi.

«Ti sei fatta grande, Eugenia. Eri bambina l'ultima volta che ti ho vista. Ti piace la mia fattoria?» Ridacchiò. «Agli americani ci piacciono assài gli animali, o no?»

«Mi piacciono gli animali, ma non sono americana» sorrisi.

«Sé, comu no.»

Guardai la casa oltre le sue spalle. La moglie Rosalia si sporgeva dal piccolo balcone, i suoi occhi sospettosi mi scrutavano da sotto una chioma selvaggia di ricci grigiastri. Non ricordavo neanche una volta in cui l'avessi vista comunicare qualcosa di umano ad anima viva, anche con le figlie era distante. Il gesto più affettuoso che le avevo visto fare era stato allacciargli le scarpe o passargli un panino con la salsiccia. Quando facevano troppo baccano gli dava le botte in testa e gli ordinava di tacere.

«Come si sta su da Antonio e Alma?» mi chiese Santino con uno sguardo da furbetto.

«Si sta bene, è carino...»

«Ancora in giro nuda se ne va Alma?»

Arrossii.

«Che fai, ti vergogni? Guarda che lo fanno tutti i tedeschi dell'isola. Si pensano chi nun li putimu vìriri.» Ridacchiò. «Lo fai puru tu?»

«Cosa?»

«Vai in giro nuda?»

Guardai sua moglie e arrossii ancora. Era sempre al balcone che mi fissava.

«No. Io no...»

Santino era una creatura selvaggia e bellissima, ora che lo vedevo da vicino, mi ricordai dei suoi occhi verdi e del suo sprezzo. Non aveva mai bisogno di nessuno, da piccola lo osservavo saltare agile dalle barche del molo a fine giornata, pensavo fosse invincibile, la persona più forte e veloce che avessi mai conosciuto. Mi tornò di colpo in mente la sua storia: "Santino 'u bastardu", "Santino l'orfanu", "Santino lu egiziano". Con il passare del tempo, gli isolani che lo avevano ostracizzato lo avevano chiamato anche "Santino 'u spiritu", perché aveva il diavolo in corpo. Era il figlio del proprietario dell'agenzia di viaggi, ma sua madre un'estate aveva avuto una storia con un venditore ambulante egiziano, e nove mesi dopo era nato lui, con la pelle scura, gli occhi verdi e una testa già piena di capelli ricci. Il proprietario dell'agenzia lo ripudiò e dopo la morte della madre, quando Santino aveva cinque anni, smise di occuparsi di lui. Era cresciuto senza genitori, come un animale, arrampicandosi a piedi nudi sulle rocce. Non era mai andato a scuola, non sapeva neppure fare la X al posto del suo nome quando firmava. Gli isolani più generosi lo avevano ospitato qualche volta, gli avevano dato da mangiare e l'avevano curato finché non era diventato grande e ce l'aveva fatta da solo. Era un tipo strano, solitario. Da bambina lo osservavo arrampicarsi per le scale come una saetta con i suoi asini. Gli animali erano la sua vita, gli urlava sempre, sia alle pecore che ai muli. Dovevano lavorare bene, su quell'isola possedere bestie era più importante che possedere una casa.

«Perché tieni gli struzzi? Non hanno bisogno di correre? Qui non possono andare da nessuna parte. Ci sono solo scale, che fanno tutto il giorno?» chiesi.

«Devono correre, pensi? Decido io cosa devono fare» rispose compiaciuto, poi si voltò e trascinò i piedi verso casa, tracciando una barriera divisoria tra di noi con l'alluce del piede.

Era la fine di luglio e non c'era un filo d'aria. Stavo tornando a casa con la spesa e feci una pausa a metà scalinata per riprendere fiato. Il mare al crepuscolo era una tavola e i primi pescatori uscivano per andare a totani. Quando tramontò il sole, le luci delle lampare si accesero tutte insieme, sembravano le lampade sospese di Florence Nightingale, "l'infermiera con la lanterna", pronte a prendersi cura dei pesci amputati dalla dinamite, delle acque addolorate. A quell'ora l'isola sprofondava nel silenzio, niente ragli di asini, niente squittii di topi. Era così calmo che dalla montagna si sentivano lo sciabordio del mare e le voci dei pescatori che chiacchieravano in dialetto come se stessero in una stanzetta blu tutta per loro. Ero all'altezza del secondo altipiano, le maniglie di plastica sottili mi segavano le dita, ma avevo insistito per portare le buste da sola, perché non volevo che gli zii sovraccaricassero gli asini di Santino. Mentre riposavo su una panchina di cemento, notai un'ombra muoversi tra i cespugli di erica. La riconobbi dalla forma dei capelli, una massa crespa tenuta a bada da tre fermagli di plastica color acquamarina: Rosalia.

Si fece avanti goffamente, come un troll impaurito.

«È vero che all'estero sei illustre?» domandò senza guardarmi.

Era la prima volta che la sentivo parlare.

«No» risposi, confusa dal suo uso della parola "illustre".

Mi guardò delusa e si mise accanto a me sulla panchina.

«Non sei famosa?» Sospirò. «Ma dicono tutti che sei famosa. Fai le pubblicità.»

«Ho fatto una pubblicità, l'anno scorso.»

«Ma era per la Manzotin, su Canale 5 eravate. V'avemu visto tutti, quinni mi dispiace, ma sì famosa.»

Gliela detti vinta.

«Senti» disse con ostinazione. «Tengo un peso sul petto. Qualunque cosa faccio, non me lo riesco a livari. Mi scinne addosso appena chiudo gli scuri, quannu metto a letto le picciridde e resta nfinu al mattino prestu. Nun riesco a respirare. Nun riesco a dormire. Tindara dice chi tu lo puoi far andare via. "A fimmina ca te pò aiutarti è 'na persona illustre chi veni da oltreoceano" risse accussì, idda. Parole precise. Ha letto l'olio 'na tazza i puru u funno ru caffè. Tu si femmina e vini da oltreoceano e pure illustre sei.»

Parlava di corsa, piena di adrenalina, mangiandosi le parole. Non capivo quasi niente, ma intuii che si era convinta che io fossi la persona che stava aspettando. Mi fissava con occhi folgorati, concentrata.

«Un mi ni vadu fino a chi un mi rici di sì.»

Aveva il viso rugoso, era stanca e brutta e non riuscivo a pensare ad altro: a quanto fosse brutta, con la bocca minuscola da riccio e il mento peloso, la pelle dura, coperta da cicatrici e macchie solari, i capelli selvaggi ingrigiti prematuramente. Non le importava nulla di come apparisse agli altri. Mentre la guardavo, cercavo i barlumi della sua identità di ragazzina, prima dell'isolamento e dell'asprezza, prima del marito e delle figlie e dell'odore di spazzatura squagliata nella discarica fuori dalla finestra: e trovai una via d'uscita.

«Posso farti bella» le proposi esitante.

Era la prima volta che l'America mi veniva in soccorso. Stavo pensando alle pubblicità che la modella Niki Taylor aveva fatto per i trucchi Covergirl. "La bellezza è freschezza, la bellezza è vitalità" diceva lo speaker in TV con voce suadente. Ripetei lo slogan come se stessi rivelando una semplice ma profonda verità. Non so perché lo feci, prima di quel momento non mi sarebbe mai saltato in mente di dire una cosa del genere a una sconosciuta, ma quando composi quelle parole, Rosalia schiuse le labbra con un impercettibile sorriso felino. Ogni parte del suo corpo sembrava esclamare sì.

«Credi che accusì cacci u malocchio?» chiese.

«Ne sono sicura.»

"Rimpicciolisci, vola basso, svanisci", il motore della barca di mio zio mi aveva avvisata, e invece di ascoltarlo mi ero messa a elargire improbabili consigli contro il malocchio. Annunciavo rimedi e promettevo trasformazioni radicali grazie all'aiuto di una cura di bellezza di cui non sapevo nulla.

La casa di Rosalia e Santino era scavata dentro la montagna. Le mura di roccia riparavano la famiglia dal fetore della discarica. Salii per le scale di legno ed entrai: una cucina e un soggiorno con due materassi sul pavimento dove dormivano le bambine, una cameretta con un letto a una piazza e mezzo e un bagno. Niente porte, solo tende con fili di plastica colorati che penzolavano dagli stipiti. Un calendario ingiallito di una pescheria di Lipari era appeso sopra al frigorifero accanto a un crocifisso con un ramo d'ulivo secco. Rosalia grugnì un ciao. Mi diede dell'acqua da bere e mi fece accomodare in bagno.

Avevo riempito il mio zaino di prodotti di bellezza usati che avevo trovato nei cassetti di Alma: pinzette arrugginite, forbici spuntate, un vecchio attrezzo elettrico per depilarsi che faceva un suono tremendo, strisce per la ceretta squagliate, uno shampoo colorante scaduto e un balsamo. Avevo investito acquistando una piastra per capelli che avevo trovato nella piccola sezione dei prodotti di bellezza dell'alimentari, accanto alle lime per le unghie, tra le mollette di Hello Kitty e le ciabatte di gomma con i lustrini d'oro.

Rosalia si mise su uno sgabello dentro la doccia dandomi le spalle. Infilai un ciuffo di ricci stepposi sotto la piastra e i capelli cominciarono a sfrigolare. Del fumo le stava uscendo dalla testa e lasciai la presa inorridita, dopo poco le ciocche di capelli caddero a terra ed entrai nel panico, non sapevo quello che stavo facendo. Forse Tindara aveva letto male i fondi di caffè e l'olio nella tazza. Forse lo avrebbe mandato a me il malocchio. La immaginavo vestita con una tunica di velluto, in piedi davanti a un altare di carne in scatola pieno di spilli, che ululava al vento e agli dèi spaventando le capre e gli pterodattili dell'altra parte dell'isola. Avrebbe proclamato la sua vendetta contro l'impostora americana che non era affatto illustre.

Dal bagno sentimmo i piedi nudi di Santino che si trascinavano su per la scalinata di legno esterna. Rosalia, a disagio, spostò il peso sullo sgabello e si coprì la scollatura con un asciugamano.

Santino infilò la testa nel bagno e ridacchiò alla vista di sua moglie.

«Pari 'na pazza. Chi c'i pir pranzu?»

Rosalia si alzò dallo sgabello e andò verso la cucina, i capelli bruciacchiati e schiacciati da una parte. Lanciò un tozzo di pane su un piatto di plastica, aprì il frigo, tirò fuori una salsiccia raggrinzita e ce la sbatté sopra. Consegnò il piatto al marito. Lui le lanciò un'occhiataccia e se ne andò.

Il mattino dopo Rosalia mi aspettava appoggiata alla porta della terrazza sul retro, era eccitatissima.

«Sta succiriendo quaccosa. Ieri notte prima di annare a letto i rocce 'nto pettu sunnu durate poco. Stiamo andando bene io e te.»

Pensai ai capelli di Niki Taylor che soffiavano al vento sui tetti del villaggio della piccola isola greca della pubblicità. "Covergirl: definisci la tua bellezza." Avrei trasformato quello scoglio assolato e spoglio in un'isola greca da cartolina, pulita, bianca, perfetta. Avrei aiutato Rosalia a perseguire i suoi sogni, a trovare la sua "autostima", come ci avevano insegnato nel corso di Salute a scuola, perché – diceva Mrs Anders – essere belli fuori significa essere belli dentro.

Ricominciammo da capo.

La feci sedere sullo sgabello nella doccia e le inumidii i capelli con il balsamo. Ora che non erano secchi, non si spezzavano più sotto la piastra. I ricci cominciarono a spiegarsi sulle sue spalle come ondine delicate. Quando furono lisci, ci spostammo sulla terrazza e glieli feci asciugare sotto i raggi del

ne. C'erano momenti in cui la vedevo passeg-
ce del mare, e mi sembrava bella, una creatu-
nche Tindara sentiva che finalmente era sulla

ritrovata della madre ispirò anche le figlie. Di
ole si arrampicavano in cima all'isola per os-
ioli appena nati delle caprette selvatiche e inse-
i che vivevano tra gli arbusti del cratere. D'in-
ani li cacciavano con i fucili, le ragazze erano
angiarli allo spiedo, ma ora volevano solo te-
io.
ccarezzarli?» chiedeva la sorella maggiore men-
ava due conigli tra le braccia.
tinirli?»
rispondeva Rosalia, presa dalla sua nuova ca-
. Quello che sentiva in petto per la prima volta
amore, una distesa di possibilità, una spensie-
la faceva saltare giù dal letto all'alba e andare
l tramonto senza fitte al petto e con un sorriso
. Era innamorata, disse. Ma non del marito o di
. Solo innamorata: il cuore palpitante e l'aria tra
si sedeva sulle scale e parlava alle lucertole. Co-
cuparsi di Angelina e Maradona e degli struzzi,
curando le loro piaghe. Tutto sull'isola le sembra-
o e divino: le persone, i fichi d'India mozzicati,
istoriche, gli animali selvatici e quelli domestici,
mare che scomparivano e i polpi reticenti, tutti
la stessa grande luna, lo stesso sole implacabile.
orari di casa – pranzo a mezzogiorno, cena alle
erano più importanti.
ate quannu aviti fame» diceva Rosalia alle figlie.
quannu aviti sonno.» Le sorelline scesero dalla
piene di coniglietti tra le braccia. Li portarono a
ennero come animali da compagnia. Le bestie si
no i materassi e i cavi elettrici, il frigorifero si rup-

sole che filtravano da una crepa della montagna. Il suo solito color grigio topo stava scomparendo e le sfumature del monte cominciarono a diffondersi nella sua chioma e nei suoi occhi. Aveva vissuto su quell'isola da quando era nata, ma era la prima volta che le aveva permesso di entrare nel suo corpo.

Usai il rasoio sulle parti delicate e le feci la ceretta sulle gambe, concentrata come uno scienziato al microscopio, esaminando quella foresta di peli neri e affrontandoli a uno a uno con grande precisione. Tamponai le cosce e l'inguine con un po' di olio d'oliva per idratarle la pelle e spinzettai le sopracciglia fino a raggiungere due archi perfetti. In poche ore era già un'altra persona. Vidi gli spigoli dei suoi occhi addolcirsi mentre si guardava nello specchio.

«Nessuno mi misi mai i mani addosso pi farimi biedda» disse.

Le figlie tornarono a casa con in spalla le canne da pesca da cui penzolavano ancora gli ami pieni di vermi. Corsero dalla madre, toccandole il viso.

«Mamma, pari 'na principessa!»

Sull'isola scoppiò una piccola rivoluzione. Rosalia cominciò a indossare vestiti nuovi e a risistemare quelli vecchi. Si arrotolava le gonne sui fianchi per mettere in mostra le ossa iliache. Ora camminava a testa alta con il mento leggermente in su e l'aria strafottente. Le donne anziane vestite di nero che sedevano sulle sedie di paglia davanti alle loro case mormoravano quando la vedevano passare ondeggiando le anche. Prima camminava dritta come un pezzo di legno, ma ora che aveva scoperto questo piccolo ondeggiamento, aveva reso tutti sospettosi.

«È inutili ca ntrizzi e fai cannola, era beddu u putrusinu. Arrivò u iattu e ci pisciò» mormorarono le signore: inutile che ti dai da fare col trucco e i bigodini, brutta eri e brutta rimani. «E cu chidde gambe! Chi si crede di èssiri, a mostrare tutta chidda peddi?»

Non era cambiata solo fisicamente, anche il suo portamento aveva una potenza nuova, e Santino questa cosa non la sopportava. Prese a criticarla prima con leggerezza, dicendole che non poteva dormire nel suo letto, perché lui non la riconosceva più, poi ci andò giù pesante, divenne anche manesco, e Rosalia cominciò a evitarlo. Le donne vestite di nero si facevano il segno della croce quando la vedevano passare. Pensavano fosse posseduta da "u spiritu du Donna Nzula", l'anima di Nunzia, l'unica prostituta professionista dell'isola, che fino al giorno della sua morte aveva fatto sesso a pagamento con i mariti delle sue amiche. Si mormorava che Tindara avesse evocato Nunzia per introdurla nel corpo di Rosalia. Erano tutti indignati e, se per caso Santino avesse deciso di ripudiare la moglie, avrebbe avuto il consenso del villaggio: Rosalia lo stava offendendo e rendendo ridicolo in pubblico. Gli isolani sembravano aver dimenticato d'averlo fatto crescere come un cane randagio, e anche che a nessuno fosse mai venuto in mente di mandarlo a scuola o di dargli vestiti decenti. Ora improvvisamente Santino era uno di loro, un compagno di lotta, un fratello, schierato contro la sua donna immorale e dissoluta.

«Ne parla tutta l'isola» annunciò Alma a cena, animata dai pettegolezzi locali.

«Parla di cosa?» le domandai.

«Di quello che hai combinato con Rosalia» disse mio zio con espressione grave. «Perché l'hai fatto?»

Si alzò e sparecchiò la tavola. Era infastidito.

«Sei diventata così americana» si lamentò. «Questa cazzata di farsi belli per forza e trasformarsi in coglioni ottimisti. Non è da te. E non parliamo di quelle stupide pubblicità di prodotti di bellezza. Non abbiamo mai avuto questo genere di cose sull'isola. La gente qui non sa nemmeno leggere e scrivere. Perché dovrebbero volersi allisciare i capelli se a malapena hanno da mangiare?»

Mi sentii stupida: avevo scherzato con un pilastro del-

la società, una legge [...]
pena mettere in discu[...]

"Rimpicciolisci, vo[...]
basso, svanisci." Pen[...]
ché l'avevo ignorato?[...]
tranquilla? Da dove v[...]
sta la conoscevo bene,[...]
savo e ripensavo agli [...]
a quelli degli asini del[...]
gli scogli, le facciate po[...]
re alla fossetta del suo[...]
parte per non emozion[...]
indossavano magliette[...]
l'odore di bucato che or[...]
zavo i siciliani dalla pel[...]
no la sua. Il mio lutto er[...]
uno straccio e poi chius[...]
una cosa tangibile che d[...]
era pesante ma sigillata, i[...]
Finché il pacco fosse rim[...]
vo trovato un modo per s[...]
all'altra, senza mai avere[...]
vo benissimo che non avr[...]
avrei potuto aiutare un'al[...]
armatura. In fondo perché[...]
te provando a fare io.

«Lei non può essere un tu[...]
za enfasi.

«Ma è felice, di sicuro pi[...]
Qual è il problema?» le chie[...]

Nessuno rispose.

Rosalia cominciò a passare p[...]
tare suo marito. Dopo ventitr[...]
sa e vitale. Le fitte al petto e[...]

notava neanc[...]
giare sulle ro[...]
ra diversa. A[...]
strada giusta[...]

La libertà [...]
giorno le pic[...]
servare i cuc[...]
guire i conig[...]
verno gli iso[...]
abituate a m[...]
nerli in brac[...]

«Putemu [...]
tre imprigio[...]

«Putemu [...]

«Sì, sì, sì![...]
rica euforic[...]
da anni era[...]
ratezza che[...]
a dormire a[...]
sulle labbra[...]
nessun altr[...]
le gambe. S[...]
minciò a o[...]
pulendoli,[...]
va unifica[...]
le gole pre[...]
i pesci del[...]
uniti sotto[...]

I vecchi[...]
otto – nor[...]

«Mang[...]
«Dormite[...]
montagn[...]
casa e li t[...]
mangiar[...]

pe, la TV andò in cortocircuito. Santino esplose di rabbia. Tra tutti gli esseri a cui la moglie aveva scelto di dare il suo amore, come mai non era incluso anche lui?

Si vendicò su di me, perché ero stata io a mettere in moto quella macchina. Mi tolse il saluto, mi evitava a tutti i costi e, se ci incrociavamo per le scale, sputava a terra e tirava dritto.

Lo incontrai un giorno mentre saliva per la montagna. Frustava Maradona sui fianchi con una verga, spingendolo su per i grandi scalini della mulattiera, carico di acqua e birra per i tedeschi del villaggio abbandonato. Io stavo scendendo con le figlie e i loro coniglietti. Santino si fece largo sgomitando tra di noi.

«Amunì, basta cunigghi» ordinò alle bambine.

Le ragazze guardarono a terra ridacchiando e cominciarono a scendere più veloci verso il porto.

«Tuinnate a casa! Pariti ri sarbaggi» gli urlò dietro. Sbuffando continuò ad arrampicarsi come se non mi avesse vista.

«Accà!» ragliò a Maradona, frustandolo più forte. La parola voleva dire "qui" ma suonava come "a casa". "Qui. A casa. Con me. Restate. Fate come dico io." Queste piccole idee erano le sole cose a cui rimaneva aggrappato: la certezza che tutto avesse un posto inalterabile. "Restate con me!" gridavano i suoi occhi, ma dentro si struggeva. Cercava di rassicurarsi con le sue piccole convinzioni – la casa, la moglie, il cibo, il silenzio –, ma nessuno lo ascoltava più: non la moglie, non gli animali, non le figlie. Una ribellione silenziosa si era insinuata sotto la loro pelle e non c'era modo di tornare indietro.

Di notte io e Timoteo parlavamo per ore sdraiati sulle nostre brandine militari in cucina, tra i topi e i gechi che ci facevano compagnia. Sentire la voce di mio fratello al buio nell'altra parte della stanza mi dava sicurezza e sapevo che per lui era lo stesso. Non potevamo chiamare i nostri genitori perché c'era solo un telefono pubblico sull'isola e costava troppo, ma almeno avevamo l'un l'altra. Nell'oscurità par-

143

lavamo in inglese e quando lo facevamo diventavamo persone diverse, un fratello e una sorella di un altro luogo, con altre personalità. Potevamo passare da un carattere all'altro senza aver paura del giudizio di nessuno.

A volte mi veniva la tachicardia e, quando il mio cuore batteva troppo veloce, mi alzavo dal lettino, avanzavo tentennando al buio fino alla sua brandina e dormivamo abbracciati. Timoteo sapeva come farmi ridere. Insieme stavamo imparando a unire i nostri due mondi.

«Chi butti, Max o Robert?» chiedeva lui.

«Robert.»

«Zio Antonio o nonna Celeste?»

«Antonio, ovviamente, troppo facile!»

Giocavamo al gioco della torre. Chi avremmo lanciato da una torre dentro una rupe in fiamme? Le potenziali vittime dovevano essere sempre ben calibrate, in modo da porci questioni morali complesse e struggenti.

Sapere che gli umani sono costretti a compiere continuamente scelte tormentate ci dava serenità. Qualcuno doveva sempre finire nel fosso e, se fossimo riusciti a trovare la strada tra due opzioni dilanianti, avremmo saputo affrontare i vicoli ciechi della vita. Lanciavamo nonne, animali domestici, genitori e amici tra le fiamme. Se eravamo in grado di fare questo, avremmo potuto vivere in qualunque parte del mondo, interpretare qualsiasi identità, accettare le decisioni sbagliate dei nostri genitori senza soffrirci troppo. Giocavamo alla torre fino all'alba, commentando le scelte di entrambi per ore, analizzandone i pro e i contro, quasi sempre d'accordo. Tranne una volta: tra la possibilità che il film di nostro padre avesse successo a Los Angeles e quella di tornare a vivere a Roma, io scelsi il film di Ettore. Timoteo disse che per tornare in Italia avrebbe buttato dalla rupe chiunque.

Undici

Nudi sulle rocce in riva al mare, i tedeschi dell'isola sembravano dei tori moribondi con lo scroto cadente e il culo piatto. Si portavano dietro picnic fatti in casa, lamentandosi che i panini dell'alimentari costavano una fortuna. Il tuorlo delle uova barzotte gli colava dalla bocca sulle pance biancastre. Bevevano birra calda e ridevano per qualsiasi cazzata. Mio zio e Alma spesso si fermavano a chiacchierare con loro, sentendosi privilegiati perché pensavano di avere un mix culturale vincente: sapevano decifrare i comportamenti degli isolani, ma anche giudicarne i limiti con il giusto distacco teutonico. Quando erano con gli italiani, gli zii tenevano i costumi addosso, con i tedeschi facevano nudismo. Si raccontavano a ripetizione gli stessi aneddoti sui lunghi inverni isolati e spettegolavano su chi avesse rubato l'acqua da quali cisterne.

Quella mattina ero riuscita a cacciare Arash dai miei sogni. Avevo imparato a controllare le sue incursioni notturne. Sapevo come sfumare i confini del suo volto nascondendolo ai margini dei miei pensieri, il mio solito costume di gomma però a volte non bastava. Il problema non era solo il volto di Arash, ma la sensazione di Arash che non se ne andava. Il mattone impacchettato era sempre con me e continuavo ad aspettare il momento giusto per sbarazzarmene. Provavo a pensare che l'Iran e la California erano lontanissimi, che io ero al sicuro sulla mia isoletta, avrei potuto agire senza ostacoli. Niente scontri né pistole, solo le acque purificanti del tranquillo Mediterraneo. Pensavo che stare lì mi avrebbe curata, avrei scoperto la nicchia perfetta tra le rocce per liberarmi dal dolore di quella perdita. Cercavo quell'angolino sicuro tutti i giorni, ma non trovavo mai il coraggio di entrarci dentro.

Lasciai mio zio e i nudisti tedeschi agli scogli e nuotai verso il mare aperto, costeggiando la riva fino all'altezza di una spiaggia appartata. Senza pensarci ero già uscita dall'acqua e stavo camminando oltre l'arco naturale che divideva la civiltà dal lato selvaggio dell'isola. Andai avanti per ore, tentando di tenermi in equilibrio sull'orlo delle rocce, finché non raggiunsi l'antica sciara sotto casa di Tindara. Dalla riva vedevo emergere le rupi scure dello Scoglio Galera in mezzo al mare. Sembravano più alte adesso che era bassa marea. Nuotai fino a raggiungerle e mi arrampicai in cima. Strizzai gli occhi per riconoscere la grotta di Tindara su in alto, speravo di vedere la sua sagoma scura sventolare una simbolica bandiera bianca che annunciasse la fine del mio compito. Io e Rosalia potevamo considerarci guarite, potevo finalmente godermi il resto della vacanza. Ma di Tindara non c'era traccia e le uniche cose che sventolavano nel vento erano gli uccelli affamati.

Levai il costume, chiusi gli occhi e saltai in acqua. Era bello saltare nel vuoto, tornai su e lo feci ancora. Era un gesto automatico che svuotava la testa, nel salto sentivo la pancia che mi saliva in gola e quel momento di sospensione e incertezza racchiudeva i codici di una nuova possibilità. Avrei voluto essere io la vittima del gioco della torre, gettata in un dirupo in fiamme per salvare la vita di qualcun altro. Continuai a risalire e tuffarmi, ogni volta da un punto più alto, per vivere più a lungo quel momento imprevedibile. Dopo l'ultimo tuffo tornai su e mi distesi sulla roccia

per asciugarmi al sole. Ero stanca, i miei pensieri cominciavano a sprofondare nella logica dei sogni. Nel dormiveglia
sentivo gli uccelli affamati litigare con le capre e scambiavo
i loro belati per i suoni di ambulanze lontane.

Quando aprii di nuovo gli occhi, la luce secolare sopra la
sciara stava svanendo dietro la montagna, era salita la marea. Le pietre su cui avevo camminato all'andata erano tutte sommerse e sarei potuta tornare solo via mare. Era un
tratto molto lungo da fare a nuoto, un quarto della circon-
ferenza dell'isola. Ero stanca per via dei tuffi, ma non avevo altra scelta.

Mentre nuotavo, le ombre nere sotto il mare sembravano balene giganti e silenziose. Calciavo più forte per andare avanti, avevo paura che potessero emergere e inghiottir-
mi. Non avevo più forza per lo stile libero, allora mi voltai
e provai ad andare a dorso. A testa indietro riuscivo a scor-
gere in lontananza l'arco naturale dietro il quale avrei trovato i tedeschi, era ancora troppo distante. Il megafono di
un barcone per turisti riverberava da chissà dove. Una barca
a vela sfilò pacifica all'orizzonte, non si vedevano altre im-
barcazioni. Avevo freddo e ormai ero troppo lontana dallo
Scoglio Galera per tornare indietro. Cercai di aggrapparmi
a una parete di scogli che sporgevano sul mare, ma la marea
aveva coperto gli appigli a cui attaccarsi. Mi lanciai con un
colpo di reni contro una scogliera ma ricaddi in acqua. Provai ancora e di nuovo finii dentro. Ero senza fiato e dovevo
risparmiare le forze, chiusi gli occhi e aprii gambe e braccia
a stella per fare il morto a galla, troppo stanca per fare altro.

Fluttuavo sopra le colate di lava che tinteggiavano il fonda-
le marino di un nero carbone e mi tornò in mente la volta
in cui ero quasi annegata. Avevo quattro anni ed ero in una
spiaggia vicino a Roma con mio padre. Per darmi delle arie
gli avevo detto di essere pronta a nuotare senza braccioli,
anche se non era vero. Volevo metterlo alla prova, era sta-

to via di casa per lavoro a lungo e mi scocciava che sapesse così poco di noi. Non sapeva per esempio che mio fratello aveva cominciato a camminare e a dire le prime parole, che io facevo lezioni di nuoto, ma solo nella parte bassa della piscina. Una parte di me voleva punirlo per le sue assenze prolungate. Mi fece andare in mare da sola, fidandosi della storia dei braccioli, e io mi spinsi al largo sentendomi alta e coraggiosa, ma quando un'onda mi spinse sotto, non riuscii a risalire in superficie e dopo poco persi i sensi. Mi salvò un uomo alto e abbronzato con degli slip rossi. Quando ripresi conoscenza ero tra le sue braccia. Lo strinsi forte facendo finta che fosse mio padre, immaginando che mi avesse salvato la vita. Tornati sulla spiaggia, l'uomo sgridò mio padre, quello vero, e gli disse che l'avrebbe denunciato alla polizia.

Ettore alzò le braccia sulla difensiva. «Oh, stai *calmo*. Guarda che me l'ha detto *lei* che sapeva nuotare.»

Ricordai lo sguardo sconcertato dell'uomo dal costume rosso. Aveva i capelli brizzolati e la pelle grassa che odorava di sugo. Ora d'istinto lo cercavo tra le onde del mare mentre le mie bracciate a dorso si facevano più deboli. Stavo tremando e le mie dita erano grinzose, impregnate di acqua. La marea salì ancora e le rocce che cadevano a strapiombo sul mare erano più scure adesso che il sole era scomparso. Da sotto l'acqua sentii il suono lontano di un motore. Feci uno sforzo per tirare su la testa e vidi Santino all'orizzonte su un gozzo di legno. Gli feci cenno con la poca energia che mi rimaneva. Lui guardava avanti, oltre il punto dov'ero io, ma dopo poco cominciò a virare lentamente nella mia direzione.

Mi raggiunse senza fretta, mi afferrò per un braccio e mi trascinò a bordo, il mio corpo sfinito collassò a terra sopra un mucchio di pesciolini vivi che si dimenavano nel piano di calpestio della barca. Strinsi la mano attorno alla caviglia di Santino per assicurarmi di essere in un mondo dove le cose avevano consistenza. I pesci si agitavano, sbattendo tra il mio naso e il legno della barca, li sentivo sgusciare sotto le gambe, tra le cosce. Ma cosa ci facevano lì tutti quei pescetti? Santino era un terribile pescatore e sull'isola lo sapevano tutti. Era un uomo di terra, non di mare. Spaccava i motori delle barche, imprecava contro l'acqua quando c'erano due ondine. Premetti più forte contro le sue gambe: ginepro e sudore, l'odore acre di sole, sporcizia e reclusione. Il suo corpo non era accogliente, era duro e i peli sulle gambe erano spugne di lana di acciaio. Però mi lasciai andare. Stavo tremando e i pesci continuavano a boccheggiare e rivoltarsi sulle mie cosce. Santino era l'unica cosa calda e asciutta, rimasi aggrappata a lui, grata del soccorso, e premetti le labbra con forza contro la sua caviglia. Non volevo aprire gli occhi.

Restai lì come una sopravvissuta sotto shock. Mentre la barca avanzava verso il porto, superammo l'arco naturale e il sole risbucò da dietro la montagna, il mio corpo cominciò a scaldarsi.

Aprii gli occhi qualche istante dopo. Santino mi fece un sorriso, una specie di ghigno forzato che non gli avevo mai visto fare. Raccolsi le forze per mettermi seduta.

«Grazie, credo che mi hai salvato la vita.»

«Grazie a te, credo che mi hai salvato la moglie» rispose sarcastico, tenendo lo sguardo fisso sull'orizzonte. «Che ci facevi laggiù? Si brava a nuotare, picchì stavi affogannu?»

«Non pensavo che la marea salisse così velocemente. Pensavo di tornare a piedi.»

«A stari attenta. A prossima vùota macàri un ti viru.»

Sembrava una minaccia.

Mancava un'ultima curva e saremmo arrivati al porto, ma Santino rallentò la barca, poi spense il motore in mezzo al mare.

«A Scoglio Galera eri nuda. T'haju vista. Livatelo puru ùora u costumi» disse. «Amunì. I tidischi si spogliano. Alma è sempri nuda e tuo zio puru. Comu rite? *It's natural*"? Se è così, picchì ti tieni u costume addosso cu mia? Picchì sugno un isolano? Pensi che non posso capire? Iu capisco tuttu. Levatelo.»

Mi guardai intorno. Eravamo in mezzo al mare e non sarei stata in grado di raggiungere la riva a nuoto. Non avevo la forza per combattere.

Mi tirai giù il top e lo guardai negli occhi, stabilendo che non saremmo andati oltre.

«Si brava a fare 'a zoccola, eh?»

Si mise in ginocchio, aveva il viso davanti al mio grembo.

«Lievati puru u sotto o ti mozzico.»

Mi tolsi il resto del costume bagnato e lo strizzai in un pugno.

Guardai a riva, forse se mi fossi tuffata al volo ce l'avrei potuta fare a nuoto. Forse non era così lontano.

«Sì» disse esaminando il mio corpo nudo. «Si proprio brava a fare 'a zoccola. Ma solo picchì si zoccola tu non vuol dire ca rivi far addiventare zoccole le altre. U capisti?»

Annuii. Mi morse forte l'anca con gli incisivi, poi si ritirò tra i pesci viscidi che gli scivolarono giù per le gambe. «Soprattutto non mia moglie e le mie figlie.»

Infilai di nuovo il costume bagnato, tenendo gli occhi bassi, ma non avevo paura. Restammo in silenzio finché non riaccese il motore. La barca cominciò a muoversi verso la terraferma.

«Perché non li rimetti in acqua i pesci? Non li puoi neanche cucinare, sono troppo piccoli» dissi mentre ci avvicinavamo al porto.

«Mi tengono compagnia» rispose lui con un risolino.

«Tutti ammucchiati così sono inutili.»

Costeggiammo la discarica e la sua fattoria. Anche da lontano si vedeva che Angelina era incinta.

«È quasi arrivata» dissi a bassa voce.

Santino mi ignorò.

Raggiunta la riva, sollevò il motore per non grattare con l'elica gli scogli sott'acqua.

Saltai giù con le gambe che mi tremavano e mi voltai, grata che non mi avesse fatto del male.

«Li ributti in acqua, vero?»

«Tutti a mare!» mi fece un occhiolino rassicurante e continuò verso le boe del porto.

Quella notte l'isola fu scossa dal ragliare violento degli asini: un lamento continuo e ripetitivo che andava avanti a intervalli di venti minuti. Angelina stava partorendo. Mi alzai dal letto, sudata nell'afa notturna, e corsi giù per le scale fino alla fattoria di Santino e Rosalia. Angelina era stesa su un mucchio di fieno, gli occhi spalancati. Era già dilatata. Due zampine avvolte da un sacco liquido stavano spingendo per uscire dal suo corpo. Sembrava impossibile che qualcosa di così grande potesse emergere da un essere vivente. Rosalia e le figlie le stavano intorno, gli struzzi vigili avevano sviluppato un insolito istinto di protezione. Angelina si stava dilatando ancora mentre le zampe dell'asinello cercavano di uscire, il piccolo era incastrato e lei era troppo esausta per continuare a spingere. Rimase sdraiata sulla paglia con la testa da una parte. Rosalia accorse, poi si voltò verso di noi facendoci segno di aiutarla con urgenza. Si acquattò davanti ad Angelina, le poggiò una mano sul capo e le baciò la fronte, poi afferrò le zampine che sporgevano e cominciò a tirare. Le bambine la guardavano ammirate.

«Mamma!»

«Nun stati lì impalate. Aiutatemi!»

Scattammo verso quel richiamo primordiale. Afferrammo il piccolo senza pensare, senza capire quale parte del corpo stessimo stringendo, aggrappate a qualunque cosa sporgesse. Sentivamo il sacco amniotico sciogliersi tra le nostre dita, viscido e caldo. Ci colava tra le mani, ricoprendoci i polsi, ma non ci importava. Tiravamo verso noi, dolcemente ma con fermezza finché il piccolo non scivolò fuori tutto insieme. Si dimenava a terra, intrappolato nel suo involucro, non sapeva come uscirne. Angelina bucò il sacco amniotico con i denti, poi leccò il piccolo per pulirlo. Era il suo primo cucciolo eppure sapeva perfettamente quello che doveva fare. Le sorelle struzzo rimasero immobili con gli occhi spalancati, colpite da quello che avevano visto. Le bambine si abbracciarono tra di loro. Maradona ragliò così forte che svegliò mezza isola. Avevamo tutte le lacrime agli occhi.

Santino non uscì per assistere alla nascita.

Lo chiamammo Nerino perché era più scuro degli altri asini dell'isola. Faceva un verso come un lungo gracidio di rana. Angelina gli leccò il muso finché non gli si aprirono gli occhi, in pochissimo tempo era già in grado di camminare.

Di ritorno a casa passai dal porto immerso nel silenzio. Il gozzo di Santino era ancorato alla fine del molo e dondolava tra le piccole onde, illuminato dalle luci fioche del villaggio.

Mi avvicinai. Non si vedeva molto, ma scorsi una massa scura sul fondo. Sapevo cos'era, si sentiva dall'odore. Tirai la barca verso il molo con la cima e la fermai sotto un fascio di luce. I pesci di Santino erano tutti ancora lì ammassati, coperti di mosche.

Alla fine dell'estate, i cieli si rivoltarono contro il mare. I temporali scuotevano l'isola e il ghiaccio della grandine mitragliava gli scogli, sembrava che la montagna dovesse esplodere o affondare. Si era alzato il mare, le barche e i traghetti commerciali non potevano attraccare. Non c'era più pesce né cibo né provviste, un senso di rovina e catastrofe si era depositato sul vulcano. I tuoni si scontrarono in cielo per giorni, finché non uscì prepotentemente il sole lacerando le nubi, e una luce metallica scese sulla terra. La mulattiera si era ricoperta di muschio, un tappeto verde che saliva verso il cielo. Alma e mio zio decisero che era arrivato il momento per andare a visitare il cratere. Avremmo passato la notte lì, accampati sotto le stelle a raccontarci storie di paura. Non avevamo tende, ma portammo qualche coperta, delle uova fresche e gli avanzi delle scatolette di Manzotin dei gatti.

Ci incamminammo da casa nel pomeriggio, dopo l'orario più caldo. Ci volevano ore per raggiungere la cima.

Mentre salivamo, il porto sotto di noi si fece più piccolo, l'isola più silenziosa, piena dei fantasmi che abitavano le case vuote dei vecchi pescatori emigrati. In cima, nel villaggio abbandonato, i vichinghi tedeschi con i testicoli rasati facevano yoga sulle loro terrazze. Li salutammo con un cenno, ma quelli non risposero, immersi nella posizione del cane a testa in giù con i sederi nudi puntati al cielo. La vita in montagna era diversa dal mare. Qui nessuno sorrideva, la gente non si guardava in faccia quando si incrociava, era un luogo dell'anima dove si affrontavano le proprie sfide spirituali, le chiacchiere di circostanza erano vietate.

Quando raggiungemmo il cratere il sole stava tramontando sul mare mentre la luna piena sorgeva alle nostre spalle. Un lato della conca era infuso da un pallido bagliore crescente, l'altro era infuocato dal rosso caldo di fine giornata. Gli alberi di fichi sparsi sul limite del bacino erano rigogliosi e carichi di frutta. I conigli selvatici correvano freneticamente da tutte le parti, elettrizzati dalla luna piena. Ci accampammo accanto a un rudere affacciato sul mare. Al tramonto le altre isole sembravano gli scarponi sommersi di un gigante che li aveva dimenticati a terra ed era partito a piedi nudi per lo spazio.

Accendemmo un falò. Mio zio prese la sua chitarra sgangherata e provò ad accordarla. Alma cominciò a cantare delle ballate in tedesco davanti al fuoco. Mio fratello aprì la sua prima scatoletta di carne e fece un grande rutto.

Dall'altro lato del cratere, illuminata dalla luna, vidi Rosalia che avanzava leggera verso la scalinata, avvolta in una tunica argentata che non le avevo mai visto addosso. Tutta sola con una cesta di verdure in mano. Non ci eravamo più parlate dalla notte in cui Angelina aveva partorito. La verità era che sentivo di aver dato il mio contributo, per quanto bizzarro e fuori luogo fosse stato, e l'avvertimento di Santino di tenermi lontana era bastato a farmi cambiare idea ogni volta che mi ero avvicinata alla loro porta. Ma ora che era sola sentivo di poterci provare. Camminai verso la sua schiena nuda, dorata dal sole, il suo ampio vestito scorreva giù per gli scalini.

Dopo pochi passi capii perché l'avevo seguita. Era la presenza di un suono, che aumentava fino a martellarmi i timpani: il raglio di Angelina. L'asina era lì, sotto di noi, saliva su per l'ultima rampa dell'isola, carica di spesa. Era il suo primo viaggio da quando aveva partorito. Santino le arrancava accanto, colpendole i glutei con la frusta. L'asina era zuppa di sudore, una foca lucida. Era troppo carica ed era troppo presto per farla salire fino alla cima del vulcano. Nerino stava probabilmente soffrendo senza di lei, senza latte per così tante ore. Dalla sua espressione era evidente che Santino non si aspettava di incontrare Rosalia lungo il sentiero, era troppo bella con i capelli sciolti che le cadevano sulle spalle.

Le urla tra marito e moglie cominciarono a volare nel vento. Dalla cima della mulattiera non riuscivo a sentirli bene, ma non volevo disturbarli. Rosalia agitava le sue verdure in aria come se lo stesse prendendo a schiaffi con la verità.

Scesi di qualche gradino per ascoltare meglio, cercando di non farmi vedere.

«Unn è ancora pronta pi fari i cunsigne» diceva lei, indicando la pancia slargata dell'asina.

«Impicciati degli affari to'!» rispose Santino.

Le sue braccia si muovevano a grandi cerchi, poi con movimenti più piccoli e contriti, la mano destra era sigillata in un pugno storto, come quello di un ragazzino capriccioso. Sbatteva i piedi a terra per esigere un po' di attenzione. Una furia gli stava montando dentro, non c'era modo per uscirne, aveva cominciato a urlare frasi sconnesse, assurdità contro i conigli e gli asini e i cavi elettrici mangiati.

Era l'ora delle zanzare, le sentivo ronzare attorno alle mie gambe nude, già ricoperte di bolle rosse. Volevo schiacciarmele addosso e riempirmi di macchie di sangue, ma lasciai che mi mangiassero, dovevo tenere gli occhi sulle labbra di Rosalia e Santino.

«Accà!» gridò Santino all'asina. «Annamu.»

Spinse via la moglie, togliendola di mezzo, e colpì ancora il fianco di Angelina con la frusta.

L'asina trottò su per qualche gradino e si fermò davanti a Rosalia per chiederle soccorso. Era quasi buio, ma vedevo benissimo la sua espressione, e quello che non riuscivo a vedere, potevo immaginare. Voleva tornare dal suo piccolo.

Santino la frustò ancora, ma Angelina rimase cocciutamente immobile accanto a Rosalia, gli occhi pesanti e grandi come quelli di una mucca, implorando aiuto.

«Fermati! Unnu viri chi i stanca? Arreri sgravò» protestò Rosalia.

«Accà!» gridò Santino, ignorandola.

Camminai giù per i gradini, cercando di captare il più possibile le loro parole distorte dal vento.

Rosalia adesso era di fronte al marito, sembrava più forte di lui, una persona superiore e potente.

«Fammela riportare giù. Tu si casi arrivatu. Po' scaricarla cca e portare la spesa a mano» disse mentre accarezzava il muso di Angelina.

«Credi chi mi fazzu reci viaggi avanti e arreri ri cca u cratere pi nun far stancare un asino?» Il petto di Santino si stava espandendo mentre parlava: il maschio della scalinata. «Accà!» Picchiò Angelina più forte, fissando Rosalia negli occhi.

Staccò un grande ramo da un ulivo secco accanto ai gradini e lo aggiunse alla sua frusta per raddoppiare la potenza dei colpi. Picchiò Angelina sulla pancia.

«Avi appena avutu un piccolo!» gridò Rosalia.

Sentii le mie gambe tremare, ma ero fuori dal mio corpo, accanto ad Angelina.

«A portu supra cu mia, hai capito? E tu vattinni a casa!» Santino sferzò Angelina ancora più forte, una seconda volta, e una terza. Mentre lo faceva fissava sua moglie dall'alto in basso.

«Accà!»

Alzò il braccio verso Rosalia per minacciarla. Se non si fosse spostata, la prossima a farsi male sarebbe stata lei.

«Basta, Santino» gridò Rosalia.

Lo spinse lontano dall'asina. Lui staccò un pezzo di roccia dalla mulattiera facendo ruzzolare a terra parte della scalinata. Tirò su il masso e con quello colpì Angelina. L'asina si ritrasse e cominciò a ragliare, saltando sul posto, prima sulle zampe anteriori poi su quelle posteriori, cercando di scalciare, ma era bloccata da Santino che aveva le sue redini in pugno. Mi accorsi che sanguinava dalla pancia e scesi di qualche altro gradino, facendo un urletto per richiamare la loro attenzione. Non si voltarono a guardarmi.

«I minchia stai facennu? Sta sanguinando!»

«Stai zitta!» rispose Santino. Cercò un'altra roccia e la alzò sopra la testa di Rosalia per spaventarla. «Haju rittu ca va iri a casa! E nun dirmi chi stasira ci suno i sasizze fredde picchì nun mangio!» le urlò dietro.

Rosalia cominciò a scendere le scale di corsa in cerca di aiuto. Infilò la testa nelle poche finestre delle case vuote, piangendo. Non la sentiva nessuno. Non c'era anima viva tranne me, e io ero rimasta in cima alle scale, paralizzata dalla paura. Volevo tornare di corsa al cratere a prendere mio zio, ma non riuscivo a smettere di fissarli, avevo paura che sarebbe successo qualcosa di terribile se mi fossi allontanata, convinta che la mia mera presenza sarebbe bastata a proteggere Angelina.

L'asina strattonò le redini e tirò un calcio indietro, liberandosi per un istante. Sentii il mio corpo schiudersi con il suo, il mio piede sbattere a terra con la stessa urgenza. "Scappa! Corri!" Le parole non ce la facevano a uscirmi dalla bocca. Angelina fuggì su per la scalinata con movimenti violenti e scoordinati. Vidi i suoi occhi schizzare verso l'alto come quelli di un cavallo imbizzarrito, la tenerezza di prima era scomparsa. Santino balzò in avanti facendo quattro gradini alla volta e acchiappò le redini al volo. Tirò indietro l'asina e il contraccolpo lo fece cadere in avanti e si sbucciò il ginocchio.

«Talia chi facisti, stupida! Scimunita! Talia! Mi esce u sangu!»

Bloccò le redini calpestandole con il piede per tenerla ferma. Con le mani libere sollevò un'altra roccia della scalinata e gliela scagliò sulla schiena.

«Accà!» La pietra colpì Angelina.

Con la stessa roccia la colpì ancora sui fianchi, sulla pancia, sulle zampe. Ogni volta che gli cadeva dalle mani la raccoglieva e gliela sbatteva addosso. Angelina provava a muoversi, ma sapeva di non poter vincere e dopo poco si fermò. Incassò i colpi finché non cadde a terra, la frutta della spesa per i tedeschi rotolò lungo i gradini.

Finalmente mi tornò la voce. Cacciai un urlo: un grido forte e disperato come quello di un maiale sgozzato. Santino alzò gli occhi verso di me, strizzandoli per mettere a fuoco. Mi fece un cenno di saluto con le mani sporche di sangue.

«Eccola qua! L'animalista americana, a protettrice ri tutte i famiglie. Chi rici, mia mugghieri ha finito ri farsi vedere in giro da tutta l'isola?»

Si voltò verso il fondo delle scale, rivolgendosi a Rosalia, che non rispose. Rimase lì a riprendere fiato, fissando il marito minacciosa.

«Sì. Ha finito» dissi. «Adesso però lascia in pace Angelina, ok?»

Santino afferrò le redini, cercando di far rialzare Angelina, ma l'asina stava sanguinando troppo e non riusciva a muoversi.

Lui raccolse la spesa caduta dalla sella e provò a caricargliela sulla schiena.

«Lasciala in pace, Santino. Gliela porto io la spesa. Lasciala stare» gridai.

Cominciai a scendere i gradini nel modo meno minaccioso possibile. Angelina non si mosse da terra. Il sangue le sgorgava dalle gambe e gli occhi fissavano il vuoto. Ansimava così forte che si sentiva il suo respiro in tutta la vallata.

«Lasciala!» urlò Rosalia dai piedi della scalinata, incoraggiata dalla mia presenza.

Santino alzò gli occhi verso di me. «Basta! Finitela di parlarvi, voi due!»

Si gettò sopra l'asina, rivendicandone il corpo.

Scesi di qualche altro gradino con attenzione.

«Nun mi venite vicinu!» gridò.

Con un balzo si lanciò su un'altra pietra che era rotolata dal tratto distrutto della scalinata.

Angelina non si muoveva quasi più.

Santino sollevò la roccia verso il cielo e la fece cadere sulla testa dell'asina. La tirò su ancora una volta e la scagliò al centro della fronte, dove la baciavo sempre io. Lo fece ancora finché il sangue non cominciò a scorrere lungo i gradini, sulle piante di capperi e le radici dell'ulivo secco.

Prima di morire, Angelina fece un lamento profondo, una specie di "oh" o forse un "no", un suono umano, come quello di una delusione.

Santino slegò il resto della spesa dalla sella e si caricò le bottiglie d'acqua sulle spalle. Cominciò a camminare su per le scale verso di me, oscillando da una parte all'altra per tenersi in equilibrio.

«Sei felice adesso? L'acqua la porto su da solo.»

Mi voltai e corsi su per i gradini, avevo paura che ora toccasse a me.

Quando raggiunsi mio zio e Alma al cratere, già si sentiva il mormorio degli isolani che stavano salendo di corsa su per la montagna seguendo i lamenti di Rosalia. Alma e Antonio andarono a vedere, mio fratello si avvicinò e mi strinse forte la mano. Passammo la notte sotto la luna da soli. Alma e Antonio tornarono dopo diverse ore, parlavano sussurrando tra di loro e andarono a dormire sull'altro lato del rudere.

All'alba, quando mi svegliai, i loro vestiti erano ammucchiati a terra, sporchi di sangue. Presi Timoteo e lo portai alla scalinata. C'erano ancora le macchie, parti sparpagliate di una criniera e qualche pesca, ma il corpo di Angelina non c'era più.

«Forse è sopravvissuta» suggerì mio fratello.

Io scossi il capo.

A cena chiesi ad Alma a chi sarebbe spettato il compito di denunciare Santino alla polizia.

«Succedono cose peggiori della morte di un asino, su quest'isola» rispose secco mio zio.

«Gli isolani se le risolvono tra di loro di solito» rispose Alma semplicemente. «Qui le regole sono diverse.»

Timoteo mi guardò come a dire che erano tutti pazzi. Di sicuro avrebbero smesso di esprimersi in quel modo, come se nulla fosse accaduto, avremmo discusso ed esaminato i fatti della sera prima, magari ora eravamo tutti troppo stanchi, ma di certo ne avremmo parlato a fondo la mattina dopo. Era una conversazione inevitabile, pensavamo noi, eppure non avvenne mai.

«Nessuno sull'isola si può permettere di far finire Santino nei guai. È il nostro tuttofare, l'unica persona in grado di portare mobili ed elettrodomestici su per le scale.» Mio zio raccolse gli avanzi del pesce e li buttò fuori dalla terrazza per i gatti.

Andai al telefono pubblico dentro l'agenzia di viaggi e chiamai i carabinieri a Lipari, convinta che avrei preso io il controllo della situazione. Il maresciallo scoppiò a ridere.

«Fammi capire, vuoi che veniamo fino a lì, in quell'isola in mezzo al niente con l'aliscafo, perché due giorni fa è morto un asino? Scusa, eh, richiama a dicembre quando non abbiamo niente da fare.»

Riagganciò.

La notte nella mia brandina militare pensai al tacito accordo degli isolani, al silenzio che aveva regnato dopo quello che aveva fatto Santino. Pensavo ad Alma e mio zio che insieme agli altri quella notte si erano liberati del corpo di Angelina, erano tornati con i vestiti coperti di sangue ed erano semplicemente andati a dormire. La gente di quell'isola era costretta a sviluppare un legame forzato con la natura che gli faceva crescere qualcosa di arido nel petto. La desolazione del vulcano era presente in ogni cosa vivente. Erano tutti come rocce. Persone roccia. Mi tornò in mente il parcheggio del centro commerciale di Woodland Hills, vidi Audrey e Natalie che si annoiavano in macchina e pensai che anche loro erano persone roccia. Mio zio aveva torto, le regole in America non erano poi tanto diverse dall'Italia. Le ragazze bianche l'avevano fatta franca con un omicidio, mentre i ragazzi neri avrebbero passato la vita in prigione. Era una questione di convenienza, c'era più bisogno di ragazze bianche che di ragazzi neri, e Santino era più utile sull'isola che in prigione perché sollevava oggetti pesanti e trasportava mobili. Anche Rosalia era una persona roccia, una che aveva provato a non esserlo ma non ci era riuscita.

Alla fine di agosto fu Tindara a dare una spiegazione per quello che era successo. Disse che gli animali domestici erano i nostri filtri, gli scudi contro le invidie delle persone, come i gatti storpi dell'isola o i pesci mezzo decapitati in mare. Forse quell'asina era stata uno scudo per Rosalia, capitata al posto giusto al momento giusto. Se non ci fosse stata lei, sarebbe stata Rosalia a finire sotto le rocce di Santino. Il carico che aveva sentito sul petto tutto l'inverno, quello che mi aveva implorato di rimuovere, era il peso delle pietre che ora premevano contro il cuore di Angelina.

Santino abbandonò la sua fattoria e si trasferì in cima alla montagna. Non scendeva spesso, non lo vidi più. La nave notturna che doveva riportarci sulla terraferma arrivò in ritardo perché ci furono altre tempeste. Ogni giorno io e mio fratello aspettavamo sul molo, con i nostri abiti americani, pronti per tornare. Ogni giorno il mare ci diceva che non era ancora tempo. Quando finalmente la nave arrivò, feci una grande corsa da Nerino prima di imbarcarmi.

Aprii il cancello della fattoria e gli gettai le braccia al collo. Lui camminava intorno al grande container di metallo, aspettando sua madre.

«Sei fortunato che non sia più venuta» gli sussurrai nell'orecchio. «A volte tornare a casa è peggio.»

Fece un grande raglio quando mi vide. Era un suono diverso rispetto al verso dei primi giorni, un urlo triste e solitario, come quello di tutti gli animali di quell'isola. Era diventato uno di loro.

Terza Parte

ARRIVO

Dodici

Al controllo passaporti in aeroporto, l'agente dell'immigrazione ci chiese dove avessimo passato l'estate e se fossimo in regola per rientrare negli Stati Uniti. Sapevo cosa dovevo rispondere.

Ettore ci aveva lasciato le sue indicazioni: «Qualunque cosa vi chiedano, spiegate che siete in regola, che avete diritto a tutto e che dipendete da vostro padre che è giornalista».

I nostri passaporti dicevano che dipendevamo dal suo "visto per rappresentanti dell'informazione mediatica", ma il problema era che Ettore non era un giornalista, per cui era sempre difficile rispondere a quelle domande. Guardammo la lunga coda di persone dietro di noi nella sala immigrazione, era uno spazio così grande, così promettente. Qualunque cosa poteva succedere in un paese che aveva una sala come quella. I cittadini americani sfrecciavano lungo le loro corsie preferenziali. Venivano accolti con sorrisi e chiacchiere amichevoli sulle loro vacanze estive, tutti gli altri dovevano rispondere a domande molto diverse, come per esempio "Sei un terrorista?".

«Chi è lui?» mi chiese l'agente indicando Timoteo.

«Mio fratello.»

«Si deve togliere il cappellino.»

Gli feci cenno di rimuovere il cappello.

L'agente osservava i nostri vestiti, poco convinto.

«Dove sono i vostri genitori in questo momento?»

«Agli arrivi, credo. Ci staranno aspettando.»

«Sì, ma perché viaggiate da soli?»

«Perché abbiamo passato l'estate in Italia e loro non sono venuti.»

«E perché no?»

«Perché... stavano lavorando...» osai.

«Qui?»

«Sì... qui, ma per una società italiana.» Sentii le prime ondate di panico.

Non ci era chiaro come funzionasse il loro permesso di lavoro. Sapevamo che il governo americano era disposto a chiudere un occhio con chi lavorava nei media, purché venissero pagate le tasse e non si uscisse dal proprio ambito di lavoro. Per esempio, ovviamente, un giornalista non poteva fare il regista.

«Dite che siete dipendenti da vostro padre che fa il giornalista. Ditegli che lui lavora *qui*, ma non fategli capire che *lavoro* qui, chiaro?» Queste erano le istruzioni paradossali che ci aveva dato Ettore per l'incontro con gli agenti dell'immigrazione.

«Papà, cosa vuoi dire?»

«Che lavoriamo *qui*, ma non *lavoriamo* veramente qui. Lo sapete cosa voglio dire.»

Io facevo cenno di sì, ma non capivo, e avevo sempre pensato che nel momento del bisogno ci sarebbe stato lui a parlare con i poliziotti. Ora però toccava a me. Cercai di ricordare le nostre conversazioni.

«Non ti fidare mai delle tattiche fasciste di quelli dell'immigrazione. Proveranno a intimidirvi, vi interrogheranno come sergenti delle SS, ma non avranno niente da imputarvi. Siamo tutti innocenti fino a prova contraria. Vaffanculo a loro e le loro strategie di deportazione. Se insistono con le domande, ditegli che siete venuti a trovare vostro padre, ma non ditegli che vostro padre *vive* qui. Ditegli che lavora qui *temporaneamente*. Lo scopo del vostro viaggio *non* sono gli affari. Siete qui per andare a scuola. Anzi no, meglio di no. Lasciate perdere questa cosa della scuola. In effetti, non sono sicuro che possiate andare alla scuola pubblica legalmente. Mi sa che potete andare solo a quella privata. Magari ditegli che andate in una scuola privata. Qualunque cosa fate, non dite *mai* che sono un regista. E se vi sembra che si stiano veramente incazzando, ritirate tutto quel che avete detto e dite che siete in vacanza.»

«Glielo chiedo un'altra volta, signorina. Perché i vostri genitori non sono venuti in Italia con voi? Le ricordo che mentire al governo metterà a repentaglio il vostro ingresso negli Stati Uniti.»

«Perché stanno facendo un film!» crollai, sentendomi in colpa e sollevata allo stesso tempo.

«Stanno facendo un film?»

«Sì...?»

«E ce l'hanno il permesso per lavorare negli Stati Uniti?»

«Sì, certo, che ce l'hanno» intervenne Timoteo.

«Non avete il permesso di fare film con un visto da giornalisti italiano. Potete lavorare solo per il vostro datore di lavoro italiano. Stanno facendo un film *italiano*?»

Ricordai il consiglio di mio padre e ritirai tutto.

«No, mi scusi, mi sono confusa. Volevo dire che sono in vacanza... Siamo in vacanza... siamo... tutti in vacanza, una lunga vacanza di famiglia.»

«Per favore, fatevi da parte, prendete i vostri passaporti e seguiteci.»

«Dove andiamo?»

«Vi dico dove *non* andate: in questo paese.»

Ci scortarono verso la zona del ritiro bagagli, dove le nostre valigie vennero annusate da un pastore tedesco.

«Sentirà l'odore dei gatti dell'isola» scherzai con l'agente, che inarcò le sopracciglia.

«I nostri cani non sono addestrati per riconoscere gatti. Avete passato tutta l'estate in Italia e volete dirmi che non avete *niente* da dichiarare?»

Guardai in basso. Come faceva a saperlo?

Le nostre valigie furono aperte alla dogana, esposte all'umiliazione pubblica: prosciutti, mortadelle, pecorino, Parmigiano Reggiano, pizza bianca – la mia preferita, quella del forno di Campo de' Fiori –, salami e una forma enorme di caciocavallo. Gli agenti si avvicinarono e scossero la testa.

Gli altri passeggeri italiani del volo sfilarono accanto alla nostra esposizione di salumi e formaggi.

«Oddio» esclamò una finta bionda che avevo notato in business class con un completo Louis Vuitton da viaggio. Si tappò il naso inorridita dall'odore di salumeria. «Ma cosa siete, immigrati siciliani dell'Ottocento? Siamo a Los Angeles, è il Ventesimo secolo. *Esistono* i mercati di cibo internazionali, lo sapete?»

Ci trasferirono dall'area bagagli in una sorta di sala da interrogatorio con gli specchi finti. Ci sedemmo dall'altra parte dello specchio, quella dove tenevano la gente cattiva.

Un signore pakistano accanto a noi piangeva: la sua famiglia era agli arrivi ma non gli permettevano di andare a salutarla. Doveva tornare in Pakistan. Non vedeva la figlia da tre anni. Quando cercai di consolarlo, mi guardò pieno di speranza e mi chiese se avessi figli. Per qualche motivo risposi che sì, che ce li avevo e che li amavo moltissimo. Durante l'estate ero cresciuta, evidentemente.

Mio fratello aggrottò le sopracciglia. «Ma che cazzo dici?» chiese in italiano.

«Stai zitto» risposi e tornai a parlare con il pakistano. «I miei bambini sono qui... con mio marito che mi aspettano.»

Il tipo scosse la testa, rattristato dalla mia vicenda. Ma l'avevo fatto sentire meno solo.

Un inglese entrò discutendo con un agente. Era uno scrittore al quale non avevano dato il permesso per il tour di presentazione del suo libro autobiografico a causa della "condotta immorale" descritta nelle sue pagine.

«Mi avete già interrogato per otto ore nell'altra stanza. Non vi dirò niente che non vi abbia detto prima. È tutto nel mio libro. Tutta la mia vita. Potete leggervelo. In Inghilterra è un bestseller... è per questo che sono qui in tour, capito, geniacci?»

Era alto e bello, con occhi marroni a spillo, di chi prende oppiacei, e le labbra piene, forse rifatte. Sembrava più un cantante glam rock che uno scrittore. Avevo sentito parlare del suo libro. Aveva fatto scalpore. Lui era stato nelle Filippine e si era fatto crocifiggere per poi scriverne un racconto, un tipo abbastanza sovversivo.

«I viaggiatori che sono stati arrestati nel loro paese per crimini *come abuso di sostanze* non possono entrare negli Stati Uniti.»

«Ah sì? E allora perché non cacciate a calci tutti i vostri crackomani? Buttateli nell'oceano, no? So che siamo vicini a South Central. Lì ce ne sono parecchi.»

Si voltò verso di me: «Mi sono pure tolto il mio cazzo di smalto dalle unghie per fare bella figura con questi idioti».

Scossi la testa in segno di solidarietà, eravamo finiti in una giungla, ma dopo qualche ora di viavai ci eravamo già fatti una piccola scorza ed ero troppo stanca per simpatizzare con lui.

Lo scrittore fu scortato fuori dalla porta e messo a bordo di un aereo che tornava in Inghilterra.

Il tipo pakistano ci guardò e si toccò la tempia sinistra con l'indice per dire che lì dentro erano tutti matti.

Dopo ore nella celletta con gli specchi, circondata da orde di sconosciuti che gridavano impugnando documenti, mi resi conto che non era degli agenti che avevo paura, né delle loro "strategie da deportazione", come le chiamava mio padre. Quello di cui avevo davvero paura era che mi rispedissero indietro. Un anno prima avrei fatto carte false per essere rimandata gratis in Italia, ma dopo quell'estate non ne ero più tanto sicura.

«Siete pazzi? Perché diavolo gli avete detto che eravamo qui in vacanza?» ci urlarono i nostri genitori prima ancora di salutarci, quando finalmente varcammo la soglia della sala degli arrivi.

«Non lo so! Ce lo avevi detto te che alla peggio dovevamo sempre giocarci la carta *vacanze*.»

«Sì, ma la carta *vacanze* non si può giocare dopo la carta *lavoro*!»

«Te l'avevo detto che era una cattiva idea» intervenne mio fratello.

Presero i nostri bagagli e ci portarono di corsa fuori di lì. Non ci abbracciarono. Era un tardo pomeriggio, eravamo stati via per due mesi.

Dopo aver passato l'estate senza di noi, Serena sembrava più giovane. Portava una giacca di camoscio con le frange e stivali da cowboy. Aveva la pelle dorata, i capelli corti sfilati, biondo platino. Sembrava una signora australiana, ma anche un po' un pitone.

«Ti piacciono corti?» chiese mentre si spettinava con le dita. «È un taglio alla Meg Ryan. Va molto di moda adesso.»

Annuii senza pensarci, notando le sue dita con la manicure francese color avorio stringere un cappuccino freddo di Starbucks. Scosse il ghiaccio nel bicchiere con impazienza come se non avesse tempo di ascoltare la mia risposta.

«Cosa è successo?» le chiesi. «Come siete riusciti a farci passare?»

«Ve lo diciamo in macchina. Adesso andiamo, svelti, prima che ci ripensino.»

Accelerammo lungo il corridoio, fuori dalle porte scorrevoli verso il parcheggio.

Los Angeles. Eravamo di nuovo avvolti dalla sua luce

plumbea. Quella foschia lontana e inafferrabile era ormai familiare. Ti lasciava la stessa sensazione della camera con gli specchi, un'altra terra di nessuno.

Max ci aspettava seduto dentro la nostra vecchia Thunderbird decappottabile.

«Oh là là, ecco la nostra piccoletta dalla bocca larga!» Mi abbracciò scuotendo la testa con finta disapprovazione. «Che hai combinato là dentro? Ci hai fatto spaventare, sai?»

I miei genitori alzarono gli occhi al cielo come a dire che li avevo messi davvero in croce questa volta. Salirono a bordo. Durante l'estate avevano installato un telefono nella macchina, ma non funzionava. Ettore aveva comprato una serie di quaderni ad anelli in pelle molto eleganti da Office Depot. Erano tutti impilati sul cruscotto e straripavano di ricevute di carte di credito.

Mentre tornavamo a casa, la risacca delle onde del Mediterraneo ci venne strappata dalle orecchie, drenata via da un imbuto speciale che estraeva silenzio e inseriva il rumore degli elicotteri della polizia che volavano sopra Compton.

Era stata una di quelle occasioni in cui la natura farraginosa della burocrazia italiana ci era tornata utile. Era stata la Rai a fare da sponsor per il visto di mio padre e, siccome Rai poteva voler dire tante cose – radio, televisione e un canale satellitare internazionale –, anche la professione di Ettore aveva una valenza trasversale: produttore, conduttore di un telegiornale o di un talk show, giornalista o regista. Finalmente capii perché gli italiani la chiamavano "Mamma Rai". Max aveva intuito che l'ambiguità della nostra Radio Televisione di Stato sarebbe stata la nostra via d'uscita, anzi d'ingresso. Si era presentato in aeroporto vestito da avvocato – si era laureato in legge e aveva praticato in uno studio per anni prima di darsi al cinema – e aveva detto all'agente dell'immigrazione che il *film* che Ettore stava preparando e di cui io, in quanto minore, sapevo pochissimo, era più precisamente un documentario televisivo per la Rai sugli usi e costumi degli americani, e quindi rientrava perfettamente nei parametri del suo visto di giornalista.

«Quindi non stai lavorando illegalmente in America?» chiesi sollevata, cadendo indietro sul sedile gommoso della vecchia auto.

«Certo che sì» rispose mio padre.

Due fax nuovi squillavano incessantemente sulla scrivania dello studio di Ettore accanto a pile di fogli e post-it. La cucina era coperta di buste di fast-food da asporto, avanzi, mini contenitori di ketchup, cannucce incartate e cartelle pieni di documenti e foto. Max preparò una caraffa di sangria, sparando *One More Night* di Phil Collins da un lettore CD multidisco, ignorando il disordine. Fischiettava al ritmo di quella canzone stucchevole muovendo un po' il bacino come un *salsero*. Un mese prima aveva fatto amicizia con l'agente di Johnny Depp, che aveva invitato i miei genitori al Viper Room diverse volte. Erano andati a delle feste con Brad Pitt e avevano conosciuto un gruppo di giovani attori del film *Dazed and Confused*, che stava per uscire nelle sale. Le cose si stavano muovendo, dissero.

«Quindi Johnny Depp reciterà nel tuo film?» chiesi, emozionata.

Max mi versò un bicchiere di vino e frutta. «Ci stiamo lavorando, *chica*.»

Mio padre poggiò una mano sulla mia spalla. «Lo sai che abbiamo fatto l'orto in giardino?» Aprì il frigo, indicando ciotole piene di verdura e frutta. «Cetrioli, pomodori e zucchine incredibili. E sapete *perché* crescono così bene?» Raccolse una zucchina gigante e la impugnò come uno scettro potente.

«Il sole?» chiesi.

Ettore scosse la testa e ributtò dentro l'enorme oggetto verde.

«Compost» disse con un ghigno consapevole. «Il compost è *tutto*, dalla buccia di limone agli spicchi d'aglio, al formaggio marcio.» Prese me e mio fratello e ci avvicinò a sé confabulatorio. «Perché le cose possano fruttare bisogna creare un terreno fertile, ragazzi. L'agente di Johnny Depp è la mia buccia di limone, il Viper Room è il mio spicchio d'aglio, e il film che stiamo per fare io e Max è un delizioso formaggio marcio. Siamo ufficialmente entrati nell'ambiente giusto.»

«Quindi Johnny Depp *non* recita nel vostro film» concluse mio fratello.

Continuai a camminare per casa, stupita dai cambiamenti. Il giardino era diventato un'estensione dello studio, nel patio era stata allestita un'altra postazione di lavoro con scrivania, computer e telefono.

«Ma cos'è tutta questa roba?» mi voltai di nuovo a parlare con i miei.

«Non volevamo dirvelo al telefono per non farvi preoccupare e immaginare chissà che» rispose mia madre.

«Come chissà che?»

«Abbiamo cominciato a lavorare al film e stiamo usando la casa come un...»

«Ufficio di produzione» concluse mio padre in tono professionale.

«Abbiamo già una squadra di persone che lavorano per noi e non sapevamo dove metterle. Non potevamo, sai...» Serena esitò.

«Permetterci un ufficio» mio padre completò la frase. «Però appena entrano i soldi cambia tutto, eh. Ce ne andiamo dalla Valley.»

«Ce ne andiamo dalla Valley?» sussultai con un brivido di euforia. Adesso ero felice che fossero rimasti qui per tutta l'estate.

I corridoi erano punteggiati di fotoritratti in bianco e nero con i curriculum di attori oscuri dall'aria importante. Accanto alle foto, i post-it con i loro possibili ruoli nel film di

Ettore. Tamara Landkin: *Grace?* Ellen Studelli: *Stephanie?* Il titolo del film di Ettore era *If These Walls Could Talk*, "Se le mura potessero parlare", un horror psicologico, una storia di fantasmi stile *Poltergeist*, ispirata all'Hotel Morgan di downtown. Nell'epoca d'oro del cinema muto l'albergo era stato uno dei luoghi più prestigiosi della città, ma ora era caduto in rovina e le stanze e gli appartamenti erano alloggi sociali per diseredati e barboni. Girare al Morgan costava poco, soprattutto all'undicesimo piano, visto che i proprietari lo credevano infestato da fantasmi e non volevano averci niente a che fare. Il grosso delle attività paranormali avveniva lì, dicevano.

«In realtà è *tutto* infestato. Ha un'energia pesantissima, cosa che per gli attori è fantastica perché è più facile entrare nella parte» spiegò mia madre.

La sala da pranzo era stata divisa in due da un paravento cinese. Dall'altro lato del séparé notai una serie di valigie e mobili che avevo già visto a casa di Max.

«Max sta tenendo qui le sue cose» annunciò Serena timidamente.

Lui mi guardò con una faccia maliziosa e melodrammatica. «*Lo siento, chica*. È una cosa temporanea.»

Uscì in giardino fischiettando. Mio padre finse di essersi ricordato una cosa urgente e lo accompagnò fuori. Io e mio fratello rimanemmo lì a fissare le sue lampade barocche di finto antiquariato.

«Non sapeva dove altro andare!» Serena alla fine crollò. «È stato sfrattato, ok? Il suo padrone di casa è un vero stronzo.»

«E Phil Collins? Non sono migliori amici e vicini di casa? Lui ha una villa. Non può andare a stare da lui?»

«Sarebbe troppo umiliante» disse Serena emulando l'orgoglio ferito del loro amico.

«E quando pensavate di dircelo?»

«Ma scusa, non siete contenti?» chiese, il labbro tremolante pronto a partire con il pianto. «Max è simpatico e papà finalmente farà il suo primo film in America. Non capisco perché non potete mai semplicemente essere *felici*.»

Dietro il paravento vidi Max attraversare la cucina in accappatoio, con una chip messicana che gli sporgeva dalla bocca.

«Dedurremo l'affitto dalle sue spese di produzione» spiegò mia madre.

«Lo state pagando per produrre il film?»

«È una coproduzione» sospirò Serena. Sembrava infastidita, come se fossimo stupidi a non capire questa cosa che succedeva a Hollywood per cui la gente convertiva le case in uffici e dava stanze gratis ai produttori.

«Papà prende i soldi dall'Italia e Max li prende qui. Poi mettono insieme tutto e si fa il film. Appena arriva la sua parte, Max pagherà le spese di produzione e contribuirà all'affitto della casa.»

«Quindi dove dorme?» chiesi io.

Silenzio.

Schizzai fuori dalla sala da pranzo. Mia madre mi corse dietro, provando a ritardare l'inevitabile. Si spalmò davanti alla porta della mia camera per fermarmi.

«È una cosa temporanea» supplicò.

La spinsi di lato e aprii. I miei vestiti erano impilati in fondo all'armadio. I miei poster erano stati tolti, piegati e appoggiati sulla scrivania. Sul davanzale della finestra c'era un posacenere pieno di sigari cubani e cicche di canne. Le mura ingiallite erano impregnate di fumo e il letto era coperto da mucchi di tute e boxer di seta verde smeraldo.

Cacciai un urlo.

«Solo finché non trova un posto dove stare. È più facile se siamo tutti nella stessa casa, capisci?»

«E io dove dormo?»

Nella stanza di mio fratello Serena aveva creato "l'angolo di Eugenia" con scrivania, lava lamp usata e poster dei Nirvana.

«Bella la lampada con le bolle colorate, vero? Quando l'ho vista ho pensato subito a te.»

Toccai il materasso ad acqua di mio fratello con la punta del piede. Fece uno strano gorgoglio e si mosse in piccole onde.

«Se non ti piace quello ad acqua, possiamo mettere a terra un materasso vero, che ne pensi?»

Mio fratello scrollò le spalle guardando il muro. «Odio i Nirvana.»

Tredici

Quell'autunno a scuola non indossai le Reebok Pump come l'anno prima. Giravo in sandali e pantaloni corti e lasciavo che le mie gambe abbronzate facessero parte del panorama. Ero equipaggiata. Avevo la mia grossa antologia. Sapevo come raggiungere i vari edifici senza perdermi. Sapevo aprire l'armadietto. Sapevo dove andare a farmi un sonno o a fumare una sigaretta, conoscevo i buchi nelle recinzioni e, grazie alla ragazza con le lentiggini e la coda di cavallo, sapevo arrampicarmi. La morte di Arash mi aveva resa stranamente sicura di me, come se fossi l'erede di un segreto importante. Aveva lasciato uno spazio che nessuno voleva riempire e forse gli altri lo sentivano e per questa ragione erano tutti un po' più tolleranti. C'era una tregua, temporanea ma efficace. Passai accanto ai tavoli dei persiani in cortile. Fatima era entrata a far parte del gruppo. Mi fece un cenno di saluto, veloce ma pieno di orgoglio, la testa era sempre crespa e sproporzionata, ma almeno ora sorrideva. Sentivo il peso dell'assenza di Arash ancora tutto sulle spalle, ma mi allineai agli altri e feci finta di aver voltato pagina anch'io perché più fingevo più sentivo che era facile farlo davvero.

Avevo passato l'estate a leggere l'antologia di letteratura americana e, anche se il mio inglese non era perfetto, Mrs Perks mi avrebbe tenuta nel suo corso. Non ero una studentessa modello. Lei era severa con me e non era un tipo sentimentale, ma capivo che ci teneva. Portava i tailleur, sapeva che Roma non era in Georgia, era stata in Italia e non si era rifatta il seno. Era perfetta. Due volte a settimana ci incontravamo in privato all'ora del pranzo per rivedere gli italianismi nei miei temi. Cominciai ad andare a caccia di libri usati ai mercatini e a scrivere racconti. Quando Simon veniva a cercarmi – ora indossava sandali senza calzini – me ne sbarazzavo in fretta perché ormai il sesso con lui non mi attirava più. Potevo farcela da sola. Quest'anno non sarebbe andato come il precedente. Avrei provato a entrare al college senza ripetizioni. All'inizio dell'estate la rivista letteraria alla quale avevo mandato il mio tema sugli uomini brutti che non leggevano – quello che mi aveva procurato la sospensione – pubblicò il mio racconto. L'editor disse che la mia storia era perfettamente in tono con il loro tema *Amore brutto* perché "rifletteva la tendenza contemporanea a preferire i rapporti occasionali". Lo stamparono nell'ultima pagina con un font minuscolo ed ero sicura che nessuno l'avrebbe letto, ma non mi importava. Era la prima volta che qualcuno mi incoraggiava. Henry si sbagliava: non dovevo nascondere i libri per farmi accettare.

Il cambio di clima in città e al liceo non era dettato solo dalla morte di Arash, ma anche perché era passato ormai più di un anno dagli scontri. Nell'autunno del 1993 la città aveva ricominciato a funzionare, la ferita si stava rimarginando. La rabbia contro l'ingiustizia si era trasformata in un dolore muto, l'accettazione dolente del fatto che eravamo tutti sulla stessa barca e non aveva senso lottare tra noi. O forse, come per tutti gli eserciti, bisognava sapere quand'era ora di ritirare le truppe e dedicarsi ai feriti in vista della prossima battaglia. Dopo tutta quella violenza, la città sembrò aprirsi alla sua natura più benevola, soprattutto la flora e la fauna. Le radici carnose degli olmi spaccavano l'asfalto delle strade residenziali. I puma scendevano dalle gole e camminavano furtivi verso l'oceano. I falchi volteggiavano sopra le colline omaggiando le persone in lutto, ricordando loro di una vita più alta, lontana dalle fermate degli autobus piene di senzatetto e immigrati dispersi, lontana dagli elicotteri della polizia. La città era stata traumatizzata dagli scontri di Rodney King. Tutti gli angoli, tutti gli incroci delle strade si erano accesi come campi elettrici nelle zone di guerra. Tutti avevano avuto i nervi a fior di pelle per il sangue versato e i palazzi incendiati, ma ora eravamo entrati in una nuova fase del lutto. Dopo l'adrenalina veniva la rabbia. Dopo la rabbia, il dolore. Poi la pace o la scomparsa di qualcosa. Lo stato della natura era la conseguenza biologica di quel ciclo turbolento, e prese la precedenza su tutto il resto. L'edera cresceva più in fretta sugli edifici industriali di downtown, i canali inquinati di Sepulveda si purificavano spontaneamente, il molo di Santa Monica era ormai popolato più da gabbiani che da esseri umani, le foche si ammucchiavano tra le sue fondamenta di legno. I parametri della città stavano cambiando. La sua nuova essenza era più amichevole, apparteneva a un ordine organico. Era giusta, o almeno così sembrava. E io volevo farne parte.

«Ehi, so che fai dei bei pompini» mi richiamò una voce mentre riposavo all'ombra della magnolia nel mio nuovo rifugio segreto di scuola.

Mi tirai su sui gomiti, il sole negli occhi. Misi a fuoco un'ombra infiammata in controluce. Un tipo col cappellino di lana e i capelli lunghi mi si piazzò davanti. La pallina di pezza con cui giocava a footbag mi era atterrata sulle gambe. Aveva i capelli attorcigliati in treccine di canapa e perline.

«Che vuoi?» chiesi sulla difensiva, rilanciandogli la palla.

«Mi vuoi fare un pompino o no?»

«No.»

Lo guardai da vicino e mi resi conto di averlo già visto. Arash me l'aveva indicato il giorno in cui aveva fatto la sua dissertazione su tutti i gruppi della scuola. Era Chris, quello che gli vendeva l'erba. Ricordai che era cresciuto in una situazione molto hippy ed era leggermente sociopatico, da lì capii il perché di quella battuta infelice sul sesso orale. Arash doveva avergli parlato di noi. Probabilmente il fatto che fosse un emarginato lo rassicurava, il nostro segreto non l'avrebbe detto a nessuno di importante.

«Ok, ma almeno vuoi venire a casa mia dopo scuola ad ascoltare un po' di musica?» chiese.

Sentii una botta di nostalgia per Arash, come se fosse tornato in una nuova forma, ma con la stessa audacia e prepotenza. Volevo estendere ancora un po' il cordone che mi legava a lui e perciò dissi di sì. Con l'invasione di Max nella mia stanza, avevo perso qualsiasi forma di privacy e i miei genitori avevano capito che dovevano usare armi più diplomatiche per tenermi buona. Mi avevano consentito più libertà rispetto all'anno precedente. Per trovare il mio spazio dovevo per forza stare fuori casa. Fino a quel momento questo non aveva comportato grandi cambiamenti, passeggiate senza sorprese per la griglia di strade della San Fernando Valley e tè freddi al negozio taiwanese, ma quel giorno fui invitata a vivere l'emozione di un nuovo codice postale e non potevo dire di no.

Chris viveva in un agglomerato di cottage di legno un po' sgangherati su una collinetta in cima a Topanga Canyon. La casa principale della proprietà aveva qualcosa di austero, come un carcere panottico, con vetrate che si affacciavano sui cottage sottostanti da una parte, e una vallata di querce dall'altra. Quei satelliti di legno scricchiolanti facevano da camere da letto per lui e la sua sorella gemella. Nello spazio tra la casa principale e le loro capanne c'era una specie di piccolo anfiteatro, i mattoni sui bordi erano leggermente sgretolati, ma la forma semicircolare era intatta. Chris saltò al centro di quella mini arena e cacciò un urletto. C'era un punto preciso da cui si generava un'eco.

«Devi farlo proprio qui o non funziona.»

Mi mostrò un trattino di gesso colorato sul pavimento. Gridai un "oh" e il suono rimbalzò nello spazio. Chris raccontò che, quando lui e sua sorella erano piccoli, il padre gli aveva detto che Eco era un uomo che viveva nell'aria e rimaneva in vita solamente se gli urlavi addosso.

«Passavamo le giornate a urlare perché avevamo paura che morisse. Era il suo modo per tenerci occupati senza dover giocare con noi.»

Ridemmo, poi il tonfo di una bottiglia di vetro che cadeva a terra sul balcone della casa madre ci fece sobbalzare. Chris mi spinse furtivo dentro il suo cottage, chiuse la porta piano e spiò dalla finestra, spostando appena una tendina a scacchi ricavata da una vecchia tovaglia.

«Oh... È una birra. È stato il vento.»

Continuò a tenere d'occhio il balcone della casa principale.

«Ma non abbiamo il permesso di stare qui?» gli chiesi.

«Mio padre non ci permette di avere ospiti. Però a quest'ora è in studio. Fa il musicista. Rock classico. Una roba terribile e antichissima.»

Il suo cottage era piccolo e umido. Chris attaccò alla corrente una piccola stufa con i cavi logori, puzzava di animale bruciato. Sollevò una tavola di legno dal pavimento e tirò fuori una scatola piena di bustine di erba e un bong. Dal soffitto pendevano delle ragnatele e un ramo di alloro selvatico era riuscito a infilarsi tra le crepe nel pavimento. In un angolo c'erano un materasso, una chitarra, un pouf e delle pile ordinate di CD e cassette. Sotto la finestra, su una scrivania senza una gamba, c'era una foto incorniciata di Neil Young da giovane. Era in piedi accanto a un ragazzo con dei lunghi capelli castani simili a quelli di Chris. I due indossavano delle magliette sdrucite e facevano grandi sorrisi. Avevano in mano due lattine di birra, il logo della Budweiser era leggermente diverso in quegli anni e datava l'immagine. Erano nell'anfiteatro, nello stesso punto con l'eco dove eravamo appena stati io e Chris.

«È una foto di qui?» chiesi.

Chris sorrise. «Sì, tanto tempo fa... Quello è mio padre. È stato turnista in un paio di dischi di Neil Young. Venivano qui a suonare. Io e la mia gemella gli facevamo degli spettacolini musicali.» Ridacchiò. «Dopo le performance chiedevamo un sacco di soldi perché papà ci aveva detto che Neil era famoso. Per noi era solo Neil.» Chris rovesciò la cornice e mi guardò negli occhi nervoso. Dopo il suo approccio audace a scuola, ora era timido e non sapeva cosa fare. Mi baciò all'improvviso. Le sue labbra non sapevano quando schiudersi e, appena si rese conto che non stavo ricambiando, si tirò indietro e controllò il polso per vedere l'ora sull'orologio. Mi offrì un tiro della sua famosa erba dal bong.

«Dài, prendiamo un po' d'aria» proposi per spezzare l'imbarazzo. Afferrai il suo palmo sudaticcio e lo portai fuori. Ci arrampicammo per una salitina, oltre la casa padronale fino al confine più alto del giardino, in una parte dove non si aveva la sensazione di essere sorvegliati. Ci sdraiammo su un'amaca a fumare in silenzio. Gli eucalipti del giardino del vicino straripavano oltre la recinzione e le foglie d'argento aleggiavano sopra di noi, rilasciando un profumo mentolato che ci entrava nelle narici. Amavo quel profumo. Avevo cominciato ad associarlo alle parti belle della città, quelle in cui l'ordine naturale delle cose non era stato semplicemente ripristinato, ma era uno stato costante, immutabile. Un muschio verde spugnoso ricopriva la base della staccionata. Osservavo quel microcosmo perfetto, notando ogni minuscolo elemento che formava il tutto, ero fatta. Ogni piccolo solco nel suolo sembrava un portale che poteva aprirsi su un mondo magico, trasportando gli esseri dalla valle al canyon, fino all'oceano dall'altra parte.

Questo era Topanga Canyon, calmo e solenne, la città non lo contagiava. Eravamo passati di lì con la macchina tornando dalla spiaggia il giorno in cui mia nonna si era messa in topless e i miei genitori erano stati multati per aver preso il sole nudi. Nel grembo di quel canyon mi ero sentita in pace. Topanga era lì e c'era sempre stato. Mi sentivo benvenuta in un luogo calmo dove potevo finalmente riposare. Annusai quell'aria nuova e alzai gli occhi verso l'alto. Qui non c'erano i grigi nebbiosi della Valley ma gli azzurri forti di un cielo terso e i rapaci che volteggiavano nello spazio.

«Mi piace stare quassù» gli dissi. «Gli indiani facevano bene a chiamarlo "il posto in alto".»

Ondeggiavamo pigramente sull'amaca. Chris si avvicinò e mi mise un braccio sulle spalle, calde per il sole.

«È la cosa che amano tutti di questo posto. Sembra di stare in cima al mondo.»

Feci di sì con la testa. Sentii il tempo scivolare ai confini del mio corpo, stavo bene.

«Negli anni Venti gli europei che venivano a Los Angeles si stabilirono qui. Gli ricordava casa loro. Forse per questo ti piace. Quando eravamo piccoli, io e mia sorella ci intrufolavamo nelle vecchie ville delle star, su in montagna. Le usavano per venirci in vacanza. Alcune le hanno ricostruite, ma lo capisci sempre se una casa è stata di una persona famosa. C'è un odore diverso.»

Cambiò posizione, tenendo un occhio vigile sulla casa sotto di noi. Io mi aggrappavo alle radici spezzettate che sporgevano dalla terra e tiravo indietro l'amaca verso la staccionata. Una brezza calda cominciò a soffiarmi sul collo e lungo le gambe, proveniva da molte direzioni contemporaneamente. Un respiro che mi accarezzava gli angoli degli occhi, rendeva i capelli elettrici. Ascoltavo i rumori del canyon e mi sembrava, per la prima volta, di avere accesso a quella magica sensazione losangelina che Max aveva tentato di spiegarci quando eravamo arrivati, quella luce inafferrabile e incoraggiante: il luminoso invisibile. In termini hollywoodiani era l'equivalente di un colpo di fortuna improvviso, qualcosa di divino che poteva guarirti all'istante dal dolore, dallo smog e dai rifiuti subiti. Ne ero talmente affamata che spalancai gli occhi, sperando di poterne estrarre l'essenza e conservarla dentro me, da qualche parte tra gli strati del mio costume di gomma. Spinsi l'amaca contro la staccionata, con ogni oscillazione esaminavo le particelle di quella luminosità e provavo ad accovacciarmi lì dentro. Annusavo l'aria pungente e guardavo il cielo azzurro. Ma appena cercavo di catturare quella sensazione, la luce si affievoliva. Gli oggetti tornavano dentro i loro contorni e il luminoso invisibile scompariva. «Se guardi troppo da vicino vola via» aveva detto Max. E aveva ragione.

Mi spinsi dentro il terriccio del canyon e pensai alla geografia di quel luogo. La cima della collina puntava a occidente, nel canyon e verso l'oceano, mentre la parte bassa e la casa padronale si affacciavano a oriente sulla Valley, creando una linea immaginaria con Woodland Hills e il centro commerciale dove nove mesi prima avevano sparato ad Arash. Stavamo oscillando tra due mondi e la casa di Chris era nel mezzo. Il lato posteriore era inclinato verso il canyon come a riconoscerne la potenza, levitava verso "il posto in alto", mentre l'ingresso principale vegliava sulle strade piatte del bacino della San Fernando, la luce fioca del parcheggio del centro commerciale Woodland Hills, le cabine telefoniche ancora ricoperte di rose rosse, candele e foto. Gli echi degli spari riverberavano nel soggiorno. L'odore del popcorn al burro impestava la cucina. Le vetrate erano occhi, la porta d'ingresso una bocca spalancata, inorridita di fronte allo spettacolo del sangue. Dentro la casa di Chris sentii un silenzio seguito da alcuni spari. Dalle finestre vidi Arash che si dimenava sul pavimento del parcheggio, gridando aiuto.

«Non siete una gang, eh? E adesso sì!»

Chris mi strofinò il naso contro il collo: «Che dici?».

«Adesso sì!» ripetei.

Solo allora mi resi conto, con le dita strette alle radici nella terra, che non avevo ancora lasciato che quelle parole si sedimentassero dentro di me.

«L'ha detto il tipo ad Arash prima di spapargli. L'ho letto sul giornale» spiegai. «Lo conoscevi Arash, vero? Ti ha detto di noi, no?»

Chris smise di respirarmi sul collo. «Non pensare a quello schifo» disse.

Non ci riuscivo. Voltai le spalle al centro commerciale e al parcheggio e tornai dentro la terra umida del canyon. Non ci sarebbero state macchine e pistole tra quegli alberi di eucalipto e quindi lì volevo restare.

Mi girai su me stessa e chiusi gli occhi, dondolando nell'amaca, senza paura di perdere i sensi. Quando li riaprii era perché qualcuno stava gridando dalla casa principale. Chris non era più accanto a me. Avevo dormito, dalle finestre sul retro vidi una lunga coda di cavallo color rame oscillare nel soggiorno. Riconobbi immediatamente quel movimento. Sapevo chi era: il pallido fantasma che avevo visto arrampicarsi per i recinti e sgattaiolare tra le porte e i corridoi di scuola, la ragazza che mi aveva insegnato a guardare il sole e senza mai voltarmi indietro. Vederla fuori contesto, dentro un'abitazione senza una rete bucata da scavalcare, era strano. Anche ora, mentre era ferma, appoggiata contro il bancone della cucina, sembrava che una parte di lei fosse in movimento.

La voce di un uomo continuava a urlare addosso a Chris.

Lo vidi farsi piccolo mentre l'uomo entrava in scena, agitando le mani per aria, un tipo gobbo con un cappellino rosso e una sottile codina di cavallo simile a quella di un topo che gli scappava da dietro la testa. La ragazza doveva essere la sorella gemella di cui Chris mi aveva parlato. Ripercorsi i tratti di lui nella mia testa per cercare delle somiglianze. Non aveva lentiggini e i suoi occhi non erano né verdi né profondi, gli mancava quella pulsione vitale di cui sua sorella brillava. La ragazza si sporse in avanti e toccò il braccio dell'uomo furioso. Indossava dei pantaloni neri eleganti e una camicia bianca da smoking. Aveva un'aria completamente diversa rispetto a quando la vedevo a scuola. L'uomo smise di urlare per guardarla meglio. La tirò a sé dalla camicia bianca e le baciò la guancia, dandole delle istruzioni rapide che non riuscii a sentire. Lei annuì e uscì di casa.

Scivolai giù dall'amaca e scesi dalla collinetta senza farmi vedere, seguendo la ragazza a distanza di sicurezza. Sfrecciava avanti a me, fluttuando giù per il vialetto d'ingresso e sopra i cespugli che lo costeggiavano. Attraversò la strada principale del canyon e si avventurò per un sentiero che portava a un torrente, chinandosi varie volte per rimuovere le spine che continuavano ad attaccarsi ai suoi pantaloni da sera. Quando si piegava in avanti, la coda di cavallo le si apriva sulle spalle e i capelli si adagiavano contro la schiena creando un velo da sposa dorato. Raggiunse il torrente, si mise seduta su una roccia in mezzo all'acqua, vicino a un cespuglio di lavanda selvatica, e si accese una sigaretta. Rimasi indietro lungo il sentiero, attenta a non far scricchiolare le foglie sotto ai piedi. I cerchi di fumo volteggiavano intorno ai suoi boccoli ramati mentre il sole le illuminava il volto. Le sue lentiggini brillavano, facevano parte del paesaggio del canyon. I capelli cambiavano tonalità a seconda dell'intensità della luce e dei riflessi della terra. Restai lì finché non finì la sua sigaretta, così vicina che la sentivo aspirare. Ero in silenzio, immersa nella sensazione miracolosa di aver trovato un tesoro. Avevo paura che se avessi preso anche un solo rubino dal baule, un pirata sarebbe arrivato a strapparmi tutto di mano. Sulla strada sopra di noi passò un trattore, e la ragazza si voltò e mi vide.

«Ehi...» Le si addolcirono gli occhi. «Che cosa fai quassù?»

Mi strappai le ultime spine dalla camicia e la raggiunsi.

«Ero venuta a trovare tuo... fratello, credo.»

Alzò gli occhi al cielo come se quella frase l'avesse sentita già tante volte.

Le andai vicina sulla riva del torrente e mi accesi una sigaretta. Non riuscivo a levarle gli occhi di dosso.

«Alla fine hai capito come fare?»

«Cosa?»

«Ad arrampicarti per la rete bucata.»

«Sì. Ho fatto come mi hai detto tu.»

«Bene» sorrise. «In realtà ti ho vista scavalcare qualche volta. Con quel ragazzo.»

«Grazie per avermi fatto vedere come si salta» dissi in fretta per cancellare l'immagine del corpo di Arash che si arrampicava sopra di me.

«Figurati. È quello che faccio sempre. Salto, me la squaglio.»

Inclinò la testa verso una spalla come per esaminarmi meglio. Un raggio di sole colpì le sue lentiggini e le guance diventarono per un momento rosso fuoco. La ragazza chiuse gli occhi per godersi il fascio di luce, si strofinò le labbra con una foglia d'alloro che aveva strappato da un ciuffo vicino all'acqua.

«Se bevi, fumi o vomiti, puoi usare queste foglie e i tuoi non se ne accorgeranno mai. Levano qualsiasi odore. Sono il mio rimedio. Il tuo qual è?» chiese, tirandosi su in piedi.

«Sono italiana... Lì bevono e fumano tutti.»

«Anche a Topanga bevono e fumano tutti. È per quello che mio padre si preoccupa.»

«L'ho visto con tuo fratello prima, era lui?»

«Sì.» Abbassò la voce. «Ti dico solo che quella è la reazione media quando non passiamo lo straccio. Ti rendi conto? Ma chi è che passa lo straccio? Nessuno lo fa. Tu lo passi?»

«No, non lo passo.»

Ridemmo.

«È una fissa di mio padre» sospirò. «È un padre single, quindi a volte ci tratta come domestici. È cresciuto in Montana. Da quelle parti sono ancora fermi agli anni Trenta.»

«Non ci sono mai stata, ma so che il cielo è grande lì.»

«Un cielo enorme, ma sotto non c'è niente da fare. Ti insegnano solo a fare il tuo dovere. A volte mi incazzo con mia madre per averci abbandonati solo perché ci ha lasciato con tutti questi lavori di casa da fare. A rastrellare quelle cazzo di foglie.»

«Tua madre dov'è?»

«Si è trasferita in Utah con uno.»

«Mi dispiace.»

«Hanno fondato il primo *caffè cristiano* nel loro paesino. Si chiama il Santo Graal.»

Non riuscii a contenere una risata.

«Chicchi di caffè paradisiaci» aggiunse sarcastica, espirando il fumo. «È fuori di testa. Odio andare a trovarla perché ci obbliga ad andare a messa. Odio andare in chiesa. L'anno scorso mi sono perfino sbattezzata. Lei non lo sa. La prenderebbe troppo sul personale.»

«Sbattezzata?»

«Sì, mi sono fatta fare pure il certificato. L'avresti fatto anche tu, nella mia situazione. Ma mi sa che se sei italiana non lo puoi fare.»

«Vengo dalla culla del cristianesimo. La prenderebbero male.»

La ragazza spense la sigaretta contro una roccia e si alzò, coprendomi dal sole. Aveva lo sguardo appannato e un sorriso luminoso ma assente. Si mise una mano nella tasca dei pantaloni e tirò fuori un rotolo di banconote.

«A Topanga non posso comprare le sigarette. Mio padre mi controlla e conosce il proprietario del negozio: me le puoi comprare tu e me le dai a scuola?»

«È troppo per un pacchetto di sigarette» risposi indicando i soldi.

«Guadagno un sacco come cameriera. Metà li do a mio padre per le bollette, l'altra metà non ho neanche il tempo per spenderla. Io e mio fratello fondamentalmente non possiamo uscire di casa se non per andare a scuola e al lavoro. Ora stavo andando al ristorante. Per questo sono vestita in questo modo ridicolo.»

Indicò la camicia da smoking e i pantaloni neri. Le rimisi la banconota stropicciata nel palmo della mano.

«Tienili da parte per una volta che esci. Te le compro volentieri le sigarette.»

Camminammo su per il fiumiciattolo mentre la luce del pomeriggio filtrava tra i rami. La ragazza saltava di roccia in roccia e io seguivo i suoi passi finché non raggiungemmo le fondamenta di un vecchio ristorante illuminato che affacciava sul torrente. Tirò fuori uno specchietto dalla borsa e si mise un rossetto acceso.

«Per le mance.» Mi fece l'occhiolino e si passò la mano sui pantaloni per stirarli un po'. Ci arrampicammo fino al ristorante. Il terreno umido ci scivolava sotto i piedi, ma la ragazza era agile e veloce. Quei pochi minuti con lei al torrente avevano riconfigurato la mia percezione delle cose attorno a me. Due grandi forme si erano incastonate nelle fessure giuste, i mattoncini roteanti di una nuova partita di Tetris erano piombati dal cielo e si stavano sistemando alla perfezione uno in compagnia dell'altro.

Dagli altoparlanti della terrazza del ristorante usciva una musica d'arpa new age, le lucette da esterno, attorcigliate ai rami degli alberi, creavano un bagliore caldo: un'atmosfera tranquilla da cibo biologico e politicamente corretto. Stavano preparando il ristorante per la serata.

La ragazza si voltò verso di me e allungò la mano per presentarsi. Si chiamava Deva.

«Ci vai ai festini illegali?» chiese con un luccichio acquoso negli occhi.

«Che vuoi dire?»

Sfilò il volantino di un rave dalla tasca della borsetta e me lo passò: un sole giallo al neon tramontava su un paesaggio desertico. Le lettere fluorescenti annunciavano quella che doveva essere la festa del secolo, o almeno così sembrava dalla massa di persone strafatte che ballava nella foto sotto la scritta.

«A gennaio c'è questa. Si chiama Moon Tribe e ci voglio troppo andare.»

«Be'... allora abbiamo tempo.»

«Puoi ballare per tre giorni in mezzo al deserto. Nessuno sa dove sei e nemmeno tu lo sai. È pazzesco.» Sospirò piena di pathos.

A me sembrava un incubo agorafobico.

«Non vedo l'ora» dissi.

Era impossibile capire cosa la turbasse, ma lo capivi che c'era dal modo in cui ti attraversava con lo sguardo, evitando gli occhi e inseguendo un po' d'intimità al tempo stesso. Volevo parlarci ancora a lungo, ma lei si tirò i capelli indietro, fece la sua solita coda e sparì attraverso la porta sul retro. Corse in cucina e saltò addosso a un aiuto cuoco che stava sistemando dei germogli di soia e del tofu in una ciotola.

«Ciao, José! Facciamoci subito uno shot di tequila prima di lavorare!»

La porta si chiuse sbattendo e io rimasi sola nella terrazza con le arpe. Le rane gracidavano nel torrente sotto di me. Nel canyon calavano le ombre, e nei cottage di legno si accendevano le prime luci.

La casa padronale di Deva e Chris era al buio. Ora tutto era silenzioso. Feci alcuni passi sul brecciolino di scaglie di betulla. La porta della casetta di Chris era socchiusa, ma quando provai a entrare di nascosto una mano mi toccò la spalla. Suo padre era dietro di me. Un grosso naso rosso eruttava dalle guance paffute. Aveva tolto il cappello, rivelando la sua esile coda di cavallo da topo e una stempiatura. I suoi figli non avevano il permesso di ricevere amici durante la settimana, disse. Aveva gli stessi occhi di Deva, ma quelli di lei erano assenti e spirituali, e i suoi erano taglienti e precisi. Ti guardavano dentro e decidevano in fretta cosa fare di te.

Chris era in camera, seduto sul suo materasso che disegnava. Guardò il padre e raddrizzò la schiena.

«Sono tornata solo a prendere lo zaino» dissi.

L'uomo attese sulla porta per mettermi fretta. Mentre infilavo le mie cose nello zaino, sparì verso la casetta di Deva sbuffando. Sua figlia aveva chiuso la porta a chiave, ma lui svitò la maniglia con un attrezzo e la aprì facendo leva. Urlava che Deva sarebbe finita nei guai per aver chiuso la stanza a chiave ancora una volta, le regole erano regole, niente chiavi, si era rotto le scatole di queste cazzate.

Guardai Chris.

«Pensavo fossi andata via» mi sussurrò.

«Ti ho visto litigare con lui. Non volevo intromettermi.»

Distolse lo sguardo preoccupato. «Non doveva tornare così presto. Ci rivediamo un'altra volta, ok?» I suoi occhi erano tristi, sconfitti.

«Sì, certo» risposi, ma sapevo che tra noi non sarebbe più successo niente.

Sentimmo un rumore di plastica accartocciata provenire dalla casetta di Deva, poi oggetti sbattuti a terra. Il padre di Chris schizzò fuori con due buste della spazzatura piene sulle spalle e marciò fino ai secchi in fondo al vialetto.

«Gliel'ho detto che le avrei buttato la sua cazzo di roba se continuava a tenere questo casino in camera! E adesso lo faccio. Basta. Butto tutto» proclamò.

«Dài, papà...» provò a farsi avanti Chris, ma il padre non lo ascoltava. Gettò le buste nei secchi sulla strada e tornò indietro senza guardarlo.

«E te, che fai? Te ne vai o no?» mi chiese come se mi avesse notata per la prima volta.

Afferrai lo zaino e corsi giù per il vialetto senza salutare. Aspettai dietro l'angolo per qualche minuto, poi tornai ai secchi della spazzatura. Tra i rifiuti trovai i sacchi con le cose di Deva. Li presi e mi avviai giù per il canyon verso la Valley.

L'aria era leggera e calda. Le rocce al bordo della strada erano dorate dal riverbero del tramonto. Le campanelle a vento sui davanzali delle case tintinnavano e dai pascoli

lontani arrivava il suono dei sonagli di un branco di pecore che tornava verso casa per la notte. Cos'era questo posto
incantato dove le pecore pascolavano e il tempo si fermava,
questo canyon pieno di angoli luminosi e querce che sembravano aver viaggiato fin qui dalle colline della Toscana?
Com'era possibile che potesse esistere tutto questo sopra le
sirene della Valley, sopra i boulevard e i centri commerciali?
Le dita delle mani mi pulsavano della stessa elettricità che
spostava le foglie nel vento. Il "posto in alto" mi aveva accolta a braccia aperte e sapevo che sarebbe diventato il mio
rifugio dal posto in basso.

A casa buttai le buste della spazzatura di Deva sul mio
letto ed esaminai il bottino: abiti da principessa, top di seta,
pantaloni a zampa d'elefante di velluto color mattone, camicie turchesi intrecciate da fili dorati. Andai a dormire
con strati di vestiti addosso e quello che non mi entrava lo
lasciai sul letto accanto a me pur di rimanere vicina a quei
colori e profumi nuovi: incenso, patchouli e oli essenziali
alla salvia. Volevo che quegli odori non finissero mai, provavo a respirare velocemente per non disperdere le essen-
ze neanche per un secondo. Intrappolavo ogni inspirazio-
ne nelle mie narici e poi inalavo un altro po', ogni sniffata
era un viaggio in un posto diverso, un luogo dove non esistevano lava lamp usate, materassi ad acqua e il fumo dei
sigari cubani di Max.

Quattordici

«Come cazzo sei vestita?» mi prese in giro Henry ruotando sulla sua sedia girevole. Le rotelle di plastica stridevano a terra.

«È un vestito da principessa» risposi, sulla difensiva.

«Eh?»

«Da principessa.»

«Sembra la sottana di tua nonna.»

«È di Deva.»

«E chi è?»

Si avvicinò con la sedia a Street Fighter, un videogioco cabinato da bar che aveva rubato da un coffee shop in fondo alla Valley. Aveva liberato il passaggio tra la cassa e il videogioco per non doversi mai sollevare dalla sedia.

Gli diedi una botta per farlo alzare in piedi.

«Metti uno contro uno.»

Eravamo T. Hawk, il guerriero indiano in esilio, contro E. Honda, il lottatore di sumo.

«Quindi chi è questa Deva?» chiese di nuovo.

«Oddio, Henry. È pazzesca. Ti piacerebbe da morire. Cioè, è la ragazza più bella che ho mai visto.»

«Ah sì? E le piacciono gli handicappati?»

«Smettila.»

«Che vuoi? Certe donne ce l'hanno come perversione.»

«Non sei handicappato!»

«Invece sì, mi manca un orecchio.»

«Poteva andarti peggio. Poteva mancarti una gamba.»

«Non le uso molto, le gambe. Sto sempre chiuso in questo negozio di merda. Oh, che stronza!» gridò allo schermo mentre il mio lottatore di sumo percuoteva il suo guerriero indiano con la famosa raffica di cento colpi di mano, stendendolo a terra.

«Ti ho rotto il culo. E non giocavo da due giorni! Non mi alleno mica tutto il tempo come te.»

Da quando ero tornata dall'Italia avevo cominciato a passare i pomeriggi nel negozio di Henry a giocare a Street Fighter. I pomeriggi ci facevamo le canne e io rimettevo a posto il negozio.

Ero ossessionata da Bargain Barn, un capannone di Anaheim che vendeva mobili e vestiti al peso. Se ai mercatini di Bel Air trovavi gli avanzi dei ricchi, quelli di Anaheim collezionavano i sogni dei reietti della società: scrivanie da ufficio di ditte fallite, divani aziendali in finta pelle, poltrone sintetiche arancio anni Settanta e, visto che Disneyland era in zona, souvenir e cimeli datati di vecchi cartoni animati. Ogni tanto saltava fuori qualche gemma: una valigia di Louis Vuitton perfettamente conservata, una borsetta di Chanel o una giacca di velluto di Valentino degli anni Sessanta. Avevo rimediato delle teche antiche di vetro e rame per il negozio e le avevo battezzate con il coltello di *Nekromantik* che Robert mi aveva regalato per il nostro primo e ultimo appuntamento. Avevo trovato anche un set di sedie di velluto color ruggine e un tagliacarte d'antiquariato. Non avevo speso quasi niente per risistemare il negozio. Era stato un processo naturale. Avevo cominciato portandogli dei pezzi sparsi che mi sembravano adatti, poi avevo preso a rimanere lì i pomeriggi per aprire le scatole di vestiti vintage che Henry faceva arrivare dal Texas. Dividevo gli indumenti e li etichettavo per colore e stile. «Abbiamo dei clienti!» esultò Henry quando riuscii a vendere una pila di dischi della famiglia De-Franco che facevano la muffa da anni. Da quel giorno continuarono a tornare. Riorganizzavo i primi piani delle vecchie foto d'attore che Henry non aveva neanche sfogliato. Mettevo da parte le immagini delle attrici che ce l'avevano fatta. Le migliori erano quelle delle star prima che diventassero famose. Le chiamavamo CPF – celebrità pre-fama – e le vendevamo a venti dollari l'una. Erano tutti volti noti: Julia Roberts a sedici anni, Meg Ryan a venti. La mia preferita era una goffa immagine tardoadolescenziale di Diane Keaton con le guanciotte e gli occhi stralunati, l'avevamo appesa sopra la cassa come una santa patrona del nostro negozio di cianfrusaglie. Attorno alla sua immagine avevo sistemato una costellazione di angeli custodi, volti anonimi degli anni Settanta e Ottanta: Nina Sanchez, Elodie Verve, Tania Beloved, i nomi incredibili di tutte le persone che non ce l'avevano fatta. Volevo dargli un'occasione, se non in un film, almeno in un negozio.

Henry mise in pausa il videogioco e mi guardò con le sopracciglia aggrottate.

«Come l'hai conosciuta questa Deva? Ma poi che cazzo di nome assurdo è? Ha i genitori hippie?»

«Forse. La casa sembra abbastanza hippie. Il padre è un musicista rock, ma è super severo e conservatore. Sua madre invece vive in Utah e ha un coffee shop a tema cristiano.»

Henry mormorò: «Che squallore».

«Sei mai stato a Topanga?» gli chiesi. Era difficile immaginarsi Henry fuori dal negozio. «È un altro mondo rispetto alla Valley. Voglio andare a vivere lì.»

«Non lo so. Quel posto mi ricorda "Twin Peaks".»

Henry si accese un'altra sigaretta. Svuotai il posacenere traboccante appoggiato sul pannello di controllo del videogioco e ripresi a giocare.

T. Hawk mi aveva atterrato a calci.

«Testa di cazzo! Stavo svuotando il tuo schifoso posacenere!»

Henry mi diede una gomitata facendomi cadere dallo sgabello del videogioco per finire la partita da solo.

«Comunque Topanga non c'entra *tipo* niente con "Twin Peaks"» protestai.

Fece un ghigno compiaciuto. «Ma ora dici *tipo* ogni due parole? Cominci a parlare come una ragazza della Valley.»

Arrossii. Sapevo che aveva ragione.

«Anzi peggio: una ragazza della Valley *italiana*. Hai appena inventato una nuova sottocultura di Los Angeles.»

«Vuoi un po' d'erba? Ti potrebbe far sentire meglio.»

Cenerentola ci guardò con un barlume di speranza. Teneva in mano la sua coroncina con il diadema, i capelli arruffati le erano caduti davanti agli occhi.

«Avrei tanto bisogno di stare un po' fatta.»

Sollevata, si grattò la testa. La poltiglia di make-up Disney che aveva in faccia le stava colando dagli occhi.

Eravamo nella sezione fumatori di Disneyland e Cenerentola aveva appena finito di piangere e urlare al suo ragazzo da un telefono a gettoni. Gli aveva detto che era un figlio di puttana e che gli augurava una morte lenta e dolorosa.

Henry mi aveva accompagnato al grande mercato dell'usato di Anaheim, in cambio gli avevo promesso che saremmo andati a Disneyland a farci le canne. Non avrei mai immaginato che sarei finita a fumare erba con Cenerentola.

Usavamo la pipetta di metallo di Henry.

Cenerentola era una gran fattona. Tirava, poi tratteneva il fumo per qualche secondo e lo risputava fuori tossendo.

«Grazie, sono troppo incazzata.» Sospirò, asciugandosi le lacrime dagli occhi. «Si è scopato la mia migliore amica.»

«Mi dispiace» le dissi.

Passarono di lì delle bambine e si esaltarono alla vista di

Cenerentola. Lei si alzò con un grugno indisponente e camminò verso di loro per farsi fare una foto.

Cercò di fare un sorriso benevolo, di stare nel personaggio. Le bambine la guardavano estasiate, ma le più grandi si erano rese conto che c'era qualcosa di sinistro. Sembrava che avesse fatto a cazzotti con il principe azzurro. Scattata la foto, Cenerentola firmò un foglietto con il suo autografo "Cindy" e un cuoricino, abbracciò le bambine e tornò a sedersi con noi sulla panchina. La faccia si era incupita da capo. Si grattò furiosamente le caviglie pallide. Erano coperte di sangue e graffi.

«Zanzare di merda. Odio questo posto.»

«Quindi di base cosa saresti? Un'attrice?» chiese Henry, facendo un altro tiro di nascosto.

Lei alzò le sopracciglia e lo guardò. «Sì...»

«Senti, non te la prendere. Io per esempio non pensavo che sarei finito a lavorare in un negozio dell'usato, ma siamo ancora giovani. C'è sempre speranza, no?»

Qualcuno parlò dal campetto di minigolf a tema Dumbo alle nostre spalle.

«No, no, vi sbagliate, per voi non c'è nessuna speranza...»

Una voce stridula si era unita alla nostra conversazione. Era Topolino. O meglio, un poliziotto vestito da Topolino. Si avvicinò a me e Henry mostrando il suo distintivo e ci chiese di seguirlo. Fumare marijuana era illegale e il parco era un posto per famiglie.

Guardammo Cenerentola, sperando che intervenisse in nostro aiuto, ma ci tradì.

«Scusa, Mickey, non mi ero accorta che fumavano o avrei provato a fermarli.»

«Ma cazzo, pure lei ha fumato!» Henry si divincolò dalla stretta del poliziotto.

«Certo che ha fumato. Ora per favore smettila di fare resistenza o mi tocca ammanettarti» disse il topo.

Henry si voltò verso Cenerentola ringhiando. Sputò a terra vicino alla sua scarpetta di cristallo, che era di plastica, e le augurò che tutti i suoi fidanzati si scopassero tutte le sue migliori amiche per il resto della loro vita.

Il poliziotto ci portò per una serie di corridoi sotterranei fino alle stanze di detox di Disneyland, altrimenti note come "Mickey jail", il carcere di Topolino. In quelle piccole celle ornate di poster anti-droga, i detenuti erano tutti più o meno adolescenti convinti che volare con Dumbo sotto funghetti fosse il massimo della vita. Dovevamo rimanere seduti in silenzio finché non ci fosse passato l'effetto della droga. Nella nostra celletta c'erano delle ragazzine fatte di speed che parlavano incessantemente di una loro compagna di scuola che era riuscita a sfuggire alla Mickey police. I poliziotti ci fecero una multa e ci impedirono di guidare fino a casa. Oltretutto io ero minorenne e qualcuno doveva firmare per il mio rilascio. Non potevo chiamare i miei genitori. Non mi sarebbero mai venuti a prendere ad Anaheim. Già sentivo il monologo della deportazione sulle labbra di mio padre: avrei dovuto fare più attenzione, ero la solita egoista, stavo mettendo a rischio il suo film. Quando parlava del suo lavoro adesso usava un tono serio e una sfilza di nuovi termini sofisticati: l'industria, le major, i fondi, i tax credit. Aveva accumulato un armamentario di nuove espressioni che dovevamo rispettare. Se non lo facevamo, gli saltavano i nervi oppure metteva il muso. Se volevamo che le cose andassero bene, dovevamo essere una famiglia unita e crederci davvero. E io volevo che le cose andassero bene.

La madre di Henry entrò nel parcheggio di Disneyland con la sua Buick bianca e squadrata. Le ruote stridenti e il lungo cofano, la macchina rimbalzava a sinistra poi a destra come quelle dei video rap. Sapevo che Phoebe era una donna grossa, ma avevo sempre pensato che il figlio esagerasse a definirla obesa. E invece era vero. Henry l'aiutò a scendere dal sedile. Portava una magliettina di seta rosa trasparente e i suoi capelli, quei pochi che le rimanevano, erano tirati indietro in una crocchia arruffata da un vecchio elastico dorato. Sotto la canotta portava un paio di pantaloni bianchi, anche quelli di seta, che creavano una montagnola molliccia sopra il pube, ai piedi delle elegantissime espadrillas di tela spagnole. Da qualche parte tra le pieghe della sua pelle si percepiva un'antica raffinatezza. Era stata bellissima. Mi bastava guardarla e ripensare alle sue foto in negozio per saperlo. Ma il suo fisico era compromesso da anni di droghe, alcol e disordine. Le sue labbra sottili erano colorate da un rossetto corallo sbavato che le dava un'allure da barbona demente.

Mi aspettavo un rimprovero, un commento sarcastico, ma quando uscì dalla macchina, la madre di Henry sorrise per una platea invisibile, pagò la mia multa e strinse la mano a Topolino, che nel frattempo si era tolto il casco da Topolino ed era un signore di mezza età.

«Grazie per il suo impeccabile lavoro, agente» disse con fare piacevole e suadente, senza neanche menzionare il motivo per cui eravamo stati cacciati dal parco. Era una procedura semplice, un'inezia burocratica che non richiedeva ulteriore giudizio.

Lasciammo la macchina di Henry nel parcheggio di Disneyland.

Phoebe salì a bordo e appena il suo grande sedere toccò il sedile lasciò andare un sospiro spossato. Si voltò verso di me.

«Tu devi essere Eugenia, la ragazza di cui Henry mi parla sempre.»

«Sì, sono io. Grazie per esserci venuta a prendere... essermi... È molto lontano e mi dispiace davvero perché...»

Mi interruppe con un cenno della mano come a dire di non preoccuparmi di quelle stupidaggini. «E sei italiana. Io adoro l'Italia!»

«Ah, c'è stata?»

Guardai Henry per vedere come reagiva. Non mi aveva

mai parlato di viaggi. Non aveva mai detto niente di sua madre, tranne che si faceva, mangiava troppo e aveva un blocco a buttare via le cose.

«Oh, sì, certo. *Arrivedershi Roma!* Dimmi un po', la gente balla ancora per le strade a Roma?»

Le dissi di sì, anche se non avevo mai visto nessuno ballare per strada, perché per strada più che altro si bestemmiava e si suonava il clacson. Mentre guidava, ci parlò di un uomo chiamato Aldo, era "così italiano" e viveva a vicolo del Moro a Trastevere. Lui le aveva fatto assaggiare la vera *dolce vita*. Ci parlò di una trattoria dove bevevano, cantavano e ballavano sui tavoli. Quando era giovane, tutti gli uomini la amavano perché le donne italiane erano brave a cucinare e crescere i figli ma non a ballare sui tavoli. Solo le americane facevano certe cose, perché erano più libere.

«Io ero la *sola* donna che ballava sui tavoli a Roma negli anni Sessanta» dichiarò, e Henry mormorò qualcosa perché quello doveva essere l'ennesimo pezzo di puzzle mancante sulla giovinezza di sua madre, sulle cose che aveva fatto quando lui ancora non c'era, un altro angolo della sua vita dal quale era stato escluso.

«Ehi, ma', dove hai messo le sigarette?» provò a cambiare discorso.

Dentro quella macchina eravamo lontanissimi dalla *dolce vita*: buste di spazzatura piene di patatine fradicie, pacchetti mezzi aperti di ketchup, bicchieri extralarge di carta vuoti.

«Li fanno ancora i saltimbocca? Si chiamano così, vero?»

«Sì, certo... è un piatto romano.»

«E che ti importa a te? Mangi solo hamburger e patatine» disse Henry.

«Oh, Henry, ma la pianti un po'?» scattò Phoebe. Quando chiamava il figlio apriva eccessivamente le vocali e il suo nome suonava come un lamento. «Oh, li adoro quei cosi. Cosa ci mettono? Manzo?»

«Vitello. Con prosciutto e salvia.»

«La *salvia*, giusto. Dio, quanto amavo i saltimbocca. Tu li sai fare?»

«Tutti i romani li sanno fare. Perché...» guardai Henry per capire se stavo oltrepassando una linea, ma lui si rifiutava di partecipare. «... Perché non venite a cena, ve li preparo io.» Era un modo per ringraziarla per essere venuta a prenderci.

«Ne sarei felicissima.» Sospirò nostalgica.

Henry tamburellò le dita contro il finestrino nervosamente. «Mamma, dove sono le mie sigarette?»

Phoebe lo ignorò e cominciò a canticchiare una canzone italiana che ricordava vagamente.

«Che cazzo, mamma. Dove hai messo le mie sigarette? Qua dentro fa schifo» si lamentò. «Accosta un attimo, per favore.»

Phoebe fece un gemito di impazienza, rallentò e accostò sul ciglio della strada come se sapesse cosa stava per succedere. Henry schizzò fuori dalla macchina e raggiunse il portabagagli. Prese una vecchia busta di carta del McDonald's e cominciò a riempirla con i rifiuti vaganti sparsi a terra intorno ai miei piedi. Il vento che soffiava sulla freeway gli scompigliò i capelli, scoprendo il suo orecchio mozzato. Lui continuò a rovistare. Riempì la busta con la spazzatura e i resti di cibo e la lanciò sulla corsia d'emergenza. Poi risalì in macchina.

«Questa macchina fa vomitare. Andiamo.»

Phoebe ripartì e non disse nulla del lancio della spazzatura. E fu in quel momento che capii. Aver fatto uscire Phoebe dalla sua tana era stata una cosa enorme: non solo per lei ma anche per Henry. Lui si vergognava di sua madre, non era contento di vederla né di sentirla. Quando era incinta si era fatta di eroina, beveva e fumava, ed era per quello che gli mancava un orecchio, per quello ogni cosa che diceva era rivestita di sarcasmo. Aveva combattuto una grande battaglia da bambino, quella per salvare una parte del suo corpo. L'aveva persa e non aveva senso combatterne altre molto meno importanti. Era sopravvissuto a ospedali, operazioni, infezioni, anni di antibiotici. La cura contro la microtia congenita richiedeva il lavoro coordinato di una squadra di chirurghi plastici e chirurghi specializzati dell'orecchio. L'assicurazione sanitaria di sua madre non copriva tutte le spese mediche perché la sua dipendenza da sostanze stupefacenti era considerata una patologia preesistente. Perciò interruppe a metà le cure, cambiò una sfilza di dottori, e un semplice problema all'orecchio degenerò in un caso tanto estremo da richiedere l'amputazione parziale.

«In America è più facile tagliare quello che non funziona» mi aveva detto Henry un giorno.

I senzatetto che si facevano di metanfetamine spesso si mangiavano le dita fino alle ossa. Quando le mani si infettavano, andavano in ospedale dove i dottori gliele tagliavano. Le infermiere le chiudevano in sacchetti di plastica e le buttavano via. Non si faceva niente per ricostruire i volti e gli arti di chi non poteva permettersaelo. Dovevi trovare un modo per vivere senza le tue parti mancanti, da storpio, provando a ridurre il dolore con altre sostanze chimiche o rimedi casalinghi improvvisati. La gente senza soldi imparava a non chiedere aiuto. Vivevano con le loro mani senza dita, le ginocchia sfondate e le orecchie amputate e di certo non chiamavano la mamma per le emergenze. Non chiedevano alle persone che li avevano feriti di provare a migliorargli la vita.

Ma Henry quel giorno l'aveva fatto, e io gliene ero grata.

Rimanemmo in silenzio per il resto del viaggio. Quando mi lasciarono davanti a casa, abbracciai Phoebe attraverso il finestrino e fissai un appuntamento per la nostra cena di saltimbocca. Glielo promisi.

Quindici

Il pullman giallo della scuola che andava a Topanga Canyon e scendeva sulla Pacific Coast Highway era quasi vuoto, non erano molti i ragazzi del liceo che vivevano da quelle parti. Sentii un grande sollievo mentre salivamo in montagna, un peso che si sgretolava automaticamente. Le nuvole della Valley si schiusero, trafitte da fasci obliqui di luce che illuminavano i campi verdi dove brucavano le pecore. Deva poggiò i piedi sul sedile davanti e guardò fuori dal finestrino. Si stava mangiando le unghie, dipinte di nero, ma lo smalto stava già venendo via. Aveva una piccola ingessatura al gomito. Era caduta nel bosco. Ai suoi piedi c'era un borsone con tutti i vestiti che suo padre le aveva buttato via: lavati, stirati, piegati ordinatamente.

«Non li hai persi» le avevo detto durante la pausa pranzo, quando glieli avevo riportati. Avevo dovuto aspettare due settimane per rivederla. Non era più venuta a scuola. Avevo provato a dire quella stessa battuta a casa, immaginandomi una serie di risposte, ma Deva aveva solo sorriso appena mi aveva riconosciuta. Dalla sua espressione avrei potuto giurare che anche lei non vedeva l'ora. Mi abbracciò e mi invitò a Topanga quel pomeriggio. Aveva le ossa sottili come quelle di un pollo, temevo si spezzassero. Abbracciandola avevo guardato la scuola dietro di lei: il cortile e la caffetteria, l'angolo con la piccola magnolia dove andavo a prendere il sole, la squadra di ragazze pompon che si allenava alle coreografie sul campo di football. Tutto all'improvviso mi era sembrato distante e informe, gli studenti erano figurine scure ed estranee che si muovevano all'orizzonte. Innocue.

Scendemmo dal pullman davanti al country store del canyon, un piccolo alimentari in mezzo alla montagna. Aveva piovuto. Topanga aveva un microclima diverso dal resto della città. Mi riempii i polmoni di quell'aria fresca e pulita. Sulla bacheca di sughero all'esterno del negozio erano appesi gli annunci dei servizi e delle attività locali, volantini a tema psichedelico promuovevano terapie energetiche e cure con i cristalli. La foto di una donna con lunghe trecce bianche e un sorriso millenario annunciava gli orari di un corso di autocoscienza femminista. Un surfista ci comprò sei bottiglie di birra al malto Mickey's. A noi non le avrebbero vendute perché eravamo minorenni. Non avevamo un piano preciso, ma avevamo tutto il pomeriggio davanti a noi. Le querce, gli alberi di noci e i callistemon rossi ovattavano il rumore del traffico che saliva dalla Valley, lo intrappolavano in sacche invisibili e lo ridistribuivano sulle colline. Erano i guardiani di quel silenzio. In questo bozzolo remoto le cose erano al sicuro: segreti, suoni, persone. Il mondo fuori non poteva insinuarsi.

Seguii Deva giù per una stradina di campagna tortuosa sulla quale affacciavano cottage pericolanti. Salimmo per un sentiero sterrato tra un boschetto di querce. Il sole penetrava tra le foglie degli alberi. Non era il solito sole di Los Angeles, quel vertice di luce dominante che copriva tutto era diverso. Sembrava nascere dalla terra invece che dal cielo, e salire per i rami degli alberi come vernice dispersa. Eravamo parte di un nuovo ecosistema con le sue regole.

Fuori dal bosco la strada sterrata si seccò e la terra sotto i nostri piedi divenne rossa dorata e polverosa. Deva continuava a camminare davanti a me e non diceva nulla. La seguivo obbediente, indecisa se parlare o tacere, chiedendomi se sarei sembrata più interessante se avessi provato a comunicare o se fossi rimasta zitta. Scelsi il silenzio. Deva invece pareva non stesse pensando proprio a nulla. Saliva su per la collina con lo sguardo fuori fuoco, probabilmente non si era neanche resa conto che eravamo in silenzio, che magari tutta quella pace poteva essere imbarazzante, che quando si cerca di diventare amiche ci sono delle regole da seguire. Dovevamo parlare di gruppi musicali ed esperienze, di ragazzi, famiglie, feste e altri amici. A lei queste cose non venivano proprio in mente e io mi trattenni dal raccontarle i fatti miei. Mi concentravo sulle sue labbra, cercando di capire se stessero per emettere dei suoni, ma Deva le usava solo per assaggiare qualche pezzetto di resina di pino staccato dalle cortecce strada facendo. Succhiò un pezzo, poi me ne passò un po'.

«Provalo. È come uno sciroppo duro.» Sorrise.

Misi in bocca la resina secca, sapeva di caramello amaro, ma non dissi che non mi piaceva. Alla fine del sentiero sterrato il paesaggio si aprì. Gli alberi si diradarono, lasciando spazio a piante desertiche, arbusti e cespugli di salvia selvatica. Le rocce e i massi rossi si arrampicavano in cima alla montagna. Ma era una nuova montagna, un canyon dentro un altro canyon. Un deserto roccioso sorgeva in mezzo alle colline, di colpo si vedeva Los Angeles da tutti i suoi lati: l'oceano sognante e lontano, le valli, le colline e le pianure del deserto delineavano i confini dell'orizzonte. Le fattorie rustiche di quella zona erano prive di recinti e serrature, i cortili delle case proseguivano sul suolo del canyon. Sembrava un grande giardino comune, cancelli aperti, porte aperte, finestre aperte. Galline che correvano sui sentieri. Cani pigri che gironzolavano senza guinzaglio. Ero felice di essere lì.

«Compriamo dell'erba?» mi chiese Deva. Ci stavamo avvicinando a un gruppetto di roulotte e capanne ammucchiate una dietro l'altra, sovrastate da una vecchia casa padronale di legno in stile vittoriano. Stavamo entrando in una comune. Una donna abbronzata dai capelli biondi e ingarbugliati e gli occhi iniettati di sangue uscì dalla casa vittoriana.

«Siete qui per la *terapia dell'urlo*?» ci accolse con accento straniero e un sorrisetto sarcastico.

«Ciao, Heide. No. Volevamo solo salutare Bob» rispose Deva.

«Forse siete qui per la seduta di *sblocco* del chakra della radice?» chiese inacidita dalle sue stesse parole.

«Siamo venute a trovare Bob» ci riprovò Deva.

Heide prese un sorso di qualcosa da una fiaschetta di alluminio e ringhiò: «Cosa gli dovete chiedere?».

«Volevamo giusto fare un saluto...»

«L'ultima volta che una ragazza è passata *giusto* per fargli un saluto l'ha messa incinta.»

«Mi dispiace.» Deva si scurì in volto. «Ma non ero io.»

«Bob è nella sala yoga» disse finalmente la donna. «Se lo trovate ditegli che è uno stronzo. Ditegli che io non ho portato Orsa a scuola perché era il suo turno.»

Se ne andò barcollando e imprecando in olandese.

Un uomo a piedi nudi con un rotolo di carta igienica in mano uscì da una latrina e ci sorrise.

«Bella storia, ragazze» disse, e se ne andò.

La comune aveva le fogne scoperte e non si poteva sfuggire all'odore. Deva mi prese per mano e mi portò a fare un giro. Alcune capanne avevano tetti in lamiera di tutti i colori. Una sfilza di tubi collegati tra di loro creava un esteso sistema di irrigazione per le poche piante morenti. La mano di Deva era piccola dentro la mia. Difficile pensare che potesse condurmi da qualche parte.

«Molto "Fate l'amore non fate la guerra", Heide, vero?» Ridacchiai.

«Non esattamente. È pazza. Si fa troppe canne e va in paranoia.»

La casetta dello yoga aveva il soffitto di bambù e un pavimento di terra con tappetini distesi accanto a un grande gong e una vecchia arnia di legno per le api. Un uomo con una salopette di patchwork sfilacciata e dei lunghi dreadlock altrettanto malmessi, disperatamente aggrappati a un cranio spelacchiato, era sdraiato in posizione fetale, le mani raccolte sulla pancia.

«Vaffanculo, *mamma*! *Vaffanculo*, mamma! Vai-a-fare-in culo, mamma. *Mamma?* Non *sei* mia mamma! Non sei mia *mamma*!» gridava.

Deva lo guardò e mi sussurrò nell'orecchio: «È stato adottato».

Si voltò verso di lui e si schiarì la gola per farsi notare. «Ciao, Bob. Vuoi che torniamo un'altra volta?»

Lui si stirò e ci guardò disorientato. Aveva il viso paonazzo ed era zuppo di sudore. Gli usciva del muco dal naso. Sembrava felice di vederci.

«Deva!»

Sotto la salopette, il suo torace nudo era coperto di peli e collane di perline colorate. Si asciugò le mani sporche sulle ginocchia.

«Scusatemi, sorelle... Stavo urlando un po'. Tematiche materne da tirare fuori. Heide mi sta tirando scemo in questi giorni, ed è sempre tutto collegato: robe di mogli, robe di madri. È tutta la stessa cosa.»

«Sembrava molto arrabbiata tua moglie, in effetti. Ti manda a dire che sei uno stronzo» se la rischiò Deva, guardandomi in cerca di aiuto.

«Sì, era arrabbiatissima» aggiunsi io. «Pare che toccasse a te portare a scuola Orsa.»

Le vene della fronte di Bob ricominciarono a pulsare di rabbia.

«È gelosa perché rimorchio più di...» Fece una grande pernacchia con le labbra e un balletto sul posto per scaricare i nervi dalle gambe. «Diciamo che nel nostro recente accordo di relazione aperta è andata meglio a me che a lei. Penso sia perché sono più simpatico e più bello.»

Che fosse più bello era tutto da vedere. Certo, era più simpatico.

«Il fatto è che non mi sembra che lei sappia che siete in una relazione aperta» disse Deva.

Bob esplose in una risata e spalancò le braccia. Coprì il piccolo torace di Deva con un abbraccio intenso e le sussurrò nell'orecchio cullandola un po'.

«Mmh. Che bello vederti, *soul sister.*»

Deva rise d'imbarazzo, il suono ovattato dalle grandi braccia pelose di Bob.

Mentre si liberava dalla stretta, lui si voltò verso di me.

«Questa è Eugenia, la mia compagna di scuola italiana.»

«Italiana? Wow, da paura. E cosa ti porta qui?»

«Mmh... i miei genitori.»

«Oh, wow, assurdo!»

La sua reazione mi lasciò interdetta. Sembrava sconvolto, come se gli avessi appena detto che ero un'orfana vagabonda. O forse in quel caso si sarebbe stupito meno.

«Sì, vero? Assurdo» lo accontentai.

«Grandissimo piacere di conoscerti.» Sospirò, fissandomi negli occhi, forse tentava di capire in quante vite passate ci fossimo già conosciuti. Poi abbracciò forte anche me e fui avvolta da un aroma potente di salvia secca e ascelle. Uno dei suoi dreadlock ingioiellati mi finì in bocca. Aveva un sapore amaro.

«Mmh» sospirò ancora, accarezzandomi la schiena. «Sei un'anima *antica*, lo sento.»

Feci una risatina imbarazzata cercando con lo sguardo Deva, che alzò gli occhi al cielo facendomi capire che non dovevo dargli troppo retta.

«Forse sì, vengo... dall'antica Roma.»

«Giusto, bella, è vero. Il cazzo di impero otto-romano.»

Deva non batté ciglio, allora non lo corressi.

Bob era il fondatore della comune: uno degli esperimenti di cooperazione più longevi di Topanga. Quel posto era attivo dagli anni Settanta. Era stato un campo giochi per Deva e il suo gemello da piccoli. Il padre andava sempre lì a suonare con gli artisti di turno, ma quando i ragazzi erano diventati più grandi, aveva litigato con Bob e aveva smesso di frequentare il luogo. Non che questo avesse importanza. «Ognuno ha il suo percorso da seguire» spiegò Bob. Nella sua comune la gente andava e veniva. Tutti portavano insegnamenti e lasciavano qualcosa in dono, dagli strumenti musicali alle installazioni di astronavi, alla "loro verginità". Bob lo disse con una risata fragorosa.

Tornammo alla casa madre vittoriana. Sembrava uno squat londinese, lurido, con i materassi a terra. La finestra della sala da pranzo apriva su una terrazza tenuta insieme da un impasto di fango e cemento. Una statua di Ganesh grande come un cucciolo d'elefante, con un cristallo gigante in grembo, sorvegliava il terreno della comune attorno. La terrazza era piena di biciclette arrugginite, statue di Buddha e san Francesco, generatori vari. La parete era decorata con poster di Osho per la meditazione e il murale psichedelico di un neonato che emergeva dall'utero di un alieno.

«Questa è l'area giochi dei bambini» spiegò Bob.

Ci offrì del chai caldo, poi riempì d'erba una pipetta di vetro.

«Stai lavorando con tuo padre in questo periodo?» chiese a Deva, soffiandole il fumo in faccia.

Lei distolse lo sguardo e scrollò le spalle. «Ogni tanto. Musica.»

Bob annuì come un vecchio saggio. «Quanta rabbia che ha nel cuore, lui...»

Deva assaggiò il tè e non rispose.

«Dovrebbe venire qui a urlare un po' con me. Meglio se urla in un posto sicuro che a casa con voi...»

Il collo di Deva si riempì di macchie rosse. «Siamo venute a prendere dell'erba» tagliò corto, poi sbatté le ciglia. «Mi dai anche un po' di Vicodin? Fa bene al dolore.»

Si indicò il gesso intorno al gomito.

«È il secondo gesso in pochi mesi, vero? Forse devi cominciare a guardare dove metti i piedi, ragazza dalle ossa sottili» disse Bob. Corrugò la fronte e andò a un armadietto sulla terrazza. Aprì un cassetto e tirò fuori pasticche ed erba. Deva gliele strappò di mano, gli diede una banconota accartocciata e un bacio sulla guancia.

In quel momento una bambina con i capelli sporchi, la bocca nera e una maglietta extralarge coperta di vernice ficcò la testa fuori dalla finestra della cucina.

«Pa-pà!» si lamentò. «Ho fame. Non c'è niente da mangiare.»

«Orsa!» Bob aveva di nuovo i nervi scoperti. «Toccava a mamma fare la spesa. Doveva andare al mercato a prendere il cibo per la casa principale!»

«Sì, ma ha detto che tu hai un'amicizia strana con la fruttivendola e lei non vuole andare a fare la figura della stronza. Ha detto di dirti così.»

Lasciammo padre e figlia alla loro discussione e ce ne andammo tra le capanne colorate. La comune si diradava via via che ci inoltravamo nel bosco, le casette scintillanti di lamiera scomparvero alle nostre spalle. Eravamo di nuovo tra gli alberi, sulla riva di un torrente. Una fila di luci di Natale pendeva tra i rami delle querce. Si accendevano e spegnevano come lucciole, illuminando la sponda opposta del fiume. Dopo il fresco del tramonto era di colpo tornata un'ondata di calore. La brezza marina aveva smesso di soffiare e ogni cosa aveva cessato il suo lavoro quotidiano. La riva era costellata di arbusti di more che ci impedivano il passaggio, ma Deva le spostava con grazia e determinazione, infilando le dita negli spazi tra le spine e proseguendo in avanti. Raggiungemmo un prato dall'altro lato del fiume. In mezzo all'erba alta c'era una casetta di pietra, con una vasca da bagno all'aperto perfettamente funzionante e una catasta di legna da ardere impilata accanto alla porta. Era l'eco-chalet di Bob, spiegò Deva. Lo affittava ai turisti europei che volevano vivere come hippie.

«Dormi con i topi al buio e gli dai pure i soldi.» Rise. La porta d'ingresso non era chiusa a chiave, come tutte quelle del canyon. C'era un tavolo storto; scaffali di libri pieni di cibo in scatola, vino scadente e manuali di meditazione; una brandina e una scala che portava a una zona letto soppalcata. Presi dallo scaffale la bottiglia di Merlot. Aprimmo un pacco di Doritos e ci attaccammo alla canna.

«Che schifo!» rise Deva, sputando l'ultimo sorso. Circondammo la vasca da bagno all'aperto di candele e lei cominciò a riempirla di acqua. L'aria della sera era frizzante, nell'oscurità tra gli alberi si muovevano creature, ma non ne avevamo paura perché eravamo già ubriache e Deva era una ragazza di campagna che sapeva combattere le bestie, disse. Si tolse la felpa e la canottiera sottile che portava sotto. Aveva i seni piccoli e coperti di lentiggini come il resto del corpo. I suoi capezzoli erano duri, di un rosso acceso come piccole mele. Mi tolsi anch'io i vestiti, rivelando la mia abbronzatura estiva e i seni bruni. Li guardò.

«Nudista» disse. «Scandalo!»

Senza levarci le mutande infilammo le dita dei piedi nell'acqua calda, rabbrividendo e ridacchiando per quell'improbabile contesto domestico: una vasca da casa in mezzo a un campo. Faceva fresco e ci calammo in fretta nell'acqua bollente, gridando "ahi" per i nostri sederi in fiamme.

Deva spostò il gesso del gomito intorno alla vasca con fare esperto, come se quella fosse una disabilità permanente, era abituata a barcamenarsi con una cosa sempre rotta o contusa.

«E se ci beccano?» le chiesi.

«Gli piacerebbe, a Bob. Che faresti se fossi un cinquantenne spelacchiato con una moglie pazza e trovassi due bellissime ragazze nude in una vasca in mezzo a un campo?»

«Mi sa che hai ragione.»

«È un personaggio, Bob, eh? Sta qui da sempre. Rimedia tante clienti chic di Beverly Hills che vengono a farsi i trattamenti da lui. È per questo che Heide è gelosa.»

«Che trattamenti?»

«Terapia dell'urlo, terapia della risata, terapia di qualunque cosa.»

Deva rise di gusto, bevve un gran sorso di vino, poi cercò le sue pillole di antidolorifici nella busta di plastica nella tasca dei jeans.

Ne prese tre e me ne passò una. Mandò giù le pillole con il vino e immerse la testa nell'acqua.

Mi appoggiai indietro e guardai il cielo. Era di un nero profondo e pieno di stelle, non quelle sfocate della Valley che avevo visto con Arash – poverelle, cercavano disperatamente di brillare attraverso l'aria inquinata –, ma stelle vere, scintillanti come quelle dei cartoni animati, stelle di un'altra epoca in cui le cose erano giuste e andavano bene. Aprii il rubinetto con le dita dei piedi. Eravamo contenute dal suono dell'acqua che gocciolava, creando un'illusione di privacy. Nella vasca le nostre gambe si toccavano. Il trucco di Deva era sbavato e lei fissava il vuoto. La vidi lasciare il suo corpo a poco a poco, carica di vino e pillole, finché non fu completamente fuori.

«Siamo in mezzo alla natura» biascicò.

«In un campo» provai a rispondere strascicando anch'io le parole, ma ero troppo sobria e lei era già troppo andata. Bevvi altro vino, provando a raggiungerla.

Deva rise, abbandonandosi a un'ondata di piacere. Sembrava voler saltare su qualunque corrente che la portasse via dal momento presente, anche se il momento presente non aveva nulla che non andasse.

Mi gorgogliò lo stomaco. Dovevo mangiare. Mi risollevai nella vasca e di colpo ricordai che quella sera avevo invitato Henry e sua madre a mangiare i saltimbocca a casa mia. Probabilmente già mi stavano aspettando. Il pensiero di un vitello fatto a pezzi e cucinato in padella con la salvia e il burro mi fece subito star male e non appena cominciò a farmi effetto il Vicodin lasciai annegare quel pensiero e sprofondai di nuovo in acqua.

Restammo lì, mezzo addormentate dagli antidolorifici. I nostri corpi si muovevano in piccole onde. Le gambe intrecciate, le dita dei piedi che gocciolavano a terra dall'orlo della vasca e poi si immergevano quando fuori diventava troppo freddo. Il tempo passava. Aggiungevamo altra acqua calda, mormorando, dimenticando le cose che avevamo appena detto. La sola cosa che ci dava stabilità era la distesa di stelle sopra di noi, ci ricordavano che eravamo noi a guardarle dal basso e per questo, per forza di gravità, eravamo sulla terra. Tutto dentro di me si fece caldo e annebbiato. Quando Deva parlava, si sporgeva in avanti e il suo corpo si torceva in una spirale bellissima. La luce delle candele le ammorbidiva il volto, ma quando rideva, una strana presenza tratteggiava i suoi lineamenti.

Sedici

A novembre mio padre annunciò che avrei saltato la scuola per qualche tempo. «Ci serve aiuto sul set. Reparto costumi. È perfetto per te.»

«E la scuola?»

«Non c'è problema, Max mi ha spiegato che le attività extracurriculari ti fanno guadagnare punti. Le università apprezzano gli interessi variegati dei loro futuri studenti.»

«Credo che il punto sia fare le attività extracurriculari *dopo* la scuola.»

Mio padre era chino sulla sua lunga scrivania di quercia: stava cercando di riparare la telecamera che avevano affittato per riprendere i provini. Alzò le sopracciglia indicando con gli occhi una voluminosa sceneggiatura appoggiata sul tavolo, la prese e me la mise in mano.

«Giriamo lunedì. Ci mancano una serie di abiti. Leggi il copione, controlla le taglie degli attori, trova quello che ci serve.»

Tornò a imprecare con il naso dentro la telecamera. Il campanello suonò due volte. C'erano gruppi di attori che camminavano avanti e indietro per tutte le stanze, ripetendo le battute con intonazioni diverse. Alcuni sedevano davanti al camino elettrico del soggiorno fissando le modeste fiamme finte. Prima di trasformare casa in un ufficio di produ-

«Ma è niente! Perché ha accettato?»

«Credo sia per i punti extracurriculari.»

«Henry nemmeno ci va più a scuola... Quali punti?»

«Be', senti, abbiamo fatto amicizia. Ci sta simpatico. Gli ho promesso di insegnargli delle ricette italiane e credo che sua madre abbia parecchio bisogno di nutrirsi un po' meglio di come sta facendo. Che ti devo dire, è vietato?» Soffiò su due biscotti e ne smangiucchiò la punta. «Mmh, mi sono venuti davvero bene stavolta.»

Arrivò Max. Era di nuovo al telefono portatile e discuteva in spagnolo.

«¡Lo sabía! Esto no es posible! Hay que decirles a bajar el alquiler de la suite de Valentino!»

«Esci da qui!» gli dissi perdendo la pazienza.

«Non urlare!» urlò mia madre.

«Avrei dovuto continuare a scrivere testi per le rockstar. È decisamente più facile» mormorò Max fra sé e uscì sbattendosi dietro la porta.

Volevo scappare, ma non avevo dove andare, allora tornai in bagno e chiusi la porta. La verità era che non mi importava più nulla. Non volevo la cupezza di Henry tra i piedi. Come poteva capire le mie giornate a Topanga se non aveva mai tolto gli occhi dallo schermo del videogioco che aveva in negozio? Da quando uscivo con Deva non mi interessavano più né lui né il negozio, nulla che non fossero prati verdi, rocce rosse e comuni. A casa si parlava solo del film di Ettore, degli attori, del cast e dell'agente di Johnny Depp che aveva chiamato o non chiamato. Max vagava di stanza in stanza lasciando una scia di piatti sporchi e posacenere stracolmi. Lo sentivo ridere e discutere di cinema con mio padre fino a notte fonda: guardavano e studiavano film horror, ma io ormai ero caduta sotto un nuovo incantesimo. Topanga era come una forza, un magnete che mi tirava fuori dalla mia camera da letto, dalle aule di scuola. Era una nuova versione dell'isola siciliana, un posto dove potevo entrare in contatto con qualcosa di primordiale. Quando non ero nel canyon, pensavo al canyon, e quando ero nel canyon passavo ore a guardare i falchi volteggiare sopra le rocce, a sentire il vento forte che saliva dalle spiagge, immerse nella foschia. Mi lasciavo colpire in faccia. Amavo essere così in alto, la luce del sole tagliava le nuvole e mi bruciava la testa. Permettevo a quella natura selvaggia e famelica di colpirmi e incassavo i suoi colpi con gioia. Mi sentivo più forte. Potevo accettare i cambiamenti climatici imprevedibili senza alienarmi. Stavo imparando a non aver paura dei coyote randagi, dei ragni, dei serpenti e delle rane che gracidavano nel ruscello sotto casa di Deva e si infilavano nei miei sogni.

Dopo scuola, io e lei prendevamo il pullman per Topanga e salivamo a piedi fino alla casetta fatiscente della comune, dove facevamo lunghi bagni nella vasca all'aperto, a mollo nell'acqua bollente a bere vino cattivo. Nei weekend aspettavo che Deva uscisse di nascosto dalla finestra e mi raggiungesse alla fine del vialetto di casa sua. Giravamo per il canyon di notte. Tornavo a casa con l'autobus la mattina presto mentre i miei dormivano ancora, e collassavo a letto felice. Le notti buone erano quelle in cui camminavamo sotto a lune enormi, immerse nella natura, e il canyon era silenzioso e bellissimo. Ci nascondevamo tra gli arbusti della comune e dall'oscurità spiavamo Bob e le sue sedute di urla. Le notti brutte erano quelle in cui il padre di Deva la oberava di lavoro. Quando doveva fare i turni in più al ristorante per pagare il riscaldamento. Quelle notti usciva dal ristorante completamente ubriaca. Si faceva di antidolorifici e aveva voglia di sfasciare cose, spaccava le bottiglie nei parcheggi e rubava la posta agli altri per buttarla via. Io la assecondavo. Qualunque cosa facesse, la sua risata calda era sempre una festa. Quando le chiedevo in cosa consistesse il suo lavoro per il padre, sospirava e diceva che lo aiutava con la sua musica, e che era una cosa normale a Topanga, una cosa che io non avrei capito. Lì i ragazzi non venivano trattati da ragazzi, tutte le famiglie erano così. C'erano giorni in cui lavorare per il padre voleva dire non presentarsi a scuola. E io la guardavo storta, pensando fosse ridicolo saltare le lezioni per ragioni così futili, senza riconoscere che mio padre mi stava chiedendo di fare la stessa cosa. Anche se Deva ogni tanto si lamentava della sua situazione, capivo che c'era un linguaggio segreto che mi sfuggiva. Lì le famiglie erano dei clan antichi e ci si aiutava sempre l'un l'altro. Erano una tribù e se io non li capivo era solo perché non ne facevo parte. E poi il padre di Deva veniva dal Montana. Era cresciuto con un grande cielo sopra la testa e un senso di possibilità infinite, con le vacche e i ranch, tagliando le palle dei vitelli con il coltello. Aveva allevato due gemelli da solo, conosceva il lavoro duro e la determinazione. Aveva assaggiato il successo e poi il fallimento, e in mezzo a tutto questo era riuscito a tenere con sé i figli. A volte li metteva in punizione, a volte li sgridava e Deva spariva per un po', ma non riuscivo quasi mai a farla parlare di quelle cose lì. Diventava nervosa, si arrabbiava se facevo troppe domande. Era imprevedibile. Un momento era aggressivamente giocosa e poi di colpo si estraniava. Diminuiva o aumentava la distanza tra noi in modo brutale anche solo con il battito di un ciglio. Non sapevo mai quale personalità avrebbe tirato fuori, ma avevo imparato a navigare tra i suoi cambi d'umore improvvisi. E ne valeva sempre la pena perché, quando poi tornavo a Van Nuys dopo le nostre avventure, mi sentivo come una regina che scendeva da una montagna magica. Ogni giorno che passavo lassù sentivo le mie spalle e il mio petto che si facevano larghi. Quando tornavo nella valle vagavo per le strade del quartiere con occhi nuovi. Non ero più sola.

Diciassette

Mio padre pensava che per fare un film bastasse circondarsi dei membri fidati della propria famiglia. E noi gli credevamo. Sarebbe stata una cosa all'italiana, un affare di famiglia come facevano i Coppola. Ci spiegò che il cibo migliore si mangiava nei ristoranti a conduzione familiare perché tutti erano interessati al successo dell'impresa. «Con i film è la stessa cosa» diceva. «Quando si fanno le cose in famiglia, rubare ai proprietari è come rubare a se stessi.»

Il primo giorno di riprese, io, Henry e Timoteo arrivammo davanti all'Hotel Morgan alle sette del mattino per evitare il traffico delle freeway all'ora di punta. Henry era stato incaricato di portarci sul set. Per raggiungere la hall del vecchio albergo dovevamo schivare la distesa di corpi dei senzatetto che dormivano sui cartoni davanti all'ingresso. Mia madre era già nel foyer che armeggiava con un walkietalkie in preda all'agitazione.

«Non ti sento!» urlava a mio padre nel ricevitore. «Pronto! Non ti sento! Questo coso non funziona, cazzo!»

Io e Henry eravamo al reparto costumi e scenografia, ma praticamente non ci parlavamo. La sua presenza mi dava fastidio, era come se un'altra camera da letto, un altro angolo segreto di scuola, un altro armadio di vestiti fosse stato invaso dalla personalità dei miei genitori, un'altra cosa piccola che avevo scoperto non era più mia: per questo mi tenevo lontana. Katrina, una donna ecuadoriana del salone di bellezza che faceva unghie ed extension su Spring Street accanto all'albergo, fu chiamata in extremis per aiutare le ragazze del trucco e parrucco, un paio di tossiche di Portland che avevano la tendenza a fare tutto con estrema lentezza. Ne avevo vista una addormentarsi davanti allo specchio mentre sistemava i capelli di un'attrice. Dissi a mio padre che secondo me doveva licenziarla, era evidente che non era affatto *clean*, come sosteneva lei, e forse anche i segni sulle braccia dovevano dirci qualcosa, ma lui mi replicò che ero in cattiva fede, la ragazza era stanca perché si era svegliata presto.

«E poi non troveremo niente di meglio a quelle cifre.»

Mia madre faceva l'assistente alla regia e si occupava anche del catering. Mio fratello era il runner, ma spesso si trovava anche in veste di viceorganizzatore generale. Faceva le commissioni in bicicletta e tentava di controllare che tutti fossero puntuali, o che almeno facessero quel che dovevano fare. Max aveva messo su una squadra di studenti di cinema della UCLA per i reparti di suoni e luci. Quattro su sette degli attori protagonisti avevano un altro lavoro. Il resto viveva ai margini dello show business. C'era una linea sottile che separava le due categorie. A prima vista non notavi le differenze. Sembravano tutti all'altezza: erano fisicamente in forma, nasi e seni rifatti dagli stessi chirurghi, avevano l'eyeliner tatuato sulle palpebre come tutti i professionisti di prima fascia. Ma qualcosa non quadrava. Era difficile da definire finché non ci parlavi e scoprivi che erano tutti camerieri, insegnanti di recitazione nei licei, nutrizionisti, voice coach. La star del film, però, aveva fatto molti episodi di "Baywatch" e "Beverly Hills 90210". Si chiamava Vanessa Peters ed era stata selezionata per una grossa commedia romantica dove però alla fine avevano preso la solita Drew Barrymore. Non si poteva mai parlare di Drew Barrymore in sua presenza. Era un tipo particolare, minuta ma piena di carattere, una texana con una voce roca molto sexy. Arrivò sul set con un assistente sottomesso e devoto che aveva l'alopecia. Era una delle poche persone a possedere un cellulare e tutti sapevano che era stata fidanzata con David Lynch.

Mia madre si installò nella cucina abbandonata al pianoterra dell'albergo, accanto alla sala da ballo. Strofinò per bene i vecchi fornelli con spugna e sgrassatore, inforcò il suo grembiule e cominciò a cucinare la pasta per la troupe ogni giorno a pranzo. Le attrici all'inizio chiedevano il "condimento di uova" a parte per le loro carbonare, ma Serena spiegò fermamente che la pasta era un'esperienza totale, i gusti dovevano essere in connessione tra di loro, e lasciarono tutte perdere la dieta. In poco tempo la sua cucina aveva conquistato i cuori della troupe e molti membri si erano innamorati segretamente di lei.

«Questo cibo ha il sapore della casa che non ho mai avuto, Serena» le diceva sempre un facchino con occhi sognanti.

Il direttore della fotografia, un fattone di Big Bear Mountain con le borse sotto gli occhi, a volte si scordava di premere REC. I fonici si dimenticavano di segnalare il rombo degli elicotteri della polizia che disturbava la presa diretta, e la segretaria di edizione non aveva alcun interesse per la continuità narrativa e fotografica del film. Spesso eravamo io e Henry a notare i costumi sbagliati o la presenza di improbabili oggetti di scena piombati dal nulla, ma nonostante queste difficoltà mio padre era zen e avvolgeva ogni piccolo disastro con un balsamo addolcente e un sorriso caloroso. Non si arrabbiava mai. Gli dèi erano finalmente dalla sua parte, diceva. Le tessere sarebbero tutte andate a posto perché questo film aveva uno scopo elevato e una vita propria. Questa era il punto, quel film era il destino. Lui lo sapeva e ci conduceva con grande sicurezza come un ministro che predicava la predestinazione e il successo inevitabile. Le sue superstizioni all'italiana erano amplificate dalle sue altrettanto italiane idiosincrasie cinematografiche: purché nessuno si fosse vestito di viola e tutti avessero portato un cornetto rosso in tasca, sarebbe andata bene.

Il suo approccio dogmatico ci fece sentire sicuri di noi e la nostra fede pagò. "Variety" pubblicò un articolo in anteprima sul film. Era intitolato: *Glorioso hotel dimenticato rinasce grazie a produzione indipendente italoamericana.* Era scattato qualcosa. Si erano accorti di noi. La notte mio padre studiava il suo slang americano davanti alle repliche di "Beverly Hills" per poter comunicare meglio con gli attori.

Rispondeva a Dylan: «What's up *man*? *Ma-an*? You're not *cool*. You're not *cooool*. What's up *dude*? *Duud*? *Dud*?».

Voleva essere affabile e rilassato come lo erano i californiani, e per esserlo doveva sicuramente rinnovare il suo guardaroba europeo. T-shirt al posto delle camicie e calzini di spugna al posto di quelli di seta. Era un grande sforzo per lui, ma sapeva di doverlo fare. Offrì a Serena altri tagli alla Meg Ryan e tinte biondo platino, cominciò ad andare in palestra alle cinque del mattino prima di venire sul set e indossava cappellini da baseball.

«Qui si fa così. Hai mai visto Spielberg? Va in giro in tuta! Tuta e giacchetta sportiva acetata e cappellini. Non conosco un singolo regista a Roma che *toccherebbe* una giacchetta acetata. Ho buttato le mie Church's. Non voglio che pensino che sono un europeo snob. Voglio essere affabile e amichevole, voglio essere *dude*.»

La gente di Hollywood che aveva incontrato grazie a Max durante l'estate aveva letto l'articolo di "Variety" e si era incuriosita. Cominciarono a venire a trovarci sul set per dare un'occhiata. A Johnny Depp piaceva molto l'idea del film e soprattutto era affascinato da quel luogo decadente e dimenticato. In un momento di simpatia venne sul set per fare un cameo come facchino in una scena in ascensore. Mio padre e Max si scattarono una Polaroid con lui nella cabina. Avevano visto lungo. Corteggiare il suo agente e creare "il compost necessario", come lo chiamava mio padre, stava dando i suoi frutti.

L'Hotel Morgan era stato un luogo affascinante, di grande eleganza: una vera Mecca di Hollywood negli anni Venti. Dalla hall erano passati ballerini di tip tap, sorrisi immersi nel fumo di sigarette filtrate da lunghi bocchini d'avorio, le labbra a forma di cuore, tinte di rossi profondi, i riccioli cotonati. Rodolfo Valentino aveva avuto la sua suite personale lì. Charlie Chaplin aveva fatto le sue sedute di improvvisazione nella lobby art déco e l'attore western Tom Mix amava comparire al pianterreno in sella al suo cavallo. Era stato un punto di riferimento per gli spiriti selvaggi della città, luogo di feste, pieno di tappeti esagerati, colonne di marmo, soffitti rivestiti di sfoglie d'oro. La sala da ballo nell'ammezzato aveva i lucernari di vetro di Tiffany, colorati come le rose delle chiese. Adesso era una discarica. Puzzava di prodotti per pulire e ci vivevano personaggi sinistri e fantasmi e la cosa aveva cominciato ad attirare i registi più nostalgici.

Dario Argento venne a trovarci da Roma. I fratelli Weinstein della Miramax, che amavano la cultura italiana e producevano e distribuivano film indipendenti e stranieri, chiamarono Ettore per congratularsi personalmente, sbigottiti all'idea che fosse stato uno straniero a scoprire e rivalutare uno dei più preziosi tesori perduti della città. Gli proposero di dare un'occhiata al film finito, magari in vista di un accordo per la distribuzione. Mio padre e Max erano elettrizzati. Membri della storica famiglia Huston cominciarono a presentarsi per pranzo. Qualcuno aveva sparso la voce che mia madre era bravissima in cucina e Mario Sorrenti, il fotografo di moda sulla cresta dell'onda, che aveva lavorato con Kate Moss alla famosa campagna pubblicitaria di Obsession, scelse il Morgan come location per il suo prossimo lavoro. A casa iniziavano timidamente a sussurrare: «Visto? Ce l'abbiamo fatta!».

Non avevo mai visto i miei genitori tanto felici e sicuri di sé. Si poteva quasi dire che fossi felice anch'io. Incoraggiata dall'entusiasmo generale per la sua cucina, Serena cominciò a dare lezioni nella sala da ballo. Il soffitto di vetro colorato di Tiffany era perfettamente conservato e rifletteva una luce opaca che ti faceva pensare di essere dentro un vecchio film. La sala sembrava ancora più grande per via degli enormi specchi dorati che si affacciavano stoici dalle loro cornici marce dentro alle nicchie di gesso. Le tossiche del trucco e parrucco, che di solito si cibavano delle palline commestibili che galleggiavano nelle loro bibite Orbitz – "Sono i drink perfetti perché puoi mangiare e bere allo stesso tempo. Pazzesco" dicevano –, erano particolarmente felici dei corsi di cucina tenuti da Serena. Mia madre guardava quelle bottiglie con le palline fluttuanti con orrore.

«Quello mica è cibo.»

Costruì il suo angolo cucina su un piano d'acciaio e inforcò gli occhiali da lettura per vedere da lontano. Quando se li tirava indietro sulla testa, la montatura le schiacciava i capelli fino agli occhi come tapparelle, ma lei continuava per la sua strada a parlare di soffritti.

Mise una pentola piena d'acqua su un fornello, pelò degli spicchi d'aglio e si schiarì la gola.

«Non *friggete* l'aglio come tutti gli americani senza gusto! Non lo *bruciate*, basta solo che l'olio prenda un po' di sapore.»

Le maestranze la guardavano in piedi, a braccia conserte con le teste inclinate. Nessuno aveva mai parlato loro così.

Amavano la sfacciataggine di Serena e cominciarono perfino a imprecare in italiano per dimostrare la loro solidarietà con la famiglia: era tutto un "Che cazzo!" o "Madonna mia!" ogni volta che qualcosa andava storto, il che voleva dire molto spesso. Finché mangiavano o cucinavano, non si lamentavano dei ritardi nei pagamenti e della disorganizzazione. Non si parlò mai di sindacati. L'associazione degli attori non fu neanche menzionata.

Henry frequentava le lezioni di mia madre in modo religioso. Più amava i miei, meno volevo avere a che fare con lui. Facevo lunghe passeggiate a downtown, l'unica parte di Los Angeles in cui si poteva camminare che non fosse un grande magazzino. Il quartiere puzzava di tombini fumanti e cibo da bancarella, l'odore delle vere città. Negozi etnici e banchi dei pegni, gli indiani che vendevano gioielli, i cinesi degli elettrodomestici, i ristoranti thailandesi, negozi di musica con i messicani che pompavano da enormi altoparlanti salsa e merengue sul marciapiede. Niente polizia, ma tanti barboni e *cholos*, teppisti ispanici che si facevano le canne. Nei vicoli si comprava il crack alla luce del sole. La gente camminava con le buste della spesa di plastica scadente, quelle che usavamo noi da Food4Less. Sembravano anime in pena, volti bruciati, zombie barcollanti che inalavano smog e ricordavano a malapena le semplici gioie di un prato verde o di un mare blu. Molti degli abitanti di downtown non lo avevano mai neanche visto il Pacifico. Io mi accodavo a quella folla di volti desolati, camminavo accanto a loro, chiudevo gli occhi e provavo a immaginare le ondate del passato: sentivo i tacchi dei ballerini che sbattevano contro il marmo delle sale da ballo, il vociferare dei produttori e degli attori durante i loro tea party, i tavoli da gioco, le soirée. Charlie Chaplin, Greta Garbo, Mae West e Rodolfo Valentino avevano calpestato quei marciapiedi di Spring Street. Sentivo i cubetti di ghiaccio dei loro cocktail tintinnare in bicchieri invisibili e annusavo il fumo che usciva dalle loro bocche dipinte.

In un palazzo simile al Morgan scoprii un intero piano in cui delle signore vietnamite, curve sulle macchine da cucito, ricamavano dei gilet di seta con delle fantasie di boccioli e bambù. Mi accolse un sarto, chiese se cercavo qualcosa in particolare. Gli dissi che stavo lavorando per un film: era il mio nuovo biglietto da visita quando entravo nei negozi che mi piacevano. Gli si illuminarono gli occhi. Mi regalò delle tende di raso turchesi.

«Portale sul set. Vedi se ne vogliono altre. Ti chiedo solo di citarci nei ringraziamenti dei titoli di coda.»

Feci promesse che non potevo mantenere in cambio di stoffe bellissime. Si aprì un nuovo canale di scoperte vintage e cominciai a mettere da parte le cose che pensavo potessero piacere a Deva. Raccolsi camicie con maniche da pipistrello da un negozio di Bombay, capi vintage haute couture, abiti da cocktail anni Trenta, lingerie di pizzo antico trovata dentro la cassapanca di una bottega senza insegna nella cantina di un vecchio palazzo. Portavo tutto quello che trovavo al Morgan, organizzando e catalogando le mie scoperte in fondo al camerino, come avevo fatto al negozio di Henry. I miei genitori avevano nutrito la loro passione e ora io facevo lo stesso con la mia. A casa aprivo la lettera della University of Southern California. "La incoraggiamo vivamente a fare domanda." Rileggevo quelle parole continuamente per assicurarmi che la carta non sapesse cambiare idea.

A volte perdevo la cognizione del tempo e tornavo sul set in ritardo. Successe anche il giorno in cui si girava nella suite di Valentino. La stanza era stata fotografata e menzionata nell'articolo di "Variety" e ora tutti erano curiosi di vederla, così quando arrivai in camerino per depositare i miei nuovi acquisti, lo trovai vuoto. Dalla stanza accanto sentivo la voce smorzata di Max che parlava al telefono. Quando gli passai davanti mi rivolse uno sguardo che non gli avevo ancora mai visto, una specie di ghigno imbarazzato e goffo. Proseguì la sua conversazione in spagnolo e io tirai dritto.

Diciotto

Pioveva forte e la terra era bagnata. Niente più passate glorie e sale da ballo infestate da fantasmi. La forza vitale del canyon mi attirava a sé mentre ci tornavo. Terrazzamenti di alberi di mele, antichi uliveti, pascoli e casette di pietra con le campanelle a vento e i prismi colorati che rifrangevano la luce delle vecchie finestre sporche. Capanne di legno custodite da statue di angeli e santi, tasselli arcobaleno che pendevano dai batacchi di bronzo. La terra sembrava di argilla e il fumo che usciva dai camini mi riportava agli inverni in Toscana e alle feste natalizie. Topanga era uno dei pochi posti in cui le stagioni parevano reali. Camminavo sul margine della strada principale, ero sotto Vicodin. Deva prendeva antidolorifici da giorni. Si era fatta male alla spalla cadendo dall'amaca, ruzzolando per la collina. Bob aveva ragione. Doveva stare più attenta. Si era ingozzata di farmaci e ne voleva ancora.

Arrivammo alla comune tutte bagnate. Heide ci vide dalle finestre della casa padronale e uscì, puntandoci contro tutte e dieci le dita, come per lanciarci addosso fulmini e ratti infetti. Ci cacciò via con una faccia da strega, farfugliando in olandese.

Volevo andarmene di lì, ma Deva insisteva che dovevamo trovare Bob e per farmi star zitta mi diede la sua ultima pillola.

Salimmo su per la collina laterale per evitare la furia di Heide. Le fogne intorno alle baracche stavano traboccando, il vento forte aveva strappato le bandiere tibetane dai pali, spedendole giù per i canali di scarico. Gli abitanti della comune avevano abbandonato i cottage allagati ed erano corsi a rifugiarsi nella casa centrale.

Quando raggiungemmo lo studio in cima alla collina, il Vicodin aveva cominciato a fare effetto e mi rilassai. Bob era in piena seduta e ci toccò aspettarlo. Ci riparammo dalla pioggia sotto al tetto di lamiera, osservandolo attraverso le finestre opache di condensa, come avevamo fatto tante altre volte. Respirava contro la pancia di una donna nuda, premendo sul suo seno con le mani aperte. La donna stesa sul pavimento si colpiva il petto.

«Sono una buona madre!» gridò.

«Ancora!» la incoraggiava Bob, roteandole sul corpo con movimenti sinuosi.

Lei continuò a urlare che era una buona madre, mentre noi, un po' intontite dalle pasticche, le fissavamo il grosso cespuglio di peli pubici. Il fango scorreva giù per il monte e si accumulava addosso alle case. Una delle capanne più piccole, su in alto, cominciò a smottare. Un giovane hare krishna uscì di corsa a piedi nudi con un armonium indiano in spalla. Bob non interruppe la sua seduta ma alzò la testa e guardò verso le finestre con un'espressione spettrale. Pioveva così forte che pensavo che quel terriccio avrebbe inghiottito a breve tutta la comune con le sue donne nude urlanti e le bambine selvatiche.

Terminata la seduta, Bob si precipitò fuori e, quando ci vide come due anime in pena, indifferenti alla pioggia e al fango, si spaventò. Deva gli diede un abbraccio confuso e barcollante, troppo rilassato considerata la gravità delle circostanze.

Bob mi guardò. «Ma come state messe? Guardatevi!»

Insistemmo per il Vicodin anche se tutto stava cadendo a pezzi. Ragazzi nudi correvano allarmati, scivolando giù per la collina sporchi di fango. A noi non importava. Una volta ottenuto quello che volevamo, corremmo dritte dentro la tempesta.

Ora che aveva le nuove pillole, Deva aveva un altro aspetto. Il viso le si illuminò e riprese colore. Ci lasciammo andare giù in quella melma ridendo, le scarpe e i pantaloni che sguazzavano nel fango. Fumavamo sigarette bagnate che continuavano a spegnersi e ridevamo per quanto ci sembrassero sconnesse tutte le parti dei nostri corpi. Il torrente che attraversavamo di solito per arrivare alla casetta con la vasca da bagno era diventato un fiume in piena e, quando raggiungemmo finalmente la strada, la trovammo piena di pompieri e macchine della polizia con le luci delle sirene accese. Sembravano delle gemme sbiadite dalla pioggia. Davanti a noi una roccia colossale a forma d'uovo sedeva inamovibile, una presenza maestosa alta otto metri. Il masso era caduto dalla montagna, bloccando il traffico e distruggendo una sezione della strada statale che univa la Valley alla Pacific Coast Highway. Era vietato il passaggio a pendolari e visitatori fino a nuovo ordine. Eravamo isolati dal resto della città.

A casa di Deva, ci passammo l'alloro sulla bocca e i capelli per coprire l'odore delle sigarette, ma le foglie erano bagnate e non facevano il solito effetto. Le finestre e le porte della casa principale erano aperte e sbattevano al vento.

«Deva! Sei tu?» chiamò il padre da dentro. «Vieni subito qui!»

Deva mi spinse dentro la sua camera e si chiuse la porta alle spalle, di colpo sobria. Si sistemò i capelli rapidamente e si strofinò gli occhi con le dita per darsi un'aria più fresca. Bisbigliò che dovevo andarmene e corse via. Guardai la tempesta fuori dalla finestra cercando di valutare se fosse possibile camminare giù per la montagna fino alla Valley, ma le gole del canyon si erano trasformate in fiumi in piena. Aspettai lì indecisa e a disagio. La stanza era fredda. Il livello dell'acqua cominciava a salire. Presto sarebbe fluita attraverso le tavole di legno del pavimento della camera di Deva e sotto al letto. Tenevo le orecchie puntate verso la casa principale. Silenzio e pioggia, poi il padre di Deva cominciò a urlare, ma non capii per quale motivo. Sentii sbattere una porta, poi dei passi risoluti che scendevano per la collina, calpestando il pacciame. La porta della casetta di Deva si spalancò. Suo padre era lì, i capelli tirati indietro nella solita coda di cavallo striminzita, gli occhi a fessura che spingevano per aprirsi di più. La barba era ancora più lunga, divisa in due blocchi laterali perché i peli al centro del mento erano cresciuti più lentamente. Il viso appariva più rossastro di come lo ricordassi e i jeans sporchi e logori. Le rughe attorno agli occhi scendevano fino alle guance, ma non era quella la cosa che ti colpiva a prima vista. Erano gli occhi, di un marrone dorato, così penetranti e luminosi che lo rendevano un uomo senza età.

«Insomma, Deva sostiene che non è andata a lavorare perché tu eri qui nel canyon e non sapevi come tornare a casa.»

«Sì... è caduto un masso in strada e ha bloccato il traffico.»

Prese fiato, esaminò la stanza con aria sospettosa, poi posò lo sguardo ancora su di me. «Ti ho già vista, vero?»

«Sono venuta qui una volta, con Chris.»

Andò alla finestra e la chiuse. «Ecco: altrimenti qui diventa troppo umido e vi fanno male le ossa.»

Sorrisi e ringraziai.

«Be', non startene lì in piedi. Fa freddo qui. Sali su in casa e avvisa i tuoi!»

Lo seguii su per il giardino. Camminava lento come un bisonte, oscillando da una parte all'altra. L'abitazione principale era una grande camera unica, alle pareti le copertine impolverate di dischi e premi musicali che il padre aveva ricevuto molti anni prima. Gli album avevano i nomi mistici a tema trascendentale tipici degli anni Settanta, COSMIC SANDS, VESUVIUS, VACANT VOODOO. Su una delle copertine con la scritta SAROFEEN AND SMOKE fatta a forma di fumo, c'era l'immagine di gruppo di musicisti molto cool seduti a gambe incrociate su una roccia sopra quello che mi sembrava il torrente Topanga. Il padre di Deva doveva essere uno di quei tizi. Al centro del gruppo una donna bellissima.

«Aveva una voce» commentò il padre accorgendosi che la stavo guardando. «Meglio di Janis Joplin e Ellen McIlwaine. Uno di loro è finito a suonare con Muddy Waters...»

Feci un gran sorriso per mostrargli quanto fossi colpita. Sotto i vinili vidi alcune scatole di CD e cassette. Pescai la custodia rotta di un CD. In copertina c'era il viso di Phil Collins un po' lascivo in bianco e nero che guardava verso il basso; era *Another Day in Paradise*. Esaminai il libretto esaltata, cercando il nome di Max in grassetto da qualche parte, ma non lo trovai. Rimisi il CD nella scatola e diedi finalmente un'occhiata alla casa.

Era in uno stato pietoso. La pioggia aveva spalancato le finestre e riempito il pavimento di fango. A terra, lattine di birra vuote e asciugamani bagnati usati come stracci per assorbire l'acqua. Dai vasi scheggiati appesi al soffitto pendevano piante secche mezzo morte. Solo un angolo della sala era asciutto e pulito, ammobiliato come un perfetto ufficio. Deva si era seduta lì, davanti a una scrivania, su una sedia girevole.

Suo padre mi indicò il fax sul tavolo e mi invitò a chiamare i miei, poi scomparve in un'altra stanza. Deva girò lentamente sulla sedia e mi passò la cornetta. Si teneva con la mano la spalla dolorante, come a proteggerla dall'ambiente circostante. Accanto al fax lo schermo di un computer e una cornice d'argento con una foto di Deva: una bambina pallida di dieci anni dentro un ruscello del canyon che faceva una smorfia di fastidio con il sole negli occhi. Una serie di fotoritratti patinati da cantante del padre erano arrangiati iconograficamente attorno all'immagine della figlia, un altare inquietante.

Quando mio padre rispose al telefono, gli dissi che la strada era bloccata e non sapevo come tornare.

«Ma abbiamo bisogno di te sul set! Non sei professionale!» gridò.

Gli piaceva molto quella parola. Era un pezzo forte del suo nuovo arsenale. La sfoggiava spesso, forte delle sue polaroid con Johnny Depp e dei contatti con la Miramax. Riagganciò. Io feci finta che fosse caduta la linea e lo richiamai.

«Non mi attaccare in faccia. Non è colpa mia» dissi.

«Ora ho troppo da fare. Chiama quando sgombrano la strada e ti veniamo a prendere.» E riagganciò di nuovo.

Tenni in mano il ricevitore e continuai a parlare in italiano, fingendo che ci fosse ancora lui dall'altra parte. Non volevo che pensassero che la mia famiglia mi liquidava così. Guardai l'altare immacolato sulla scrivania, le cartelle ordinate e le foto professionali in bianco e nero del padre di Deva. Pensai alla scrivania di quercia di Ettore e ai piani di produzione perfetti che Serena e Max stampavano ogni settimana, quel tavolo era la sola cosa che venisse tenuta in ordine in quei giorni. Sentii un'ondata di senso di colpa. Mio padre aveva bisogno di me e io non ero con lui.

Chris mangiucchiava nggioline da una busta, appoggiato al muro in un angolo della cucina. Mi aveva fatto solo un cenno del capo, senza dire una parola.

Sentii il suono di uno sciacquone. Il padre di Deva uscì dal bagno e mi guardò.

«Mi pare di capire che rimani, quindi.»

«Non posso muovermi finché la strada è bloccata.»

Alzò gli occhi al cielo poi si rivolse a Deva: «Hai mandato i fax con i comunicati stampa?».

Deva si alzò di scatto dalla sedia e cominciò a frugare tra le cartelline. «Oddio, me li sono scordati!»

«Te l'ho detto cento volte! Dovevano partire ieri. Che perdita di tempo.» Avanzò verso di noi grugnendo. Diede a Deva uno schiaffetto sulla nuca e le strappò i fogli di mano. La figlia ridacchiò per scusarsi.

«Ti ho chiesto una cosa! *Una!*» Riorganizzò i fogli melodrammatico, e li passò alla figlia perché caricasse il fax.

«Lo stavo facendo!» si lamentò Deva e cominciò l'operazione.

Quando la figlia si chinò in avanti, la sua camicia le si sollevò scoprendole lo spacco del sedere. Il padre fece mezzo passo indietro e le guardò a lungo la schiena nuda, troppo a lungo.

«Non mi piace che ti metti questi pantaloni. Ti si vede il culo.»

Deva non rispose. Il fax fece un rumorino e cominciò a passare i fogli con cura. Li guardarono scorrere in giù.

«Bene» disse il padre dopo l'ultima pagina. Assorto, diede una carezza distratta al fondoschiena scoperto della figlia. «Fuori di qui, tutti e tre. Uscite. Devo lavorare. Se volete ci sono le uova fresche del Farmers Market per cena. E un po' di pane.»

Prese il posto di Deva sulla sedia della scrivania, accese il monitor e si infilò un paio di cuffie.

«Andiamo, dài» sussurrò Deva, alzando gli occhi al cielo.

Uscendo mi voltai un'ultima volta verso la scrivania. Dalle cuffie del padre uscivano i suoni ovattati di chitarre. Sullo schermo ora c'era un video musicale. Deva mi tirò per una manica, cercando di impedirmi di guardare, ma io indugiai abbastanza da vedere i suoi capelli lunghi e mossi che rimbalzavano da una parte all'altra. Era lei nel video. Portava i soliti pantaloni a zampa d'elefante, una maglietta bianca stretta tagliata sopra l'ombelico e una catenina d'argento intorno ai fianchi. Camminava su un sentiero sterrato tra una fila di acacie. Dal movimento delle labbra capii che cantava una canzone. Non potevo sentirla, ma vedevo il suo impegno, teneva i pugni chiusi contro la pancia, quasi tirandosi la musica fuori a cazzotti. I primi piani del suo viso lentigginoso si fondevano con le immagini del padre, sempre un po' gonfio ma molto elegante, non l'uomo dai jeans sdruciti e la coda di cavallo spelacchiata che conoscevo io. Fischiava appoggiato a una staccionata. Il video raccontava la storia di un uomo e una donna che si cercavano, i volti turbati dal desiderio, struggimento romantico e malinconia. Mi voltai verso Deva, ma lei mi evitò e mi spinse verso Chris, che stava aprendo le uova in una padella.

«Ceniamo in camera mia, dài» disse lei, mettendo alla rinfusa su un piatto due pezzi di pane tostato e un avocado.

Chris cominciò a strapazzare le uova.

Il tetto della capanna di Deva perdeva acqua. Sistemammo a terra delle pentole che rimbombavano sotto il suono grasso delle gocce, accendemmo delle candele e ci infilammo sotto le coperte infreddolite, ancora leggermente sotto l'effetto del Vicodin. L'avocado rimase intonso sulla scrivania. Non avevamo fame.

«Mi dispiace» disse Deva. «A volte mio padre è davvero stronzo.»

«Come mai è finito a vivere qui dal Montana?» le chiesi, cercando di tenermi sul vago.

«Si è trasferito negli anni Sessanta. È venuto nel canyon perché i musicisti vivevano tutti qui. Topanga era un posto veramente speciale quando eravamo piccoli. La notte ci accampavamo all'aperto sul fiume. Ci ha insegnato a dormire sotto le stelle, a riconoscerle tutte.»

«Allora è così che hai sviluppato il tuo lato selvaggio» risi.

Deva sospirò. Socchiuse la finestra anche se faceva freddo e si accese una sigaretta.

«Eravamo completamente liberi» disse, soffiando fuori il fumo e sporgendosi verso l'apertura della finestra per non farlo rientrare. «Non andavamo a scuola, mamma ci insegnava a casa. Eravamo noi e un po' di ragazzini della zona. Tutti di età diverse e studiavamo da libri diversi. Le lezioni di mia madre erano un po' strane, ma eravamo contenti, io e mio fratello. Eravamo le mascotte del canyon. Ci chiamavano elfetti gemelli perché sembravamo usciti da una fiaba irlandese, sai, i capelli rossi e gli occhi verdi... Da piccola avevo anche le orecchie a punta. Eravamo perfetti. Io ero la fatina irlandese, mi sentivo davvero la regina del canyon. Ci davano tutti da mangiare, cose da portare a casa, attrezzi per costruire, succhi di frutta. Era divertente.»

Quando le chiesi di sua madre fece una smorfia. Disse che da piccoli era calorosa e sorridente. Preferiva ricordarla così rispetto alla persona che era diventata dopo.

«E che persona è diventata?» mi avvicinai a lei sul letto.

«Mio padre era un fico da giovane: petto nudo, chioma lunga, super magro, birra in mano, una chitarra sulla spalla, stava sempre in giro, a suonare in qualche studio o a casa di qualcuno. I suoi capelli erano morbidissimi. Me li attorcigliavo tra le dita per addormentarmi la sera. Sembrava David Gilmour. Faceva la bella vita, ma a suo modo era, come dire, *presente*. A mamma non piacevano le feste, invece. Stava a casa, sdraiata su un divano sfondato in terrazza. Passava le giornate a cucire delle lunghe trapunte. Cuciva. Tutto il tempo. Collezionava pezzi di stoffa e li assemblava. Me la ricordo così: stoffe colorate e aghi, la sigaretta sempre accesa appoggiata al posacenere di vetro accanto al divano.»

Sorrisi pensando a Serena. Mia madre faceva la stessa cosa, le dissi, anche lei era una "collezionista che amava la posizione del reclino". Le raccontai dei ritagli di giornale, delle storie che raccoglieva e delle sue ossessioni sui nativi americani.

«Mio padre era incasinato, ma almeno sapevi cosa ti aspettava. Mia madre invece era completamente imprevedibile. A un certo punto ha speso tutti i suoi risparmi per aprire un enorme negozio di pappagalli rari e poi è riuscita a farli morire nel giro di pochi mesi. Quindi è tornata a cucire. Mi sa che era depressa. A quel punto ha scoperto Gesù ed è stato il panico. Quando avevo otto anni, si è innamorata di questo improbabile hippie cattolico dello Utah: Don. Lo so che sembra una contraddizione, ma lui era proprio così: magliette dei Grateful Dead e crocifissi. Si sono conosciuti a una fiera a Malibu. Quando mio padre le ha chiesto perché ci stesse lasciando, lei ha risposto che aveva camminato e parlato molto con Gesù ed era stata ispirata da Eva.»

«Chi è Eva?» chiesi.

«Eva, la cazzo di Eva di Adamo ed Eva.»

«Oddio.»

«Esatto. Quindi *Eva* era pronta a trasferirsi dal Giardino dell'Eden che praticamente era Topanga Canyon e se ne è andata. Non l'abbiamo vista per anni. Adesso ci vengono a trovare a Natale, lei e Don. Hanno una specie di roulotte da buzzurri attaccata alla macchina e dormono lì. Papà non li lascia entrare in casa. Lo capisco.»

Deva fece l'ultimo tiro di sigaretta e la spense in una scatolina di latta che teneva nascosta in un pertugio tra il materasso e la finestra. Cacciò via il fumo con la mano e si accoccolò di nuovo nel letto.

Non riuscivo a mettere insieme tutti i pezzi. Le nottate sotto le stelle, i concertini in giardino, le rockstar che giravano per casa. Se suo padre era tanto un fico, perché Deva doveva nascondere l'odore delle sigarette con le foglie d'alloro, perché poteva uscire solo di nascosto? Perché non poteva mettersi i pantaloni che voleva anche se si vedeva lo spacco del culo?

Si avvolse in una coperta di lana e si spostò in fondo al letto. Non era abituata a parlare di queste cose e sapevo che dovevo essere grata di ogni minima informazione che mi aveva concesso. Non le piaceva parlare della sua famiglia. Ma sentivo che la distanza tra di noi stava finalmente diminuendo e dovevo insistere perché volevo raggiungerla, essere alla sua altezza. Mi fasciai anch'io con una coperta e spostai una candela fra di noi. Forse se ci fossimo concentrate sulla fiamma sarebbe stato più facile parlare.

«Cos'è successo poi, quando è partita?»

«Mio padre è rimasto qui a tenere in piedi la baracca, mentre gli altri musicisti del canyon hanno cominciato a fare carriera. È stato rallentato dagli eventi, non era colpa sua. Mia madre gli aveva levato la terra da sotto i piedi. Ha cominciato a bere, era frustrato.»

A un certo punto, intorno alla metà degli anni Ottanta, quasi senza che i fratelli se ne accorgessero, era cambiato qualcosa. I musicisti più grandi se ne stavano andando dal canyon verso Hollywood. Dalle capanne di Topanga alle mansion in collina. Gli studi di registrazione chiusero. Il padre di Deva e tutti i membri della comune di Bob passarono da sex symbol a semplici esauriti. I loro bei capelli folti cominciarono a diradarsi. Si fecero crescere lunghe barbe per compensare. Gli addominali tirati si trasformarono in pancette da bevitori.

«Dopo averci cresciuti, mio padre era finalmente pronto a rimettersi a lavorare, ma a quel punto il treno era già passato. È lì che ha cominciato a irrigidirsi, è diventato severo, troppo. Aveva paura che i suoi bambini selvaggi diventassero poi adolescenti selvaggi e che lo abbandonassero come lui aveva fatto con i suoi genitori.»

«E come aveva fatto anche vostra madre.»

«Eravamo l'unica cosa sulla quale aveva investito che non fosse andata a puttane...»

Deva smise di parlare e appoggiò la testa sulla mia coscia.

«Il problema è che non puoi disfare le cose che impari» mormorò. «Il giorno del mio nono compleanno il migliore amico di mio padre mi fece fumare la mia prima canna. A dodici mi sono fatta la prima botta di coca con sua moglie che soffriva di solitudine e voleva un po' di compagnia. Siamo cresciuti così e ora mio padre pensa che sia possibile che una persona della mia età lavori e basta, stia chiusa in casa e gli dia una mano a fare le sue cose di musica. Non ho una vita.» Si fece scappare una piccola risata incredula. «Mi ha portato a concerti che duravano tutta la notte quand'ero piccola e ora non sopporta che io voglia andare ai rave. Non ha senso, no? Quando ha scoperto che ero stata a ballare nel deserto ha dato di matto, poi mi ha abbracciata, ha posato la testa sul mio grembo e ha cominciato a piangere. Ma per me è troppo tardi, non posso essere una brava ragazza. Credo lo sappia anche lui. È questo che lo fa incazzare. Secondo lui io e mio fratello gli apparteniamo perché ci ha cresciuti da solo. Non sopporta che abbiamo le nostre vite. Gli sembra un tradimento. Di tutto quello che ha fatto per noi.»

«E tu cosa pensi?»

«Con lui è un ciclo. Un attimo è felice, l'attimo dopo è furioso. Devi essere furbo e parlarci quando è in buona. Stargli lontano quando beve. Nessuno è perfetto.»

Deva scavò con il dito nella cera bollente della candela. La lasciò seccare sulle unghie, poi la grattò via. Feci un sospiro pensando a mio padre, a quanto fosse sembrato arrabbiato al telefono. Scherzai sul famoso modello di azienda a conduzione familiare, le sue teorie e tutta l'idea per cui rubare alla famiglia era come rubare a se stessi.

«Voglio dire, chi l'ha detto che tu devi recitare nel video di tuo padre e io devo lavorare al film del mio? Chi l'ha deciso che dobbiamo farci in quattro per loro?» proclamai rivendicando degli ipotetici diritti di cui ero ancora all'oscuro.

Qualcosa si spezzò nell'aria.

«Non è la stessa cosa» rispose Deva seccamente. «Tu hai un'intera famiglia. Io ho solo mio fratello e mio padre.»

Si versò il resto della cera rovente sulla mano, ustionandosi, e poggiò la candela sul davanzale della finestra. Saltò giù dal letto e scavò il nocciolo dall'avocado che stava sulla scrivania.

«Nel video sembri molto più grande» dissi.

«È il trucco» tagliò corto. Faceva sempre così quando insistevo su qualcosa di cui non voleva parlare.

«Sembrate fidanzati» provai ad andare avanti.

«Macché. È una canzone d'amore, ma molto astratta.»

Sembrava una frase fatta, qualcosa che qualcuno le aveva suggerito di dire agli amici. Ci fu un momento di silenzio. Deva sbucciò l'avocado e lo tagliò in piccoli cubetti.

«Tuo padre ha mai avuto una fidanzata da quando tua madre è andata via?»

«No.»

Lasciò i pezzetti d'avocado sul tavolo, tornò a letto ancora vestita, soffiò la candela e si mise a dormire.

Era solo stanca, cercai di convincermi, il temporale, le chiacchiere e il Vicodin l'avevano sfinita. Rimasi sveglia ad ascoltare la pioggia battente. Era già notte da molte ore quando vidi, nell'angolo della finestra in alto, il padre di Deva in piedi mezzo nudo sul davanzale della casa principale, inondato dalla pioggia. Era ubriaco, sopra a un tavolo rotondo di vetro. Oscillava tenendosi a fatica in equilibrio. All'inizio non capivo cosa stesse facendo, ma quando mi tirai su per vedere meglio mi resi conto che si era infilato al collo una chitarra e stava usando il tavolo come una sorta di palcoscenico improvvisato. Mi alzai dal letto e socchiusi la porta della camera per guardare meglio. Ora era proprio sopra la mia testa. Con la mascella tremante, cantava una canzone nella tempesta. Le ginocchia malferme, le ossa che sembravano uscirgli dal corpo. Era la prima volta che lo sentivo cantare, con quelle labbra all'insù e le vocali acute. Il vento soffiava e le foglie d'argento frusciavano come campanelle di metallo al ritmo della musica. Il suo pubblico era composto dai rami larghi degli alberi di eucalipto che ondeggiavano nel vento. Cantava e adocchiava le foglie con fare seduttivo. Facevano da grondaia per l'albero e scolavano l'acqua della pioggia a terra, ma lui le trattava come groupie in prima fila a un suo concerto. Quella performance era un grido disperato. Nasceva da un dolore debilitante, terribile. L'uomo era fradicio e smarrito. Il tono della sua voce saliva e scendeva con i tremori delle ginocchia. I sussulti nelle gambe lo aiutavano a lasciarsi andare finché la canzone non divenne un unico lamento dilaniante. La pioggia stava piangendo con lui.

Rimasi lì per un po', a guardare il suo concerto ubriaco, sentivo che dovevo, che *qualcuno* doveva stargli vicino. E mi bastò quello per stare meglio, per sentire che stavo facendo la cosa giusta, sostenevo il padre di qualcun altro perché non potevo sostenere il mio. Ondulai tutto il corpo con quella canzone sbiascicata. Ballai con lui da lontano finché non fu troppo ubriaco per reggersi in piedi, o cantare ancora.

Quando mi svegliai il mattino dopo Deva non c'era più. Il tempo non era migliorato. Accesi la stufetta elettrica e strappai un morso da un bagel duro. Avevo dormito vestita. Mi tolsi i capelli dagli occhi. Dovevo lavarmi.

Andai su alla casa principale. Mi sembrava vuota, invece in bagno trovai Chris che si faceva la doccia. Chiusi subito la porta e aspettai il mio turno appoggiata al bancone della cucina. Nel lavandino c'era una pila di piatti sporchi solo di avanzi di marmellata e briciole di bagel. Il filtro del rubinetto era ricoperto da uno strato gommoso di muffa. Feci scivolare le dita sulla superficie viscida perché il fungo marroncino era l'unica cosa che sembrava viva in quella casa. Sopra il lavello c'era un cartoncino con scritti i giorni della settimana, i lavori domestici da eseguire e a chi spettasse quale compito: Chris doveva lavare i piatti. I secchi della raccolta differenziata tracimavano di bottiglie e lattine di birra, si erano espanse anche in quelli della carta e della plastica. Sopra i secchi un post-it: "Deva non scordarti di riciclare!". Il fango sul pavimento si era asciugato. La casa puzzava di birra, ma mi sembrava comunque un odore felice. Non c'erano decorazioni, niente di bello da guardare. Eppure qualcosa mi faceva pensare che ci fosse una logica dietro a quella stanza così essenziale, un pensiero nobile e alto, non casuale. Come se quella casa trascurata fosse una scelta, una forma di idealismo. Era un luogo dove i compiti erano divisi equamente e ci si prendeva cura gli uni degli altri. Era storta e imperfetta e sporca, ma per una ragione. Arredarla e curarla sarebbe stato futile perché in quella famiglia l'arte era la cosa più importante, il resto solo frivolezze. Mi colpì la facilità con cui ero pronta ad attribuire una nobiltà artistica al padre di Deva e non al mio. Noi avevamo sempre avuto quadri alle pareti e libri nelle librerie, le nostre case erano confortevoli ed eleganti. Forse per realizzare i propri sogni bisognava essere pronti a sacrificare tutto il resto. Quel luogo era una dichiarazione radicale. Nessuna delle nostre case lo era mai stata.

Nell'angolo della casa adibito a ufficio, sotto i vecchi premi musicali incorniciati, il fax emetteva suoni elettrici compatti. Mi avvicinai e guardai la foto di Deva che faceva la sua smorfia con il sole negli occhi, e tutti i primi piani del padre posati attorno a lei. Lo schermo del computer era pulito e rifletteva la superficie di metallo del tavolo da lavoro, l'unico in casa dove non comparivano i segni delle bottiglie di birra. Provai a tirare i cassetti: si aprivano facilmente, con un suono uniforme, burroso. C'era una storia in quell'angolo immacolato della casa, una storia che se ne stava ferma e che nessuno mi voleva raccontare, e forse neanch'io avevo tanta voglia di stare a sentirla.

Chris uscì dal bagno con un asciugamano attorno alla vita e un altro sulle spalle. Mi voltai di scatto dalla scrivania come se mi avesse colpita nel segno.

«Sono andati a fare la spesa. Il canyon è ancora bloccato.»

«Volevo solo fare una doccia. Scusa se sono entrata mentre c'eri tu.»

Mi avvicinai lentamente verso il bagno e cercai di superarlo. Ci ritrovammo uno di fronte all'altra all'altezza del lavandino della cucina e lui si asciugò le mani contro le mie braccia. Si tolse dalle spalle l'asciugamano e me lo passò.

«Non ce ne sono altri. Li abbiamo usati tutti per il pavimento. Il soffitto perde acqua. Non starci troppo, nella doccia. Lo scaldabagno è praticamente arrivato» disse con un sorriso.

Aveva una bellezza simile a quella di Deva in quel momento. Capii come avessero potuto condividere la stessa pancia. Era come se già in utero avessero preso accordi e si fossero assegnati i loro ruoli futuri e i loro destini. Quello di lei sarebbe stato diverso dal suo. Assomigliava anche al padre da giovane, gli addominali tirati, la pelle chiara, ma la sua era ancora più pallida di quella di Deva: trasparente, quasi morta.

«Grazie.» Volevo allontanarmi, ma lui mi trattenne per il polso.

«Senti. Lo so che ti piace molto stare qui su e che con mia sorella vi divertite. Lo so che uscite di nascosto. Deva lo fa da quando aveva undici anni. Ma credi davvero che riuscirai a cambiarla?» mi chiese. «Perché allora credi proprio nei miracoli.»

«Ma di che parli?» Gli diedi uno spintone.

Rimase fermo con le mani bagnate piantate sulle mie spalle.

«Questa è una famiglia veramente complicata.»

Dopo la doccia senza acqua calda, stavo per infilare l'asciugacapelli nella presa, quando sentii la porta di casa che si apriva, il frusciare di buste di carta sul ripiano della cucina. Una canzone, una voce. Non sembrava quella di Deva. Dopo un po' la stessa canzone a tutto volume dalle casse del soggiorno. Tirai fuori la testa dal bagno. Le tende delle porte scorrevoli davanti alla scrivania erano aperte. Finalmente un po' di luce entrava in quella casa. Vidi la grande terrazza che affacciava sulla vallata di querce. Non me l'aspettavo, ma in realtà era proprio Deva che cantava. Una gran voce le usciva dalla piccola pancia, la mano piantata sopra l'ombelico mentre girava veloce sulla sedia davanti alla scrivania. Stava cantando sopra il pezzo registrato del padre e lui le stava accanto, guardando il loro video sullo schermo del monitor. Feci un passo indietro sul pavimento bagnato del bagno. Riconoscevo i movimenti di Deva sullo schermo. La canzone sparata dalle casse era la stessa che avevo sentito ululare al padre tra gli alberi la notte prima. Deva si unì a lui per il ritornello: «*And when I say I'm looking, don't mean I wanna find what I'm looking for / When I say I'm searching, don't mean I want to search at all*».

Chris entrò in cucina vestito. Fischiettava anche lui mentre svuotava le buste della spesa, come se non fosse successo niente. Vidi il padre di Deva afferrarla dalla sedia e invitarla a ballare. Lei fece una risatina, stando al gioco mentre il video proseguiva sullo schermo. Capivo perché l'avesse chiamata a recitare. Era bellissima, una modella perfetta. Quando cantava a cuore aperto le si illuminava il viso. Era la protagonista.

Chris si unì al balletto facendo delle goffe mosse di *mashed potato*, dimenando le braccia su e giù. Il padre da sobrio sembrava un'altra persona, l'aria pulita. Deva aveva ragione sugli sbalzi d'umore. Vedevo in lui l'uomo bellissimo che era stato da giovane. Vedevo quanto doveva essere stato speciale. Teneva Deva stretta a sé come una bambola. Era così leggera che era facile strapazzarla e farla volteggiare. Seguiva i suoi passi, cercando di stare a tempo. Lui era dominante, la strattonava, la stringeva, la spingeva troppo forte, ma lei riusciva a rimanere in equilibrio e continuava a ballare senza sbagliare un passo, era bravissima. Sapeva come interagire con le spigolosità del padre. Anche se a volte c'era qualcosa di eccessivo in quella danza a tre, quel sabato mattina sembravano una vera famiglia felice.

Mi chiusi di corsa in bagno e tirai lo sciacquone per far

avvertire la mia presenza. Trafficai un po' con la doccia facendo uscire getti d'acqua, poi chiudendola. Quando aprii la porta finsi di essere sorpresa di vederli tutti. Deva spense subito il video e mise su un vecchio vinile. *Goodbye and Hello* di Tim Buckley cominciò a echeggiare nella stanza, la sua voce potente e piena di vita riempì lo spazio, calmando gli animi di tutti.

«Eccola la nostra italiana! *Alora! Mama mia! Como stai? Bon giorno!*» mi salutò affettuoso il padre, mettendo su un improbabile tono da zietto italiano.

La pioggia attraversò il resto della giornata, trascinando con sé la nostra vitalità. Di notte sentii quello scroscio e vidi il torrente d'acqua spezzare con fragore il tetto dell'Hotel Morgan e scendere per le scale di marmo dell'albergo. Ero rimasta troppo a lungo fuori durante la pausa pranzo ed era il giorno delle riprese nella suite di Valentino, un giorno importante, aveva detto mio padre, non potevo non esserci. L'ascensore era rotto. Corsi su per le scale, ma arrancai nel fango della comune di Bob. Ero sporca, bagnata e in ritardo. Vidi il velluto rosso della vecchia suite decadente con la coda dell'occhio. Provai a correre verso la stanza, con il suo letto a baldacchino e il ritratto di Rodolfo vestito da torero. Il suono di qualcosa che ronzava, un mormorio incessante e ripetitivo, mi fece rallentare. Ecco mio padre con il cappellino da baseball e le scarpe da tennis intonse: stava preparando la prossima inquadratura. Tra le braccia tenevo bauli pieni di costumi di scena, erano quelli sbagliati ma si sarebbero dovuti accontentare perché avevamo poco tempo, era un'emergenza. Entrai nella stanza, non c'erano attori. C'era solo il regista: si voltò. Aveva i capelli lunghi, un naso rosso e gonfio, i capillari delle guance esplosi. Il padre di Deva mi salutò, era lui il regista ora, non Ettore. Cominciò a battere le mani, per incitare un applauso, ma non c'era nessuno ad applaudire con lui. Il suono delle sue mani echeggiò nella stanza vuota. Gli voltai le spalle e corsi via, sapendo che avevo rovinato tutto. Il film era finito. Mio padre non c'era più, avevo perso la mia occasione.

Qualcosa di gelido mi stringeva il palmo della mano. Ero di nuovo nella stanzetta di legno di Deva, con gli occhi aperti. Ero sveglia ma fissavo il soffitto, la mano di Deva tremava nella mia.

«Smettila. Mi fai paura» disse.

I suoi capelli erano sparsi sul mio petto.

Sbattei le ciglia. «Stavo dormendo con gli occhi aperti» mormorai. «Stavo sognando.»

Ma quel ronzio si sentiva ancora.

«Ha smesso di piovere. Credo stiano togliendo il grande masso dalla strada. Andiamo a vedere?»

D'istinto guardai fuori dalla finestrella verso la casa principale.

«Papà è crollato» mi rassicurò Deva. «Non se ne accorgerà mai.»

Saltò giù dal letto e si infilò il lungo vestito di raso che indossava sempre quando uscivamo la notte. Gli occhi le brillavano di idee.

Ci avviammo scivolando in discesa per il fango. Deva si arrampicò su per qualche staccionata in modo da non passare davanti alla casa del padre. Le andai dietro finché non arrivammo sulla strada. Una squadra notturna era stata mandata a rompere la roccia con i martelli pneumatici. La gente della comune era lì, raccolta in cerchio attorno al grande masso. Suonavano tamburi e didgeridoo australiani. Ecco da dove veniva il ronzio elettrico del mio sogno. I demolitori ignoravano i musicisti e comunicavano con la polizia locale tramite dei walkie-talkie.

«Che succede?» chiesi a Heide. Era seduta sul cemento bagnato, gambe e braccia incrociate.

«La polizia vuole farci credere che il masso è *caduto* dalla montagna» fece il segno delle virgolette per aria con le dita.

«Balle. È un meteorite. È atterrato sul suolo sacro degli indiani di Topanga per dirci qualcosa. E questi qui fanno finta di niente. Vogliono addirittura farlo a pezzi!»

Guardai il montarozzo da cui teoricamente era caduto il masso. In effetti si vedeva un buco sul fianco della montagna.

«Magari invece è caduto davvero...» azzardai.

Un'altra donna avvolta in un serpente lungo e sottile sibilò: «Questo meteorite è stato *annunciato*. Lo aspettavamo. Le anime dirette verso il pianeta terra stanno provando ad avvertirci da anni. Gente di Los Angeles, è ora di svegliarci! Ma tu dove ti informi, scusa?».

«Non è informata!» urlò da dentro il cerchio un uomo vestito con dei legging a fantasia fiamme dell'apocalisse.

I musicisti ripeterono le sue parole, improvvisando uno slogan a cantilena: «Non-è-infor-mata. Non-è-infor-mata».

Il caposquadra accese il megafono e chiese di allontanarsi dal cerchio. Dovevano spaccare il masso. Bob li guardò storto.

«Ve ne pentirete. Il meteorite è arrivato, e dobbiamo rispettarlo» disse con lo sguardo evanescente di un capo setta.

Finalmente la musica cessò e gli abitanti della comune si affastellarono sul ciglio della strada. La squadra demolizioni scaricò dal furgoncino un generatore di corrente e una specie di serbatoio con un lungo tubo giallo. Attaccarono una bocchetta al tubo e lo puntarono contro il masso. Ordinarono a tutti di restare indietro. Accesero il generatore. Dal buio un fascio di luce bianca sparò verso il centro della roccia. Non era come quella delle lampadine, che si espandeva e illuminava tutto intorno, ma un raggio continuo preciso e contenuto che emetteva un brusio caldo e ovattato. Ci acquattammo accanto a Bob, osservando quella meraviglia. Il ronzio si intensificò e dopo alcuni minuti il masso cominciò a incrinarsi. Il calore del raggio era quasi palpabile, vibrava dentro di noi, sotto la pelle, una scossa continua che ci solleticava le estremità del corpo. Il laser era così potente da eliminare tutti i detriti nell'istante in cui li colpiva.

Inghiottiva tutto, non lasciava tracce. Se lo avessero tenuto acceso abbastanza, magari dopo qualche tempo anche il canyon sarebbe scomparso nel nulla. Presto il masso cominciò a sembrare un pezzo di granito ben tagliato.

«*Estremo*» esclamò la donna serpente.

Il raggio era così bello e preciso che nessuno osò aggiungere altro. Fissavamo la luce ipnotizzati come i primi agricoltori davanti al fuoco. Ci sembrava di aver assistito a un rituale segreto. Topanga era un luogo bellissimo e misterioso dove accadevano cose del genere nel mezzo della notte. Bob rimase impassibile, in piedi a fissare la scena. Perfino la squadra demolizioni sembrava sconcertata dalla potenza del suo strumento. Il masso era monumentale, una cattedrale segata in due. Quando finalmente crollò a terra, quelli della comune ululatorono. Era stato bombardato un edificio sacro. Io e Deva ci unimmo a loro. La struttura laser venne smontata e riposta nel furgoncino. I bulldozer spazzarono via quel che rimase.

«Portatevi a casa una fetta di paradiso» disse Bob consegnando a tutti dei frammenti di roccia. Abbracciò forte sia me che Deva. «È caduto dal cielo, sorelle. Tenetelo con voi.»

Era allegro e tranquillo. Nessuna traccia dell'uomo stressato con la casa annegata nel fango. Il suo cambio di umore mi diede il senso di quanto rapidamente si potessero superare i dolori nel canyon, la velocità con cui era possibile guarire e guardare avanti.

Misi in tasca il mio pezzetto di macerie. Quel masso mi aveva consegnato Deva e gliene ero grata. I due giorni sotto la pioggia con lei erano stati un'incursione nel suo mondo reale. Poteva saltare tutti i muretti che voleva e schivare le mie domande ancora un milione di volte, ma da quel momento in poi sapevamo entrambe che sarebbe stato difficile tenermi segregata nell'area "divertimento" della sua vita. Ormai eravamo state troppo vicine.

Presi la sua mano nella mia, consapevole che quello che

per me era stata una conquista – aver avuto la possibilità di scavare più a fondo nella sua esistenza – per lei invece era stata una sconfitta. L'idea che io avessi visto la sua vita di tutti i giorni la preoccupava perché avevo toccato cose che le facevano male. Forse Deva sentì il mio pensiero perché ritirò la mano, la infilò nella sua borsetta e prese la bottiglietta di vodka.

«Un rimasuglio» disse con voce impertinente, e mandò giù una pillola di Bob con un sorso. Ne presi una anch'io.

Camminammo sul ciglio della strada, lasciandoci alle spalle gli hippie ululanti e il masso spaccato, fino a raggiungere il cancello di legno della scuola elementare del canyon. Era socchiuso. Deva corse verso il parchetto con le giostre per i bambini e si arrampicò sopra una struttura colorata di ferro. Si lasciò penzolare dalla sbarra più alta. Era sempre così con lei. Io cercavo di rimanere nello spazio delle cose appena accadute – il masso, il laser, la sua mano nella mia – e lei trovava subito la spinta per uno slancio nuovo, verso qualcosa di diverso. La strada sarebbe stata sgombra la mattina successiva e io sapevo che Deva non voleva che lasciassi il canyon con la sensazione di sazietà, di aver raggiunto e superato quello di cui avevo bisogno. Perciò ci spinse oltre. Dovevamo finire le giornate del masso con qualcosa di straordinario. Mi sdraiai sulla giostra a pianale e spinsi con il piede la ruota centrale per farla girare. Mi inclinai indietro verso il pavimento e guardai le stelle sottosopra mentre roteavo a testa in giù. Sentivo la vodka e il Vicodin che cominciavano a mescolarsi, raggiungendo il loro perfetto punto d'incontro, ma anche nell'ebbrezza e nello stordimento, qualcosa di remoto mi diceva che le cose non erano giuste. Deva mi apparve davanti capovolta, il corpo fiacco e sgonfio.

«Ho un caldo tremendo. Sto morendo» disse con un gemito insofferente e si tirò giù la parte di sopra del suo vestito di raso fino alla pancia. Era a seno nudo davanti a me. Fermai la ruota per guardarla meglio. Si arrampicò dentro la giostra e si mise nel sedile accanto al mio facendo girare la ruota centrale con la punta del piede. La giostra andava in tondo senza cigolare, sfuggente e scivolosa. Deva la fece andare sempre più veloce, ridendo al nulla: l'importante era riuscire a evadere sempre dalla realtà e tuffarsi in quella confusione felice e scriteriata che tanto amava. Anche Deva inclinò la testa indietro mentre giravamo veloci.

«Guarda le stelle. Quanto brillano.» Sospirò.

Ma io non riuscivo a guardare le stelle perché guardavo solo il suo corpo diafano. Era marmoreo contro la penombra degli alberi. Sotto il cielo scuro, la sua pelle sottile coperta di brividi sembrava una statua abbandonata.

«Guarda! Guarda le stelle, Eugenia! Sono come cubetti di zucchero.»

Premette la ruota centrale con il piede, facendoci accelerare ancora. Non voleva fermarsi, cercava di riassorbirci dentro un vortice permanente, di farci implodere o scomparire, forse, ma la ruota più di tanto non poteva fare e, quando il piede le scivolò dal manubrio, si arrese e la lasciò andare. Rallentammo. Deva rimase con la testa all'indietro e i capelli che strusciavano contro la terra, e cominciò a piangere.

Appena la giostra si fermò, mi avvicinai e le accarezzai la pancia nuda con la mano per scaldarla. Quando tornò su, il sangue le era andato alla testa, aveva il viso rosso e gli occhietti che sembravano spezzati.

«Forse non era divertente. Scusami» mi disse.

Allargai le dita delle mani sulla sua pancia. «Ma che dici? Era divertentissimo» provai a consolarla.

«Mi dispiace che sei rimasta bloccata quassù con me e... mi dispiace per mio padre. Lo so che è un tipo strano.»

«Non mi importa che tipo è e non mi importa cosa fa, basta che non ti fa male.»

Deva non rispose.

Le passai la mano sul mento. Lei si tirò indietro e guardò a terra prima di parlare. «Lo so che sembra una brutta persona. È un po' matto, questo è certo. A volte si ubriaca, a volte è super rigido. Ma la mattina passa tutto.»

«Non mi importa se tu stai bene.»

Deva si mise a ridere, sfogando la tensione. «Ok, allora.» Le mie dita salirono su per la sua pancia, fino al petto.

«Ma io voglio continuare a divertirmi, però» disse. «Non voglio intristirmi adesso. Sto bene, davvero.» Tirò su col naso.

«Continueremo a divertirci» la rassicurai.

«Davvero? Perché possiamo, no? Chi dice che non possiamo?»

«Nessuno dice che non possiamo!»

Si sdraiò sul pavimento della giostra e si alzò il vestito fino alle ginocchia. Il raso brillava nel buio. Mi prese la mano e se la portò sulle cosce premendola addosso. Sentii un morso tra le gambe, qualcosa che si apriva, poi venne il buio. Un attimo dopo ero sopra di lei. Le tirai giù le mutande spiegazzate, erano umide e stracciate. Era bagnata. Scostai i peli pubici per raggiungere le parti nude e vive di lei, e premetti le labbra contro quella piccola isola scoperta. Le sue mani raggiunsero i miei pantaloni. Li slacciai velocemente e in un secondo le sue dita mi entrarono dentro.

Ci spingemmo una contro l'altra, stupefatte, senza sapere cosa stessimo facendo. La tirai su e la feci sdraiare in avanti sul sedile della giostra. La sistemai nella stessa posizione in cui l'aveva vista suo padre il giorno prima, quando le aveva guardato la schiena nuda in quel modo. Piegata avanti con i gomiti appoggiati sul metallo freddo e il culo per aria. Volevo che quella posizione diventasse mia. Volevo che Deva sapesse che suo padre si sbagliava. Lei poteva indossare tutti i vestiti che voleva. La aprii da dietro e la leccai, la stavo schiudendo, mentre mi toccavo. Sentii la sua pelle dura diventare tenera, poi di nuovo dura. Non sapevo cosa fosse. Una cosa burrosa, facile come quella giostra ben oliata, come i cassetti lubrificati della scrivania di suo padre. Si muoveva e trovava reciprocità. Le braccia corrispondevano ad altre braccia, le dita dei piedi si incontravano. Un pezzo di gamba bollente si fondeva con un altro. Le bocche respiravano la stessa aria. Niente andava spiegato o pensato. Sentivamo le stesse cose nello stesso momento e gli antidolorifici non potevano impedircelo. Il piacere arrivò per tutte e due nello stesso istante.

Ora la pancia di Deva riposava contro le sbarre fredde della giostra, la schiena ancora piegata in avanti. Vedevo la sua bellezza nitida, oltre i confini della vodka e degli antidolorifici e sapevo che le cose stavano cambiando: cominciavo di nuovo a sentire. Avevo finito con il mio costume di gomma, non mi serviva, e odiavo il modo in cui mi impediva di vedere le cose, ostacolando il sole e le gocce di pioggia nei capelli di Deva, cose belle che avevo voglia di vedere. Le baciai le spalle e le dissi che non avevo mai sentito niente del genere. Si aggrappò al mio collo e ci lasciammo cullare dalla giostra finché le ultime gocce del piacere che ci aveva trascinate non cominciarono a sbiadire.

Diciannove

I miei genitori vennero a prendermi con la Thunderbird all'entrata del vialetto di Deva. Il sole splendeva e Topanga era un paesino delle Alpi. Mi ero svegliata in Svizzera sotto un cielo azzurro vorace. Non c'era più traccia del masso, se non per poche macerie a bordo strada e un mucchio di cicche di sigarette e filtri di canne lasciati da quelli della comune.

Mio padre era in pantofole con un pigiama di flanella a scacchi sporco di vernice, gli occhi folli dell'insonnia. I capelli spettinati erano divisi in tre parti, un imbuto verticale al centro e due coni laterali arricciati. Dei ciuffetti di peli scuri gli erano comparsi da poco nelle orecchie. Sembrava molto arrabbiato.

«Che succede?» chiesi. «Non andiamo tutti a pranzo al ristorante?»

«Papà stava dipingendo» rispose mia madre. «Mangiamo a casa.»

Mio fratello mi guardò scuotendo la testa e si toccò la fronte con l'indice per avvertirmi che c'era della follia in corso.

«Non ho capito perché non sei scesa a piedi dalla montagna l'altro giorno. La strada è tranquillissima e l'hai fatto centinaia di volte.» Ettore mi guardava storto dallo specchietto retrovisore.

«Diluviava, pensavo fosse pericoloso.»

«Da bambina eri molto più coraggiosa.»

Serena lo rimproverò con gli occhi per farlo smettere. Anch'io volevo che tacessero, che si godessero la luce dorata sul profilo della montagna, che ascoltassero le campane delle pecore nei campi e si perdessero in quell'orizzonte azzurro sconfinato. Volevo che vedessero Topanga e amassero quella giornata come la stavo amando io.

«Henry ha dovuto fare gli straordinari per coprirti, abbiamo lavorato anche di notte. Poverino, stava impazzendo con i cambi di costume. Avevi lasciato un macello nei camerini. Era tutto pieno di roba. Ma da dove viene? Hai svaligiato un mercato?» protestò mio padre.

«Pensavo che sarei tornata il giorno dopo. Avrei messo a posto tutto.»

«Dico solo che nel mondo *professionale* avresti dovuto trovare una soluzione per tornare al lavoro. Non puoi semplicemente chiamare e annunciare che non torni.»

Ancora quella parola, "professionale".

Serena si voltò e mi guardò con occhi languidi. «Non ti preoccupare. Abbiamo risolto. Altre due settimane e il film è fatto. Papà è stressato perché ha avuto una cattiva notizia.»

Sentivo ancora l'odore di Deva sulle dita. Le tenevo vicino al naso e sorridevo. Quello che era successo tra di noi mi aveva lasciata con le farfalle nello stomaco, le mani sudate, il cuore che batteva forte, e non mi interessava essere "professionale" né puntuale o disponibile. Mi sentivo leggera. Anche il peso di Arash si stava trasformando in un cumulo di calcinacci polverizzati.

«Ah, adesso *io* ho avuto una cattiva notizia?» sospirò Ettore ostentando incredulità. «È proprio questo il problema. Quando le cose vanno bene è una festa per tutti, ma quando vanno una merda, sono fatti miei, giusto? Nessuno condivide i dolori. Solo le glorie!»

«Quali glorie, papà?» chiese discretamente Timoteo.

«Le glorie, le glorie, sì...»

«Ma che è successo?» interruppi mentre la macchina girava giù per l'ultima curva del canyon.

«A *quella* non sembrerà nemmeno una notizia così tremenda» farfugliò Ettore tra sé e sé indicandomi con lo sguardo. Quando si arrabbiava, le sopracciglia diventavano arcuate e cespugliose.

Mio fratello e mia madre si voltarono verso di me come se fossi la causa di quella rabbia.

«Cosa c'è?» domandai.

«Finalmente sarà contenta. Dopo tutto quel che ho fatto per lei!»

«La smettete di parlare di me come se non ci fossi? Cosa sta succedendo?» gridai.

Inforcata la prima strada della Valley, la temperatura si alzò subito. Il caldo era una cosa diversa laggiù, un destino da patire come una condanna. Non c'era scampo.

Serena diede un'ultima occhiataccia a Ettore, poi guardò mio fratello per trovare il coraggio.

Finalmente annunciò: «Max se n'è andato».

«E perché è una brutta notizia?» risposi.

«Hai visto?» urlò mio padre. «Le importa solo riavere la sua cazzo di cameretta!»

Mio fratello mi prese la mano e la strizzò. La ritrassi, preoccupata che mi rubasse l'odore di Deva, che stava già evaporando ora che eravamo nel caldo e nel traffico.

«Se n'è proprio andato, andato» spiegò Timoteo.

Mi ricordai di Max al telefono all'Hotel Morgan, le sue parole farfugliate in spagnolo. Mi sentii in colpa perché avevo intuito un'ombra sinistra, avrei potuto dire qualcosa allora e non l'avevo fatto. La macchina inchiodò sul ciglio della strada e mio padre si voltò per parlarmi.

«È scomparso» sospirò. «I soldi per la produzione che aspettavamo dalla sua banca non sono mai arrivati. Non abbiamo idea di dove sia andato. Non ci ha lasciato neanche un messaggio. È partito con tutta la sua roba.»

«E un po' della nostra» aggiunse Serena.

«*E* un po' della nostra» annuì Ettore. «Compresa una carta di credito, che ci risulta abbia già usato.»

«Che stronzo» commentò Timoteo.

Mi tremarono le ginocchia. Fui assalita dal panico perché mi ero levata il mio costume di gomma. Ora il mio cuore era diventato più grande e più vulnerabile e la mia famiglia mi sembrava un gruppo di disperati, anche loro a ululare nella tempesta una canzone che nessuno avrebbe ascoltato.

«E ora?» chiesi.

«Finisco questo cazzo di film, ora. Costi quel che costi!» dichiarò Ettore.

La macchina si rimise in movimento. Mi avvicinai al sedile davanti per guardare mio padre più da vicino. Sotto i suoi occhi erano comparsi solchi di pelle rossastra, vulnerabile. La bocca si era arricciata, un broncio corrugato e disperato. Sulla piega delle labbra gli leggevo quanto fosse tutto complicato. Rimasi in silenzio a guardare le forme degli schizzi di vernice sul suo pigiama di flanella e le pantofole di lana. Passammo davanti alla mia scuola. Dalla strada sembrava la cartolina della perfetta high school americana. Qualcosa che esisteva al di fuori di noi, che non aveva a che fare con le nostre vite: come se stessimo facendo un viaggio in un ideale astratto della California. I cancelli e le grate, il parcheggio vuoto, vidi tutto con occhi nuovi, fingendo di essere una turista.

Trovai il coraggio di chiederlo.

«La casa di Roma è ancora nostra?»

Ma nessuno mi rispose.

Il caos di Max era ancora lì, solo senza la sua roba. I posacenere erano pieni di cicche, le stampelle vuote della lavanderia tintinnavano una contro l'altra negli appendiabiti in soggiorno. La mia camera da letto odorava di sigari e acqua di colonia dolciastra. Scontrini e buste vuote della Sherman Oaks Galleria sparpagliati a terra. Trovai uno spray per il corpo di Victoria's Secret sul mio comodino con un messaggio su un pezzo di carta: "Cara Eugenia, perdonami per aver occupato tutto questo spazio nella tua camera e nella tua vita. Spero che questo spray ti aiuti a sbarazzarti di me come ha aiutato me a sbarazzarmi di te. Gracias, Max".

Non mostrai il bigliettino ai miei e aiutai Serena ad apparecchiare per il pranzo in giardino. Il sole batteva forte. Mio padre sorseggiava whiskey con ghiaccio e ne versò uno doppio anche a lei.

Timoteo faceva rimbalzare e lanciava una palla da basket nel canestro appeso sopra al garage. Colpiva il ferro, prendeva il pallone e ricominciava. Il patio era coperto di macchie di vernice. Mio padre aveva avuto un attacco di pittura rabbiosa, dipingeva quadri scuri per sfogare il rancore. Appoggiate al muro di casa vidi alcune tele bianche coperte da chiazze informi di catrame nero. Si mise a sedere per terra accanto alle sue nuove creazioni, sorseggiando il whiskey e versando altro catrame sulle tele.

«Chiamiamo la polizia?» chiesi.

Ettore fece no con la testa e continuò a fissare il catrame che si condensava sul tessuto bianco.

«Non possiamo fare una cosa del genere a Max» spiegò Serena.

«Ma avevate un contratto, giusto? Dico, mica può andarsene così. Non può sparire nel nulla se c'è un contratto.»

«Sì, ma in effetti, noi...» Serena agitò il ghiaccio nel bicchiere.

«Dài, diglielo» insistette Ettore senza alzare lo sguardo.

Lei sbuffò e accese una sigaretta. «Va bene. Va bene. *Io!* Contento adesso? Sono stata *io* a non finalizzare il contratto...»

«Finalizzare? Non l'hai neanche cominciato a scrivere!» insistette lui.

«Ok, va bene. Non ho fatto le pratiche.»

«Quale cavolo di produttore non si occupa delle pratiche? Veramente poco *professionale*.» Di nuovo quella parola.

«Chi avrebbe mai pensato che Max potesse fare una cosa del genere. Era uno di famiglia!» disse mia madre, cercando di giustificarsi.

«Ma rubare dalla famiglia non era come rubare a se stessi?» ripetei il motto di mio padre.

«Evidentemente questa volta no.»

«Sapete, non l'aveva mica scritta lui quella canzone di Phil Collins. Ho visto il libretto del CD. Il suo nome non c'è da nessuna parte» sospirai.

«Siete veramente degli idioti!» sbottò mio fratello buttando la palla da basket a terra. Marciò verso Ettore e gli passò un foglietto giallo accartocciato che aveva in tasca. La sua pagella. Altre cattive notizie.

«Ho preso 5 in tutte le materie. Troppe assenze. Dovete firmarla.»

«Hai fatto sega a scuola?» chiese Serena cercando di mettere su un tono severo perché era quello che i genitori dovevano fare quando i figli prendevano brutti voti.

Mio fratello alzò gli occhi al cielo. «È stato il film, mamma. Mi avete fatto saltare scuola per due settimane. È colpa vostra, non mia.»

«Non importa. Tanto sei più intelligente di loro» sogghignò Ettore. Gli strappò di mano il foglio, firmò senza guardare e glielo restituì. «E tu?» chiese a me.

A scuola mi ero fatta in quattro per recuperare i test che avevo saltato e mettermi in pari con le letture assegnate. Mrs Perks era stata chiara: se volevo fare domanda al college l'anno successivo dovevo cercare di non perdermi. A volte studiavo la notte. Non avevo mai detto a nessuno della mia idea di fare domanda a un'università, né a Deva né ai miei. Tenevo la lettera nel cassetto e la leggevo spesso.

«Ho ricevuto una lettera dalla USC» dissi. «Gli è piaciuta una cosa che ho scritto e mi hanno incoraggiata a fare domanda alla loro università perché hanno un buon programma di Scrittura Creativa.»

Serena buttò giù un altro sorso di whiskey e diede un colpetto di tosse. «Bene, almeno una buona notizia. Qualcuno prenda l'acqua, così mangiamo.»

«Sì, dài, mangiamo» concluse Ettore.

Quella notte il telefono squillò molte volte. Mi svegliai e pensai che fosse Max che voleva chiedere scusa e dire che era stato tutto un grande errore e avrebbe spedito i soldi. Ma era la donna delle pulizie di mia nonna Celeste che chiamava da Roma. L'aveva trovata a letto nel suo appartamento. Quando aveva aperto casa aveva capito subito dall'odore. Era morta da tre giorni.

Venti

Toccò a Serena. Solo a lei fu concesso di tornare a Roma per il funerale di nostra nonna. Era quasi Natale. I biglietti erano troppo cari e chissà se ci avrebbero permesso di rientrare in America ora che non c'era più Max a risolverci i problemi. Il nostro budget giornaliero era ridotto a zero, ma Ettore insistette a finire il film a ogni costo. Lo stava montando in uno studio sotterraneo di North Hollywood, un luogo gotico, tutte le speranze aggrappate all'interesse espresso dalla Miramax per la distribuzione. Bisognava finire in fretta, poi le cose si sarebbero messe in moto.

«Vi chiedo un ultimo sforzo» ci ripeteva.

Nel frattempo avevamo sostituito le lampadine della cucina con luci fluorescenti delle *tiendas baratas* da 99 centesimi per consumare meno. Sfarfallavano sopra il tavolo da pranzo. Mangiavamo le verdure dell'orto e davamo poca acqua alle piante, cercando di ricordarci degli effetti miracolosi del compost. Non buttavamo niente. C'era un sogno da realizzare, quello di Ettore, e ogni azione domestica era tesa al risparmio di energia e soldi. Era come se lui non si fosse accorto che qualcuno era morto dall'altra parte dell'oceano. Serena chiamava ogni giorno per parlare. Quando non c'eravamo, lasciava lunghi messaggi in segreteria e a volte piangeva.

Il giorno del funerale di nostra nonna a Roma, io e mio fratello ci accoccolammo a terra ascoltando il resoconto di Serena nella segreteria telefonica. Ci raccontò che una bufera di neve aveva paralizzato la città e quello che avevano cucinato gli zii per gli ospiti dopo la messa. Disse che avrebbe tanto voluto avere il tempo per preparare lei i tortellini in brodo, perché quelli di Alma erano scotti e la pasta sapeva di gomma. Noi in maglietta a bere limonata e lei ci parlava di neve e brodo di pollo. Le cosce nude e sudate ci si incollavano al pavimento mentre ascoltavamo la sua voce, cercando di ricordarci l'inverno romano, i raduni di famiglia, l'azzurro pallido del pomeriggio che splendeva dalle finestre smerigliate del soggiorno di casa di nostra nonna. Chissà cosa pensavano Alma e Antonio del fatto che non fossimo tornati. Ripensai alle osservazioni sarcastiche di Antonio in Sicilia: era convinto che nostro padre fosse un egoista, preso dalle sue storie horror, e mi immaginai mamma, sola e abbandonata, che prendeva le sue parti.

Invece di richiamare nostra madre, Ettore ci chiese di mandare un fax alla casa di sua cugina dov'era ospite.

«Le lettere sono più carine, no? Più personali.»

La nonna si sarebbe fatta beffe di tutto quel che diceva Ettore e di come stava affrontando la situazione. Una domenica mattina, io e Timoteo andammo alla Iglesia Bautista la Sangre de Cristo su Van Nuys Boulevard a parlare con il pastore Hernan. Acconsentì a fare una piccola celebrazione per nostra nonna.

«Non avevo capito che eravate così affezionati» fu la risposta di Ettore quando gli comunicammo il nostro piano. A che serviva perdere tempo e denaro per un funerale qui? Nonna era morta. Questa cosa non si poteva cambiare.

La cerimonia fu il pomeriggio dell'ultima domenica prima di Natale. Ettore ci chiamò dallo studio di montaggio, dovevamo prendere l'autobus per Victory perché lui sarebbe venuto da North Hollywood e non avrebbe avuto tempo per darci un passaggio.

Quando qualcuno muore molto lontano succede una cosa strana. Il cervello non processa l'informazione. La persona per noi continua a vivere in un altro luogo, anche se quel luogo non è più sulla terra. Era abbastanza difficile comprendere che un corpo prima ci fosse e poi non più, ma con un paese e un oceano di distanza, il tutto sembrava ancora più astratto.

Per le vacanze Deva era andata a trovare la famiglia paterna nel Montana. La chiamai molte volte ma, come sempre quando stava con il padre, era come se lui la risucchiasse dal mondo. Più di tutto mi spezzò il cuore che non volesse trovare il tempo per parlare al telefono con me dopo quel che era successo tra noi. Mi vergognavo di ammettere che la sua presenza mi sembrava più tangibile e importante di quella di mia nonna. Mi sentivo in colpa perché non riuscivo a piangere, d'altra parte nessuno di noi l'aveva fatto. Eravamo tutti sconnessi.

Ettore arrivò in ritardo alla chiesa del Sangre de Cristo. Ci abbracciò e si sedette su una panca a guardare distratto il rosone illuminato. A messa c'eravamo solo noi e i soliti parrocchiani, più l'impiegata dell'Alitalia di Torrance che mia nonna aveva conosciuto a forza di telefonate per cambiare la prenotazione del biglietto di ritorno. La signora disse che Celeste le aveva dato consigli decisivi su come alleviare i reumatismi alla schiena e che era molto dispiaciuta per noi.

Il giorno di Natale andammo a comprare dei regali a Melrose Avenue. Parcheggiammo davanti a Noah's Bagels per un pranzo veloce e in quel poco tempo qualcuno forzò il vecchio cofano della macchina e ci rubò i pacchetti. La vista del portabagagli aperto ci paralizzò per un istante. Niente regali. Niente Natale. Scoppiai a piangere. Tornammo su Melrose Avenue e ricomprammo le stesse identiche cose. Mio padre mise tutto sulla sua American Express in scadenza e firmò. Nessuno di noi sapeva preparare un pranzo di Natale. Il frigo era quasi vuoto, c'erano solo dei calzoni surgelati e delle uova. Liberammo la tavola dai rimasugli degli ultimi piani di produzione del film. Accesi una candela a forma di pino avanzata dal Natale dell'anno prima, e la misi al centro. Mio padre fece la carbonara sorseggiando un vino rosso, e se ne uscì con qualche battuta sulle nostre due nonne morte che ora in cielo avrebbero finalmente potuto dire tutte le cattiverie che volevano sul suo conto. Dopo cena si trasferì nel suo studio con un bicchiere di whiskey e ghiaccio per guardare il montato in cuffia. Prima di andare a dormire passai a salutarlo. Mi venne un nodo alla gola quando vidi quant'era pulito il suo tavolo da lavoro rispetto al resto della casa. Pensai alla scrivania del padre di Deva e battei il piede a terra per dargli una svegliata, per mostrargli cos'era diventata la nostra casa senza Serena.

«Prenderete un avvocato per la faccenda di Max?»

Si tolse le cuffie. «Era mamma a seguire quelle cose. Io sono solo un artista che cerca di finire un film.» Si rimise le cuffie e cominciò ad arrotolarsi i riccioli con l'indice guardando lo schermo.

Sentii ribollire il sangue. Gli strappai le cuffie. «Ma secondo te quante cose doveva fare mamma? Pensare alle pratiche, fare le commissioni, assisterti, preparare il cibo per il cast e per la troupe... che altro? È una persona sola e noi siamo una famiglia sola.»

«Ora mi è molto chiaro, credimi.» Fece un sospiro seguito da un sorrisetto sarcastico. «Andiamo avanti, ok? Finiamo tutto e dimentichiamoci Max. Non c'è bisogno di chiamare la polizia o gli avvocati o le autorità. Peggiorerebbero solo le cose. Ci farebbero chiudere la produzione.»

Le autorità: quelle entità invisibili che aleggiavano minacciose sopra la mia famiglia da sempre. I porci fascisti che ti facevano la multa perché stavi nudo in spiaggia, i dottori avidi a cui dovevamo mentire perché mio fratello potesse farsi mettere i punti dopo essere caduto dalla bicicletta nel deserto, gli agenti dell'immigrazione che si comportavano come SS e ci trattavano da criminali. Ecco cosa facevano le *autorità*: ti peggioravano la vita.

«Nessuno è al nostro servizio qui» disse mio padre. «Siamo italiani. Per questa gente valiamo meno delle signore messicane che vendono insalate di mango piccanti nei parcheggi dei negozi da 99 centesimi su Van Nuys Boulevard.»

Uscii di casa e cominciai a camminare sperando di stancarmi. Cercai di ricordare l'ultima volta che avevo abbracciato mia nonna: l'odore della sua cipria, il costume intero dorato e i capelli turchesi sotto le luci al neon della serra di vetro del Prairie Wind Casino. Mi dissi che non era poi troppo strano che mi chiedesse di giocare al gioco del lingua a lingua quando ero piccola, che il suo respiro era anche dolce. E invece provavo rabbia per mio padre e l'unica cosa che mi dava sollievo era il pensiero del viso lentigginoso di Deva lampeggiante davanti al mio.

Quando rientrai in casa dormivano tutti. Telefonai a Deva in Montana ma aveva fretta, la sentii distante. Mi parlò con una voce strascicata e bassa, sembrava fattissima. «Ti chiamo a Capodanno» disse, poi riagganciò. Sapevo che non l'avrebbe fatto.

Riempii di whiskey e ghiaccio una tazza e andai in giardino. Alzai il calice a Deva e mandai giù tutto d'un sorso. Era la sola cosa che ero sicura stesse facendo. L'unico modo per provare quello che stava provando lei. Finii il whiskey vicino all'albero di limoni. Le stelle e la luna erano coperte di smog. Il cielo era nero. Quando non ne potei più, mi lasciai cadere a terra, afferrai l'erba del pratino inglese e scavai una buca. Continuai a scavare come se tutto dentro di me volesse saltare fuori dal corpo, riempiendo di terra le mie unghie corte. Mi addormentai con una zolla umidiccia in mano.

cifico nel deserto a supporto degli zapatisti.
emmo andare.»

endo» disse mio padre alzando gli occhi dal
Times".

Deva dice che non si deve manifestare con-
.»

ta!» Mio padre si accese subito. «L'autorità va
ussione. È il solo modo per essere sicuri che ci
rvello.»

si di dirgli se telefona? Ci copri?»

do sei diventata comunista?» chiese mia ma-
sospettosa mentre girava lo zucchero nella sua

mento EZLN rifiuta ogni classificazione politi-
si.

e chiuse il giornale e si schiarì la gola. «Certo che
Anche noi abbiamo fatto queste cose da ragaz-
o siamo stati in Perù accampati sul Machu Pic-
imane a sostegno del Movimento Rivoluziona-
amaros.»

ingendomi entusiasta. Avevo sentito la storia di
chu un milione di volte.

i in camera e misi su *Venceremos*, la canzone folk
llimani del 1970 che era stata l'inno dei cileni nel
ima del colpo di stato. I flauti rimbombarono tra
ottili della mia stanza. Non odoravano più dello
il corpo di Victoria's Secret, ormai. Sapevano di
e.

tai al negozio di Henry con una busta di vestiti del
o delle pulci che avevo tenuto da parte per lui, spe-
e mi valessero per uno scambio. Il campanello elettri-
gozio suonò quando aprii la porta. Le batterie erano
riche e fece un rumore distorto. Henry l'aveva instal-
sapere quando mettere via l'erba. Mi guardai intor-

Ventuno

Al ritorno di mia madre mi aspettavo una scenata nella sala
degli arrivi dell'aeroporto. Immaginavo che i suoi proposi-
ti per il 1994 prevedessero rabbia, risentimento, lanci di valigie e oggetti e minacce di divorzio. Che sarebbe tutto sa-
lito come uno schizzo di vomito: i messaggi senza risposta
in segreteria, mio padre che le dava la colpa per il disastro
finanziario del film, il dolore di non avere con sé la famiglia di fronte alla morte perché niente al mondo poteva essere più importante di un film dell'orrore. Arrivai a pensare che Serena avrebbe telefonato per dirci che non sarebbe
mai tornata. Mi dissi che l'avrei perdonata se avesse scelto
quel modo per esprimere la sua rabbia.

Ma mia madre sfilò per l'aeroporto con un sorriso disar-
mante, andando a infilarsi tra le braccia di Ettore. Lo baciò
sulle labbra e abbandonò la testa sul suo petto.

«Come va il montaggio?» fu la prima cosa che gli chiese.

Poi baciò rapidamente me e mio fratello sulle guance.

Lasciammo Ettore e Timoteo alla sala di montaggio di North Hollywood e andammo dirette al Food4Less su Sepulveda. Serena spingeva il carrello extralarge per la corsia dei
latticini fischiettando. Io avevo la lista della spesa in mano,
ma quando mi decisi a leggerla feci cadere a terra un cartone da diciotto uova e combinai un casino. Improvvisamen-

no. Era ricurvo su Street Fighter, la solita sigaretta accesa sul pannello di controllo. Non venivo nel negozio da settimane. Era tornato a sembrare un tugurio e la cosa mi infastidì all'istante. Non salutai e mi fiondai nel retro. Presi i prodotti per pulire e cominciai a spolverare le foto incorniciate.

«Non ci posso credere che hai lasciato Diane Keaton ridursi in questo stato» lo sgridai.

Henry scrollò le spalle. «Te l'ho detto che avevo bisogno di te... Bastardo!» gridò a T. Hawk, il guerriero indiano di Street Fighter.

«Ok, senti. Pulisco, ma in cambio mi devi aiutare.»

«Non c'è bisogno che pulisci. Va bene così. Merda!» urlò ancora.

Col medio e l'indice colpiva forte i tasti, una serie di clic ossessivi che ormai associavo alla sua presenza.

«Ma voglio pulire. E voglio anche che mi aiuti. Mi serve un passaggio sabato prossimo.»

«Ah, *adesso* capisco. Sparisci per settimane e ora vieni a chiedermi un passaggio?»

«Sì, per il deserto del Mojave» farfugliai. «E scusami se sono stata cattiva, ma anche tu diventeresti cattivo con me se mi trasformassi nella migliore amica della tua famiglia. E poi è morta mia nonna.»

Smise di giocare. «Chi, quella con cui pomiciavi?»

«Sì. Non è che pomiciavamo proprio.»

«Lingua a lingua conta come pomiciata. E comunque mi dispiace.» Mi abbracciò goffamente. «Perché devi andare nel deserto?»

«Io e la mia amica, Deva, vogliamo andare a un rave per il suo compleanno. Ci serve una macchina. Dobbiamo prima andare a Hollywood a prendere le indicazioni.»

Henry fece un sorrisetto. «Indirizzo segreto. Li odio. Perché non te lo danno subito, che cazzo.»

«Perché i rave sono illegali e devi fare le cose all'ultimo momento o ti arrestano.»

Henry scosse la testa.

«Devi troppo conoscerla Deva.»

«Ok, prima cosa, odio i posti pieni di gente. Odio la gente in generale, figurati quegli strafattoni vestiti da conigli che si intrippano a guardare i bastoncini luminosi. Seconda cosa, sei sparita dalla mia vita e sei praticamente andata a vivere nei boschi con questa ragazza che non mi hai mai presentato, e ora di colpo *devo troppo conoscere Deva*? Sai che ti dico? Mi dispiace *troppo* ma mi sento usato» disse scimmiottando il mio tono da ragazza della Valley.

«Per favore...»

Henry lasciò cadere a terra T. Hawk, poi si rivolse a me: «Non esiste che guido due ore e mezzo di notte nel deserto con un mucchio di tossici fatti di metanfetamina. Odio guidare e odio guidare di notte. E sono agorafobico».

«Indubbiamente.» Lanciai uno sguardo torvo verso il negozio sommerso di oggetti. Andai nel retro e cominciai a trasferire i miei vestiti dalle scatole al cesto dei nuovi arrivi.

Mi tolsi la camicia e provai allo specchio il top più morbido e colorato che trovai. Era verde shocking e arrivava spudoratamente sopra l'ombelico. Henry alzò gli occhi.

«Oh, ma che fai? Non ti puoi spogliare in mezzo al negozio.»

«Non sono nuda, sono in topless. Tanto non entra nessuno.»

«Non è vero. Ieri abbiamo avuto sette clienti. Ah, hanno comprato il tuo coltello di *Nekromantik*. Ti devo sessanta dollari.»

«Portaci nel deserto e te li lascio.»

«Preferisco darteli.»

Feci un sospiro e presi altri vestiti dalle scatole. «Deva ha detto vestiti accesi e morbidi.»

«Odio come si vestono i raver. Ti ha detto pure di portare i ciucci?»

«No, a che servono i ciucci?» buttai lì con nonchalance,

esaminando velocemente una pila di abiti da scolaretta tipo *anime* giapponese.

«Servono quando ti viene da digrignare i denti per l'MD-MA... Vedrai, le ragazze staranno tutte a succhiare, ballando come aliene. È una cosa troppo stupida.»

«Meglio che starsene qua dentro seduti a marcire!»

Provai un vestitino di raso rosa shocking sopra i pantaloni. Era perfetto. Henry mi venne alle spalle.

«Devi farti i codini alti. Va così.» Mi fece la riga, divise i capelli in due crocchie laterali e ridacchiò guardandomi nello specchio. «Il rave non fa per te, Eugenia. Gli italiani non possono sopravvivere nel deserto.»

Disfai i capelli, arrotolai i jeans, li infilai nella mia borsa e uscii dal negozio con addosso il vestitino rosa.

«Lo prendo. Mi devi sessanta dollari.»

Attraversai Ventura Boulevard.

Henry mi corse dietro e urlò dall'altro lato della strada: «Non puoi comportarti come una mocciosa viziata solo perché non mi va di accompagnarti nel cazzo di deserto in mezzo alla notte!».

Ero già arrivata dall'altra parte, volevo andare al Sav-On a comprare i ciucci senza farmi scoprire. Mi voltai.

«Non vuoi mai fare niente! Mi annoi da morire!» gli urlai.

«Ah, io non voglio mai fare niente? Niente come chiudere io il reparto costumi del film di tuo padre perché sei stata così stupida da rimanere bloccata in mezzo a un canyon?»

«No, a parte quello!»

«Grazie al cazzo, a parte quello!» mi urlò Henry.

Le macchine che scendevano lungo il boulevard si attaccarono ai clacson. Un tipo sporse la testa dal finestrino e ci fece il segno della pace. «Ragazzi, fate l'amore, non fate la guerra!» Io e Henry gli mostrammo entrambi il dito medio.

Mi faceva rabbia che sapesse la cosa dei ciucci, che mi leggesse dentro, che capisse che usavo l'accento americano per integrarmi. Sapeva quanto mi sentivo vulnerabile con Deva e sapeva queste cose perché gli avevo permesso di vivere nel mio spazio, respirare la mia aria come un secondo fratello.

Mi chiusi in camera e tirai fuori la mia rubrica con la copertina psichedelica sbiadita. La sfogliai cercando il nome di qualcuno che avesse la macchina e mi resi conto, come se non bastasse, di non avere amici. C'erano nomi italiani, qualche compagno che avevo cercato per farmi dare i compiti a casa, un paio di anarchici ispanici con cui avevo fumato sigarette nel campo abbandonato della scuola dove ciondolavano gli emarginati. Non avevo il coraggio di chiamarli così, a freddo, e comunque nessuno di loro aveva la macchina. Mentre chiudevo la rubrica cadde un foglietto accartocciato. Lo aprii: c'era scritto qualcosa con una penna violetta. Non capii il nome ma era un numero con prefisso californiano. Cercai 805 sulle pagine gialle: Contea di Ventura. Cominciai a sentire in testa il suono dei tamburi. Peyote, becchi di tacchino, perdita della verginità, gente che viveva nelle roulotte. Alo, il ragazzo di Wounded Knee che beveva whiskey: aveva un mezzo e gli piaceva guidare. Cercai nell'armadio e trovai la giacca di pelle che mi aveva regalato, era stato un gesto gentile. Ricordai com'era stato goffo la mattina dopo quando aveva cercato di improvvisare una giornata romantica portandomi in giro fra le colline devastate. Era passato più di un anno dalla nostra avventura nativa americana nel South Dakota. Mi aveva scritto delle lettere ma non gli avevo risposto né gli avevo mai telefonato. Non avevo nemmeno fatto lo sforzo di copiare il suo numero nella rubrica.

Ventidue

La sera del compleanno di Deva, Alo si presentò nel vialetto di casa nostra suonando il clacson del suo polveroso e scalcagnato pick-up. Esattamente come lo ricordavo. Corsi fuori pensando al mio piano geniale, con il cuore che batteva forte. Doveva già essere passato a prendere Deva e insieme saremmo andati nel deserto. Non la vedevo da settimane e adesso era qui, a casa mia. Mio fratello giocava a hockey sui pattini con Creedence e i suoi fratelli, in pigiama e, anche se era gennaio, una brezza calda mi soffiava sulle spalle nude. La strada di casa sembrava bellissima, un universo compatto che diceva che la vita traboccava di possibilità. Feci un grandangolo del pick-up, vedevo soltanto Alo, la sua faccia, il sorriso e le mani che sporgevano dal finestrino, ma non lei.

«E Deva?» gli chiesi senza neanche salutare.

Mi sorrise grandioso nella sua giacca di pelle nuova fiammante con le borchie d'argento a cono. Dal posto accanto scese un tipo in camicia di flanella extralarge con una bandana rossa sulla pelata. Avevano tutti e due il pizzetto. Gettai lo sguardo sul vestito rosa shocking da raver, le autoreggenti luccicanti e la pelliccia bianca a peluzzi. Avevo le dita coperte dal glitter che mi ero passata sulle palpebre. Nell'insieme eravamo un pugno in un occhio.

«Comunque la tua amica sta fuori di testa» annunciò Alo stirandosi le gambe indolenzite dalla guida. «Siamo arrivati fino a Topanga. È scesa per il vialetto e ci ha spiegato che non era pronta. Ha detto di dirti che veniva con dei suoi amici e che vi beccate direttamente nel deserto.»

«Certo, come no, facile!» rise l'amico.

Non riuscii a nascondere la delusione. «In che senso, "nel deserto"? Non la troveremo mai.»

Alo scrollò le spalle.

«Sono deluso quanto te, e non ti dico Ben» replicò, dando all'amico una pacca ironica sulla spalla.

Alo non aveva praticamente voce. Parlava con un rantolo roco, come un sussurro forte e strozzato. Intorno al suo lungo pizzetto la barba gli cresceva a chiazze.

«E non ti ha detto altro?»

«No.»

«Senti, meglio così. I suoi amici sembravano dei soggetti!» ridacchiò Ben. «Tutti vestiti da alieni con le maschere a gas, paura.»

Si guardarono e risero.

Sentii una fitta al cuore.

Diedi un abbraccio veloce ad Alo, un odore stantio di sigarette mi riportò il ricordo della sua macchina il giorno dell'avventura. Mi presentai all'amico. Aveva la mano appiccicosa. Doveva avere trent'anni. Guardai Alo. La loro presenza nel vialetto sembrava improvvisamente fuori luogo. Vidi quello che non avevo saputo capire in South Dakota: Alo, e con lui il suo amico Ben, non erano all'altezza di Deva. Erano dei reietti. Alla vista di quei pizzetti, aveva deciso su due piedi di piantarli in asso.

Il retro del pick-up era sommerso di coperte, sacchi a pelo sporchi e pigiami di lana.

«Ecco il tuo posto, bella. Davanti non si riesce a stare in tre.»

Ben salì dal lato del passeggero e per un attimo mi chiesi se fosse una buona idea stare sola sul retro di un pick-up con due ragazzi che praticamente non conoscevo. Ma era il compleanno di Deva, lei era nel deserto e loro l'unica maniera per andare là, per cui saltai a bordo. Alo mi sistemò. Lo guardai e i miei occhi dissero "Non uccidermi" e lui mi lesse nel pensiero perché si addolcì e mi accarezzò la guancia.

«Sono felice di vederti. Pensavo non mi avresti mai chiamato.»

«Anche a me fa piacere» mentii.

Si sporse più vicino e mi guardò con una vulnerabilità che non gli conoscevo.

«Volevo tanto parlare con te. Ti ricordi che avevo il cancro?»

Gli dissi di sì e gli chiesi se stava bene.

Si tolse il fazzoletto di seta attorno al collo. Aveva un buco nella gola. Era coperto da un tappo di gomma trasparente. Se lo toccò con un dito.

«Mi hanno tolto le corde vocali. Laringectomia.»

«Oddio, mi dispiace» gli dissi osservando il nero dietro la gomma trasparente del tappo.

«Non ho più la laringe. Non l'ho messo poi il laringofono di merda. Hai notato che non ho voce?»

Quando parlava sembrava stesse perennemente prendendo fiato, come se l'aria venisse risucchiata via da qualche apertura invisibile.

«Tranquilla» disse. «Quelli con i buchi in gola non fanno male alle ragazzine sul retro dei pick-up.»

Arrivò Timoteo sui rollerblade. Mi sentivo sicura a partire così con due ragazzi? Guardò storto Alo, facendogli capire che non si fidava, poi si sporse sulla pila di pigiami e coperte su cui mi ero piazzata.

«Allora vai?»

«Certo. Non dire a mamma e papà che mi hai visto qui dietro, ok?»

Alo gli diede una pacca sulla spalla. «Tua sorella è in gamba, non ti preoccupare.» Gli fece l'occhiolino e si mise a sedere al volante.

«Non mi pare una buona idea» mi sussurrò mio fratello. Forse vedeva quello che cercavo di non vedere io, la cartolina delle cose fatte come si deve, e qui eravamo parecchio distanti. I pick-up californiani dovevano essere carichi di tavole da surf e ragazze in bikini, non di coperte sporche e pigiami. Ma ogni volta che il dubbio affiorava, tentavo di pensare al deserto e aspettavo che l'ansia sfumasse nelle visioni di sabbia e di Deva. Stavo andando da lei e non mi importava altro. Abbracciai mio fratello e lo baciai sulla guancia: «Grazie che ti preoccupi per me».

Mi diede un bacio, poi di colpo si ritrasse e andò via sui rollerblade bilanciandosi con la mazza da hockey. Mi allungai sul mio letto mobile improvvisato e bussai al vetro per dire che ero pronta per andare. Partì una canzone heavy metal e mi accovacciai dentro al sacco a pelo, teneva abbastanza caldo. Guardai le stelle, cullata dal rollio del pick-up.

Passammo a Hollywood al negozio di scarpe dove dovevamo ricevere le istruzioni segrete. Alla cassa c'era una donna coperta di vernice verde brillante. Mi disse di essere una foglia e che le foglie non andavano confuse con gli alieni. Il resto del negozio era pieno di raver in pantaloni extralarge, trucco e vestiti di Super Mario rilucenti.

Una misteriosa voce registrata ci diede delle istruzioni vaghissime al numero di telefono segreto. Sullo sfondo si sentiva della musica trance. «Prendete la 101 fino alla 10 East, poi la 605 North fino alla 210 East, poi la 58 finché non arrivate da qualche parte in mezzo al deserto dove c'è una strada che si chiama Grandview. Guidate per un po' di chilometri finché non vedete un grosso masso accanto a una stazione di servizio Shell. Da lì girate sulla strada sterrata e andate dritti.» Alo e il suo amico sembravano impazienti. Non volevano guidare così lontano. Si sentivano fuori posto.

Viaggiammo per ore, lungo quattro freeway grandi come continenti. Verso le due del mattino raggiungemmo una piccola sterrata in mezzo al deserto nero. Il pick-up si fermò.

Alo sporse la testa dal finestrino. «Ho fatto una piccola deviazione, bella. Ti scoccia?»

Eravamo soli, noi e il Mojave. I due scesero dalla macchina con gli zaini.

«Ci sballiamo un po'?»

«Secondo me dobbiamo andare alla festa. È già tardissimo.» Mi stavo preoccupando e la paura era diventata una presenza fisica, adesso, come uno dei dipinti rabbiosi di mio padre fatti con il catrame.

Il deserto era freddo e asciutto. Ben si tolse la giacca di jeans e me la posò sulle spalle. Alo stese delle coperte a terra a una certa distanza dalla macchina e si sedette. Mi spiegò che a loro due la musica trance non piaceva molto. Perché invece non rimanevamo lì solo noi tre? Una festa nostra. Avevamo tutto il necessario, e poi Deva non si era fatta problemi a mollarmi. Alo prese un sorso e mi passò una bottiglietta di whiskey.

«Per scaldarci» disse sorridendo. Il suo sorriso era una cosa tenera, come un bambino che cerca di convincere i genitori che mangiare dolci prima di cena è una buona idea.

«I patti non erano questi» risposi, ignorando la bottiglietta.

Alo mi passò una pipa carica. «Stavolta niente peyote, purtroppo» e rise forte.

Mi prese per le caviglie tirandomi giù, voleva che mi sedessi, che mi rilassassi. Quando sentì la mia resistenza ridacchiò e alzò le mani in segno di resa. «Dài che andiamo. Te lo prometto. Speravo solo di poter passare un po' di tempo con te prima di entrare in quel mare di sconosciuti, va bene?»

«Va bene.»

Ben estrasse dalla tasca un coltello a serramanico e cominciò a intagliare un pezzo di legno secco raccolto da terra. Faceva un suono ruvido, come una carota pelata contropelo.

«Allora, perché non ci siamo visti per tutti questi mesi?» mi sussurrò nell'orecchio.

«Ero molto presa dalla scuola» dissi fissando l'oscurità.

Alo fece la mossa mezzo romantica di attirarmi sul suo petto. «Lo sai che mi sei veramente mancata? Quella notte al campo di battaglia è stata speciale per me.»

«Sì.»

Mi raccontò dell'operazione alla laringe. Brutta storia, disse, ma la cosa buona era che aveva scoperto un sistema per continuare a fumare. Adesso lo faceva direttamente dal buco in gola. La sensazione era quasi la stessa. Mentre parlava mi scostai, temendo volesse mostrarmi la nuova tecnica. Non avevo più pensato a lui dal momento in cui mi aveva lasciato nel parcheggio del Prairie Wind Casino. Ora che ci eravamo ritrovati e lui era un uomo smagrito con le rughe intorno alle labbra, la barbetta a chiazze, senza laringe, sentii salire un forte senso di colpa, o di pena, o di fastidio. Era povero, pensai. Tanto povero da non riuscire neanche a farsi crescere una barba intera sulla faccia. Un uomo povero e spezzato. Pensai a lui, a quanto fosse sfortunato e a quel buco in gola che era l'ingresso nell'anima, e tornai ai derelitti di quel paese a cui mancavano parti del corpo, e a quello che diceva Henry. L'America tagliava, non aggiustava mai. Ricambiai il suo gesto d'affetto perché, se non aveva la laringe, doveva essere uno di quelli messi peggio. Ma mentre lo abbracciavo sentivo e sapevo che non avrei potuto far nulla per quel suo pezzo mancante.

«Mi dispiace che hai perso la voce» dissi. «Non dovresti fumare.»

Il groppo di tristezza e preoccupazione che mi aleggiava sulla testa cominciò a scendere sopra di noi, e ci intristimmo tutti e due. Adesso il nostro errore era palese, avevamo fatto male a venire nel deserto insieme. Ben continuava a farsi i fatti tuoi, affilando il bastone con la lama. Alo mandò giù il whiskey in un sorso. Io mi alzai e mi levai la polvere dalle ginocchia, poi gli diedi un bacio.

«Devo fare pipì. Torno subito.»

Ad Alo si accesero gli occhi: avevo smesso di scocciarlo per il rave, volevo finalmente rilassarmi e stare lì insieme a lui.

Tornai al pick-up, raccolsi la mia borsa e mi avviai. Mi spostai dal buio verso il suono delle macchine sulla strada lontana. Non mi guardai indietro e, appena arrivai sulla highway, cominciai a correre. Alcune macchine mi sfrecciarono accanto. Continuai a lisciarmi il vestito con le dita, sperando che non sembrasse troppo corto. Il vento trasportava i suoni lontani della musica elettronica. Un'installazione a forma di cactus fatta di bastoncini illuminati e un fascio laser di luce rosa che saliva dalle pianure poco distanti mi indicarono che ero quasi a destinazione. Una macchina accostò e un gruppo di ragazzini mi chiese se andavo al Moon Tribe Party. Dissi di sì e mi presero a bordo. Avevano la mia età. Non avevano giacche di pelle o di jeans. Non erano pelati e non avevano fazzoletti di seta intorno al collo.

La macchina si infilò in una strada sterrata. Raggiungemmo un gruppo di uomini con giubbotti catarifrangenti arancioni: ci guidarono verso un parcheggio che traboccava di auto impolverate. Quando scendemmo ci sembrò di aver messo piede sulla luna, stavamo scoprendo un nuovo pianeta popolato da comete infuocate e installazioni giganti a forma di margherite.

Un enorme orsacchiotto di peluche ci corse incontro.

«C'è un castello gonfiabile! Andiamo!» urlò.

Si frugò nelle tasche, tirò fuori una bustina di plastica piena di pasticche traslucide e ce ne diede due a testa. Seguimmo l'orso e scendemmo giù per la collina finché non ci trovammo davanti alla grande distesa di deserto. Sul palco centrale le casse erano alte come palazzi. Migliaia di corpi fluorescenti affrontavano un muro di suono ballando come una tribù in saltelli sincopati, digrignando i denti. Avevano le pupille dilatate. Accanto al palco c'era un castello gonfiabile a tema *Alice nel paese delle meraviglie*. L'orso saltò dentro e allungò un braccio per tirarci con sé. L'MDMA che mi aveva dato cominciò a fare effetto. Sentii le mascelle che si bloccavano e una vampata di calore mi scese per la gola. Avevo paura del castello gonfiabile e delle bambine con le treccine che saltavano con il ciuccio in bocca. C'erano troppe persone.

Cominciai a vagare, ma tutti mi sembravano un'onda senza fine di suoni e non riuscivo a distinguere le facce dalle braccia, le voci umane dal ronzio elettronico. Camminavo come un'anima tormentata e mi fermavo davanti a ogni coda di cavallo ondulante color rame. Cominciai a masticarmi la lingua finché non mi mancarono le gambe e non potei far nient'altro che sedermi. Caddi a terra e mi resi conto che sembravo una di quelle poverette che non ce la potevano fare. Ero riuscita ad arrivare così lontano tutta sola e ora ero bloccata dentro il mio corpo. L'unico posto non affollato era una collinetta alle mie spalle. Con uno sforzo riuscii ad alzarmi e affrontare il breve tragitto. Fino a metà della salita rimasi in piedi. Per un momento la musica mi parve stupenda. Sollevai un braccio in aria e lo sventolai delicatamente sulla folla sotto di me. Poi collassai ancora. Solo un minuto, mi dissi, ma passai il resto della notte su quella chiazza di terra, fissando il mare di colori. Dopo alcune ore dei ragazzi corsero giù per la collina verso la festa e si fermarono a chiedermi se stavo bene.

Cercai di sorridere e li mandai via perché non riuscivo a parlare. Una ragazza con i capelli azzurri mi passò una bottiglietta d'acqua. Un ciuccio le ciondolava da una collanina colorata. Me lo spinse in bocca.

«Ti farà sentire meglio. Tienilo.»

Era vero. Masticai finché le cose non tornarono a posto e sentii di nuovo le ossa, e la carne tornò a essere una cosa reale. Guance e mento ripresero i loro spigoli e i loro contorni. Il sole cominciò a salire dietro le rocce del deserto e di colpo ogni mistero svanì. Facce dal trucco sbavato, labbra gonfie, occhi spalancati, confusi dall'arrivo del giorno. Speravano tutti di poter spegnere la luce, cancellare il movimento della terra, ricacciare il sole dietro la collina. I più sensati montarono in macchina e se ne andarono. Sperai che Alo e Ben fossero tra loro. La

vastità del deserto di giorno era eccessiva. L'intimità e il triba-
lismo scomparirono in un attimo. La terra piena di crateri che
era stata alcova di tutti nella notte era diventata il lurido bagno di una stazione di servizio, con rivoli di vomito e piscio
sul pavimento. Rimasi a guardare le anime perse sotto al palco, non ancora pronte per andare a casa. Avevano addosso la
crema solare, mangiavano pasticche di vitamina C e si massag-
giavano il petto con creme alla canfora per protrarre gli effetti
delle droghe. E fu lì che la vidi. Girava in tondo con gli occhi
chiusi, la faccia sporca di polvere d'oro, le palpebre appesan-
tite da un trucco da egiziana. Semplicemente luminosa, sbandata da una melodia tutta sua, ballava sotto le grandi casse.

Mi tolsi le calze e posai i piedi nudi sul suolo, pensando
che finché avessi sentito la terra sotto di me avrei potuto
muovermi. Cominciai a sudare, una sensazione calda che
mi colava dal corpo e ricircolava per i pori. Ero di nuovo in
grado di camminare e tutto mi sembrava semplice. Misi un
piede avanti all'altro e non smisi finché non riuscii a toccare le sue braccia nude e fresche.

«Deva» le dissi, scostandole i capelli dagli occhi. «Buon
compleanno.»

Sapeva ancora di foglie d'alloro e patchouli, ma i suoi occhi erano di un verde più scuro, come se la lontananza avesse accumulato densità nelle pupille. Sembrava più grande.
La strinsi e le posai le mani sui fianchi. Il mattino sporco del
deserto si trasformò in un'alba californiana. Mi abbracciò.
Non l'avevo mai vista così magra. Le baciai i capelli e quando la guardai di nuovo in faccia, i suoi occhi, che in Montana erano diventati forti e compatti, ripresero la loro solita patina acquosa e cominciarono a sfrecciare ansiosamente
intorno a me, alla ricerca di qualcos'altro. Rise – con un'e-
spressione implorante, afflitta – e mi presentò ai suoi amici,
tutti allampanati e trasformati. Erano troppo fatti per essere
simpatici. Non mi strinsero neanche la mano.

Le presi il polso, volevo portarla via.

«Mi dispiace. Ti ho cercata nella notte ma mi hanno trascinata via» disse.

Finsi che non ci fosse problema, si faceva sempre così alle feste, no? Si arriva insieme, sciamando come una cosa sola, per poi dividersi e ritrovarsi all'alba in una danza di uccelli migratori.

«Tuo padre» le ricordai stringendo più forte il suo polso. «Hai detto che devi tornare la mattina per la tua passeggiata di compleanno.»

Deva guardò un angolo del cielo. Era uscito il sole. Sul viso non c'era più divertimento.

«Dobbiamo andare, giusto! Se non torno mi uccide.»

Trovammo un passaggio fino a Topanga da amici di Deva. Ci fermammo in una stazione di servizio e comprammo della Gatorade perché eravamo disidratate. Dal margine dello spiazzo di cemento vedevamo le macchine sparpagliate per il deserto che pompavano musica dalle casse. Si improvvisavano balli sotto le piante secche, gli strascichi della festa. Al ritorno mettemmo una cassetta con i pezzi più belli della notte passata, una registrazione pirata che un amico DJ aveva regalato a Deva. Lei tirò giù il finestrino e allungò le braccia, mimando con le dita il movimento di una barca che beccheggiava su e giù. Canticchiava fra sé, accompagnando con una mano il paesaggio lunare del Mojave, la sigaretta nell'altra. Continuavo a lanciarle degli sguardi, sperando che tradisse qualche emozione nei miei confronti, ma la sua testa era chissà dove.

La freeway che doveva riportarci indietro già si vedeva in lontananza mentre scendevamo da una collina ripida e tortuosa. C'erano molte curve e mi ricordai che ero già stata lì, su un'altra macchina con mio padre al volante, spericolati. Era il posto in cui mio fratello era caduto dalla bicicletta e si era aperto il ginocchio nella prima settimana a Los Angeles. Riconobbi l'ospedale Mount Sinai nella valle lontana. Mi ricordai il corpo di Timoteo che sbucava minuscolo da dietro una curva, camminando verso di noi coperto di sangue, Serena che piangendo picchiava Ettore. Ora vedevo che ogni curva era cieca. Come si poteva permettere a un ragazzino di sfrecciare su quella strada senza casco?

«Facciamolo correre giù per la collina intanto che lo seguiamo in macchina. Lo aspettiamo a valle. Mai usato un casco in vita mia.»

Nostro padre ci aveva messo tutti in pericolo dal momento in cui eravamo atterrati in California. Sapeva che se volevamo cominciare una vita qui ci serviva un'armatura. Un guscio, come il mio costume di gomma o la pellaccia che si era indurita sul viso di nostra madre. Aveva preso così tanto sole da bruciarsi gli strati di pelle sulla fronte. La sua carnagione mediterranea si era squamata e i raggi avevano attaccato pori e cellule. Nel suo terzo occhio ardevano le fiamme di una stella immaginaria. Quella era la sua cicatrice. Ognuno aveva la sua.

Mi faceva male tutto. Avevo gli arti allungati come se volessero scappare dalle loro cavità. Ero paralizzata da un senso di tristezza soverchiante, quasi che il mio corpo si fosse trasformato in qualcos'altro mentre non stavo a guardare, e ormai era troppo tardi e dovevo affrontare le conseguenze della mia incoscienza. Deva chiuse le tendine sottili della sua capanna per tenere lontano il mattino ed entrò con me nel letto. L'odore della sua pelle andava e veniva. La strizzai contro di me per intrappolarlo.

«Mi sei mancata» le dissi a occhi chiusi.

Mi posò una mano sulla pancia e mise l'altra fra le mie cosce. «Schiaccia» disse. «Ho freddo.»

Premetti le gambe una contro l'altra e alitai sulla sua testa per riscaldarla. La stanza sapeva di muffa. L'umidità ci penetrava nelle ossa. La abbracciai con tutto il corpo e aprii gli occhi per osservare il suo viso da vicino.

«Com'era il Montana? Pensavo non saresti mai tornata.»

Evitò la domanda e mi strofinò addosso il naso. «Lo sai? Mi fai sentire che posso perdere uno zaino con dentro le mie cose più preziose, tanto tu saprai sempre come trovarlo.»

Era una bella cosa, ed era bello che i suoi occhi avessero smesso di agitarsi e schivarmi. Ma il complimento mi aveva anche infastidito. Mi tirai su e le raccontai di come avessi passato le ultime settimane a darle la caccia e di come fosse stato difficile. In Montana era stata sempre presa da altro. Non mi aveva mai richiamata. E nonostante questo io mi ero inventata una scusa con i miei genitori per portarla dove voleva andare lei per il suo compleanno. Avevo finto di stare con un tipo con cui non avevo niente a che fare. L'avevo trascinato nel deserto e abbandonato in mezzo al nulla. Ero stata crudele e avevo preso droghe a cui non ero abituata, solo per rivederla. Era difficile capire come comportarsi con una persona che non voleva essere vista, che non ti diceva mai come stava e che scappava in nascondigli sempre nuovi. Deva aveva gli occhi bassi. Disse che il viaggio in Montana l'aveva prosciugata. Aveva costruito uno studio di registrazione praticamente da zero con suo padre e suo fratello. C'era voluto più del previsto.

«Ma perché uno studio di registrazione in Montana se vivete qui?» risposi.

Scrollò le spalle.

Provai a essere ferma e mantenere il punto, ma mentre le parlavo mi rendevo conto di essere completamente innamorata. Avrebbe potuto farmi quello che voleva. Abbandonarmi, non richiamarmi mai: sarei comunque venuta lì sul suo letto quella mattina, felice anche solo della sua presenza. Avrei piantato un migliaio di tristissimi Alo con i loro buchi in gola per passare una notte con lei.

Si spostò dall'altra parte del letto di legno. Dagli alberi fuori filtravano chiazze di luce che le cadevano a strisce sui capelli scompigliati e andavano a posarsi sulle clavicole. Scese giù e rimase ferma ai piedi del letto a osservarmi. Mi tolse le calze. Avevo i piedi neri della terra del deserto. Li baciò. Controluce la sua testa piccola e rotonda sembrava circonfusa da un'aura elettrica.

«Avevo paura che fossi innamorata di me e non volevo quella responsabilità» disse guardandomi dritto in faccia.

La tirai a me e le accarezzai il seno con le dita. «Sono innamorata di te, è vero» risposi. «E allora?»

Mi baciò. La spinsi via e lei mi baciò ancora. Esalò un lamento delicato, qualcosa per dire che le dispiaceva. Si tolse il vestito e tornò a letto, portandomi con sé. Mi leccò le labbra e le guance e la leccai anch'io, gli occhi e i capelli e tutto quello che trovavo.

«Non preoccuparti» disse. «Anch'io voglio stare con te.»

Spinsi le mani contro il suo corpo caldo e ossuto. Finii di svestirla, la presi fra le braccia e facemmo l'amore. Non fu come la notte della giostra, quando avevamo girato come giocattoli a manovella, venendo subito e inaspettatamente, senza più parlarne. Questa era una dichiarazione.

Rimanemmo in quello stupore per ore, baciandoci, perdendo tempo, poi trovandoci ancora. Le nostre dita percorrevano il contorno dei corpi, dall'interno delle gambe al seno e alle labbra fino a memorizzare ogni piccola piega. Non sapevo che le ragazze potessero avere tanto liquido dentro di sé. Non mi era mai successo con un maschio, ma alla fine della mattinata il letto era zuppo, così zuppo. Negli occhi di Deva c'erano i granelli di sabbia del deserto, formavano un muco giallo acceso simile a quello dei gatti. Le particelle illuminate di polvere le si depositavano sulle costole e l'ombelico. I suoi piccoli seni, illuminati dagli acchiappaluce appesi alla finestra, furono l'ultima cosa che vidi prima di chiudere gli occhi.

Ventitré

Dormivamo da poco quando sentimmo bussare alla porta.

Deva si versò dell'acqua da una bottiglia per bagnarsi gli occhi e sembrare meno assonnata. Suo padre entrò senza aspettare una risposta e guardò confuso la mia faccia pesta.

«Be', buon anno, signorina italiana. Che avete fatto ieri sera, belle ragazze?»

«La mamma di Eugenia ha preparato una cena tutta italiana per me. I suoi ci hanno appena riaccompagnato a casa. Ho invitato Eugenia alla nostra scampagnata di compleanno.»

«E che cosa ha cucinato tua madre?» chiese, diffidente.

«Parmigiana di vitello» improvvisò Deva.

Non avevo mai sentito di un piatto del genere. Mia madre si sarebbe uccisa piuttosto che cucinare una cosa simile.

«Buon compleanno, bellezza.» La abbracciò. «Mi ricordo di quando...»

«... Ero un fagiolino nella pancia che non vedeva l'ora di uscire... L'opposto del mio gemello che voleva rimanere fisso lì.»

Gli occhi del padre si rilassarono a sentire quelle parole. Erano i loro piccoli riti, la loro intesa segreta. Andava tutto bene.

«È pronto il pranzo?» chiese Deva, fingendo entusiasmo.

Sulla faccia rossastra del padre si spalancò un sorriso. Era ubriaco. Ora sentivo l'odore. Dalla notte prima, e aveva ricominciato dalla mattina.

«Il mio cibo non sarà forse buono come quello di tua madre.»

«Sarà ancora meglio» dissi io.

Andammo alla casa principale.

La tavola per il brunch di compleanno era apparecchiata nella terrazza che dava sul querceto, festoni appesi alla ringhiera e palloncini che volavano per aria. Sulla scrivania all'interno non c'erano i faldoni del lavoro, né fax che suonavano o foto patinate. Lo schermo del computer era spento, la casa pulita. I mobili sembravano morti, quasi avessero smesso di respirare quando la famiglia era partita per il Montana.

Chris si presentò sulla terrazza con i capelli lunghi e un cappellino all'indietro che lo faceva sembrare più magro, come se invece di crescere e diventare uomo stesse lasciando perdere. Una creatura scarna, trasparente.

«Buon anno» mi salutò con un abbraccio leggero e asettico.

«Buon compleanno» risposi.

Scrollò le spalle. «Io e Deva non festeggiamo mai lo stesso giorno. Papà ci tiene a passare del tempo da solo sia con me che con lei. Non pensavo di trovarti qui.» Inarcò le sopracciglia.

Su una padella in cucina friggevano uova e pancetta. Il padre di Deva ci versò del succo d'arancia, poi si chinò su di lei e l'abbracciò da dietro.

«La settimana prossima siamo in TV: che te ne pare come regalo di compleanno?» sussurrò.

Deva arrossì e lo accolse, allungando le braccia all'indietro. «Regalo stupendo.»

Si appollaiava all'ombra della figlia come un elemento fisso, sconfinando nello spazio intorno a lei, che doveva prendere delle strane pose per restringerlo, e quello comunque la sovrastava. Gliel'avevo già visto fare: la divorava con la sua presenza fino a farla sembrare una cosa minuscola.

Guardai Chris. I festoni appesi sulla terrazza avevano tutti il nome della sorella. E domani? Sarebbe stata la stessa cosa per lui? In tavola avrebbero portato gli avanzi della torta del giorno prima, candele di compleanno consumate a metà, pancetta fredda? Mi chiesi come si sentisse a non essere il prescelto, a doversi mettere da parte il giorno del suo compleanno, in modo che il papà potesse rimanere solo con la sorella gemella.

Il padre di Deva piazzò un regalo incartato sul tavolo: una stilografica nera della Montblanc.

Lei tenne lo sguardo basso.

«Grazie. È bellissima» disse con un debole sorriso.

«La migliore del mondo. L'inchiostro scorre come una melodia. Così tutto quello che scrivi diventa oro.» Le baciò la mano. «Anche i contratti discografici.»

Entrò in casa per prendere le uova fritte. Io toccai il ginocchio di Deva sotto il tavolo e lo strinsi. Una lama di luce ci separava perfettamente. Glielo strinsi ancora più forte. Anche lei, pensai, doveva aver sentito quel bisogno di rimanere vicine, di continuare a immergerci nelle acque aperte in cui ci eravamo bagnate quella mattina, la nostra piscina a sfioro. Vidi all'orizzonte laghi azzurri, narcisi selvatici e caminetti fumanti, case di pietra ricoperte d'edera, le avventure future nel canyon. Ignorai il fatto che la sua mano sotto il tavolo non cercasse la mia.

Mangiai le uova, sorrisi, feci il bis anche se il mio stomaco si rivoltava e l'odore dello sciroppo d'acero sui pancake mi provocava conati di vomito. Il padre di Deva si era aperto una Budweiser e sgranocchiava le fettine di bacon fritto. Guardava la figlia e le passava gli indici sugli occhi annebbiati, togliendole il muco secco che si era formato nel deserto.

«Sembrate uscite da una lavatrice. Sicure di aver dormito abbastanza?»

Lei annuì mentre cincischiava con il cibo nel piatto.

«Non hai fame?»

«Non tanta.»

«Be', devi mangiare se vogliamo arrivare fino a Eagle Rock.»

«Forse è meglio se andiamo nel pomeriggio» buttò lì Deva.

Lui si scurì in volto. Si alzò di scatto, entrò in casa e tornò con due paia di scarponi. Un paio lo diede a lei e l'altro lo buttò ai miei piedi.

«È il nostro programma. Festeggiamo sempre così il tuo compleanno.»

Le diede un colpetto sulla guancia, giocoso e serio insieme, uno schiaffetto amichevole.

«Lo so» disse Deva facendosi piccola. Era troppo stanca per inventarsi una scusa. «Senti, siamo contente di venire, ok?»

Partimmo per la grande Eagle Rock. Non eravamo in condizione di fare una sfacchinata, ma Deva disse che se non fossimo andate sarebbe stato peggio. Speravo che Chris venisse con noi, ma dopo colazione era sparito nella sua stanza. Doveva far parte dell'accordo, compleanni separati, camminate separate. Deva mi chiese di comportarmi normalmente, di pensare a come saltavamo i recinti di scuola cercando il sole senza guardare mai indietro. Glielo promisi, ma quel giorno sembrava che il sole fosse stato scagliato via dal cielo. Non c'erano raggi dorati, solo azzurri sbiaditi e grigi metallici.

Salimmo oltre la comune e le rocce rosse del canyon. Il padre salutò Bob con la mano, e quello ci fece un cenno con la testa mentre lavorava di martello su una capanna della comune. Finsi di non conoscerlo. Deva fece un saluto educato come se fosse solo un amico del padre. Niente bimbe selvagge e mogli gelose attorno.

Gli argini del fiume si erano ritirati, e le colate di fango si erano ormai compattate in una terra asciutta e violacea. Attraversammo il torrente che scorreva tra gli alberi, attenti a evitare i rami troppo grossi e l'intreccio di arbusti, e marciammo oltre la casetta con la vasca all'aperto dove avevamo fatto il bagno per tutti quei mesi. Una coppia di turisti norvegesi appendeva la biancheria a un filo del bucato. La figlia ci salutò da dentro la vasca mentre un cucciolo randagio della comune grattava lo smalto sbiadito della vasca con le zampe.

«Ma guarda un po'! Una vasca all'aperto! Che matto che è Bob, eh?»

«Proprio matto» mormorò Deva.

I nostri sguardi indugiarono sull'ingresso della casetta. Avevamo varcato quella soglia tante volte, ma ora che eravamo con suo padre sembrava una cosa lontana, sembrava stessimo percorrendo un'altra versione del nostro inverno. Non eravamo noi quelle che scavalcavano i recinti e si intrufolavano di nascosto nelle capanne. Eravamo un altro genere di ragazze, quelle obbedienti, che seguivano i padri nei boschi con gli scarponi e le calze di lana.

Scendemmo fino alla strada principale e risalimmo in un nuovo tratto di bosco per un sentiero punteggiato da alti grovigli di spine. Poi arrivò un pendio e un'altra collina che si apriva sull'entrata del parco statale di Topanga.

«La camminata è lunga, ma è la più bella vista dell'oceano di tutta Los Angeles» annunciò il padre. Il sorriso era svanito dal viso della figlia. Era cerea e remissiva, come se nell'arco della mattinata si fosse trasformata in un oggetto. I pantaloni le calavano dalla vita e le mutande sporgevano dalla piega del sedere. Adesso respirava con affanno. Suo padre se ne accorse e la raggiunse. Le diede una pacca sulla spalla.

«Tutto bene?» chiese. «Sembri uno spettro.» Non aveva un tono paterno, non era rassicurante. Le grattò forte le nocche sulla testa come un bullo di scuola. I capelli lunghi di Deva, pieni di polvere del deserto, si aggrovigliarono.

«Che cazzo hai nei capelli? Ma non te li eri lavati ieri?»

Lei fece sì con la testa, aggiustando qualche ciocca dietro le orecchie.

«Cos'è? Sei stata in campeggio? Sono pieni di...» Le pettinò la chioma con le dita, raccogliendo sabbia. «Terra? Sporcizia? Che cos'è?» le chiese aprendo le mani per farle vedere quello che aveva raccolto.

Deva scrollò le spalle.

Lui sospirò d'impazienza. «Parmigiana di vitello» disse, ridendomi in faccia. Si voltò e continuò a camminare.

«Stai bene?» sussurrai a Deva.

Lei mi fece cenno con il mento di andare avanti, non voleva che il padre ci sentisse. Finalmente mi strinse il braccio, ma solo perché non riusciva a stare in piedi. Mi feci forte come un palo e la trascinai su per la collina. Ancora un po' e saremmo arrivati a Eagle Rock. Lì ci saremmo fermati.

Le montagne sembravano ammassi di carbone. Una vista sconfortante. Ogni foglia sugli alberi era come un disegno stilizzato. Raggiungemmo una radura fra le querce: erano tutte spezzate in due, come gambe in corsa. Gli ulivi di un campo lontano sembravano remoti e scabri come scheletri, le braccia protese nel nulla. Le colline si trasformarono in rupi solitarie che cadevano nello spazio vuoto da ripidi crinali. L'inverno.

Quando arrivammo a Eagle Rock, la mano di Deva sudava nella mia. L'erba intorno alla roccia dava l'impressione di un insieme di fili schiacciati. Suo padre si mise a sedere sul grande sasso che affacciava a precipizio sul promontorio, soddisfatto alla vista.

«Guardate, l'oceano oltre le colline è nero.» La sua faccia e il suo petto esalavano un sudore acre e Topanga non mi sembrava più un bel posto.

Deva fece qualche altro passo zigzagando verso un cespuglio. Si inginocchiò e vomitò. Le pulii la faccia con delle foglie morte. Suo padre ci vide e tornò sui suoi passi.

«Ma che ti succede?»

Lei si tirò su, tenendo le mani contro le ginocchia, e vomitò di nuovo. Le reggevo indietro i capelli, ma il padre mi spinse via con un colpo d'anca.

«Vuoi che te lo dica io che ti succede?» chiese alla figlia, tirandola per il polso verso di lui.

«Niente. È solo che non mi sento bene» rispose lei, collassandogli addosso.

«Perché io credo di sapere molto bene come stanno le cose.» Deva provò a staccarsi senza riuscirci.

«Pensate che sia un idiota? Una cena italiana, eh?» mi guardò storto, legò i lunghi capelli di Deva in un pugno e se li portò al petto trascinandola verso la roccia. Lei non sembrava scioccata quanto me da quello che stava accadendo. Era un intoppo, un fastidio, niente di nuovo.

«Sei uscita, ecco cosa è successo. Sei andata a una di quelle tue feste che vanno avanti tutta la notte. Mi sbaglio?»

Ero accanto a loro con un corpo che non era in grado di muoversi. Le cose chimiche della notte prima mi vennero su e mi paralizzarono. Riconobbi quel senso di impotenza, il cuore che batteva forte dentro una struttura immobile, la mente che cercava di piegare una sagoma di piombo. Ero lontanissima da Eagle Rock, in piedi davanti agli occhi forsennati di Santino sull'isola, che provavo pena per Angelina e il suo muso addolorato.

Deva si districò dalla presa del padre.

«Non ti sbagli. Mi dispiace» piagnucolò. «Ci siamo andate per festeggiare il mio compleanno.»

Il padre si allontanò scuotendo la testa come se fosse fiero di sé per avere indovinato. Poi si fermò e prese fiato.

«È stata colpa mia» intervenni. «L'ho convinta io.»

Non mi ascoltava.

Le suole delle sue scarpe ruotarono sul pietrisco. Si voltò e con due balzi fu davanti alla figlia. Deva si spostò di scatto e i loro corpi si scontrarono, rimbalzò contro il quarzo come una palla di gomma.

Di colpo non sentivo più il piombo. Ero sobria e non importava se Deva era caduta per sbaglio. La mia mente urlava che forse non era un incidente, poteva essere il preludio di qualcosa di peggio. Pensai ai lividi che le avevo visto sul corpo, i giorni in cui scompariva, le volte che si rifiutava di parlare di certe cose. Riavviai i ricordi, adesso iniziavo a capire. Mi montò dentro una furia, strinsi i denti e ringhiai al padre di Deva. Si stava riavvicinando alla figlia con un'espressione gentile, di tregua. Ma non era una tregua. Era la quiete prima della tempesta. Gli gridai di stare lontano da lei. Non mi ascoltò e continuò ad avanzare, la testa inclinata da una parte, guardandola tutta. Feci un passo indietro. Una scossa nelle gambe, come un risveglio, e le mie mani scattarono in avanti, forti e dure. Puntai alla sua pancia. Stava accadendo questa cosa, e io lasciai che avvenisse come se fossi un'estranea. Mi scagliai contro il padre di Deva con più forza di quanta pensassi di avere. Lo spinsi giù dalla Eagle Rock dentro un piccolo fosso. Sentii il suono delle sue braccia che si scontravano con un cespuglio di arbusti, lo scricchiolio dei rami e delle foglie secche. Non presi neanche fiato né cercai di capire cosa fosse successo. Mi voltai verso Deva e corsi da lei. Era un cumulo di ossa tremanti, la fronte le sanguinava per la botta.

«Che cazzo hai fatto?» mi urlò.

Le risposi con una voce calma, senza fretta, sperando di darle il tempo per accorgersi di essersi sbagliata a parlarmi così: «Stava per farti del male».

«Non è vero, psicopatica di merda.»

Mi affacciai oltre il bordo. Era lì, respirava pesantemente, le gambe divaricate su un cespuglio lungo il precipizio. Non era morto, mi rassicurai, e mi voltai ancora verso Deva, ma il suo viso si era indurito. Le diedi la mano per aiutarla ad alzarsi, lei era già da un'altra parte. Il suo profilo si confondeva con la luce del tramonto e cominciò a disperdersi nel canyon. Mi diede un ultimo sguardo indignato e poi sparì. Il sole era finito nell'oceano, ora c'erano solo colline blu e ombre nere. Tutto si era piegato in dentro e da quel mondo concavo sarebbe emersa una Deva totalmente diversa. Quella di prima non c'era più.

«Tu sei completamente matta!» mi trafisse con uno sguardo furioso e limpido, poi superò la roccia su un lato e si calò giù per la scarpata. Il padre era a terra là sotto. Si lamentava, gli occhi al cielo come un martire. Deva si chinò sopra di lui per tranquillizzarlo. Gli baciò il naso, le guance, la fronte. Rimasi sulla roccia e stetti a guardarli dall'alto mentre i capelli di lei cadevano sul volto del suo Adone.

Mi sentivo stupida e piena di rimorso, ma anche disgustata.

«Deva!»

Stava aiutando il padre a risalire e lui zoppicava. Aveva braccia e viso graffiati, ma era vivo, era in piedi.

«Io ti denuncio! Ti faccio cacciare dal mio paese! Brutta pazza italiana di merda.» Anche se gli fumavano gli occhi, la sua rabbia era tutta una scena. Il suo corpo era comodo, perfettamente a suo agio tra le braccia della figlia, il viso tondo e soddisfatto, la carnagione accesa.

«Deva!»

«Hai sentito cosa ti ha detto?»

Arrossii, non so perché. L'avevo già sentita parlare così: al telefono quand'era in Montana. Era il suo tono quando chiudeva le porte. La sua voce si erse, più in alto del meteorite che era caduto sul canyon. Si estendeva, risuonava oltre le isole Eolie, il deserto del Mojave e la Valley, ed era imperscrutabile come le regole segrete dei figli cresciuti in quel canyon. Topanga era un posto dove le cose erano diverse e le ragazze amavano e temevano i loro padri, forse dormivano nei loro letti, diventavano le loro assistenti, le loro mogli.

«Meglio se te ne vai o ti ammazzo» mi urlò suo padre dal sentiero.

Aspettai ancora un secondo, sperando in un addio, ma Deva non alzò lo sguardo.

Iniziai a correre.

Ventiquattro

Mi lanciai a rotta di collo verso il fondo del canyon. Con la coda degli occhi vedevo passare le macchie verdi dei prati. I rami dei platani mi sbattevano sulla bocca riempiendola di foglie amare. Mi graffiai le braccia con le spine, inciampando nei rovi. Caddi e mi rialzai, gli arbusti mi frustavano le cosce. Corsi attraverso i meleti, oltre il torrente della comune e la vasca, oltre le rocce rosse. Una mano gigante mi spingeva a valle colpendomi sotto la cassa toracica, mi intimava di sbrigarmi. Correvo senza guardarmi indietro, giù per il bosco verso le acque scure del Pacifico che scorgevo in lontananza. Tenevo una mano sulla milza dolorante.

Finii in uno spiazzo in fondo al canyon e poi su un tratto di cemento invaso da aghi secchi di pino. Strisciai attraverso il buco di un recinto di ferro e mi ritrovai nel giardino lussureggiante di una casa disabitata nelle Pacific Palisades. C'era uno stagno verde marcio che poteva essere stato un lago artificiale per cigni. Una piccola flotta di rondini scese a prendere sorsi d'acqua prima di schizzare di nuovo in cielo. I banani circondavano lo stagno, altre piante tropicali piegavano le foglie grasse verso l'acqua. Sulla sponda opposta, alla fine del giardino, vidi un sentiero che mi portò a una piscina a forma di S. Andai a vedere. Un materassino coperto di foglie galleggiava mezzo sgonfio contro lo sfondo di un mosaico turchese. L'acqua non era troppo sporca. La villa doveva essere stata abbandonata da poco. La casetta degli attrezzi oltre il trampolino era infestata di bouganville bianca che saliva fin sulle tegole del tetto. I rampicanti si spingevano verso il cielo contendendosi lo spazio e stringendo le tubature con le loro radici pelose. Due vasi di piante dai gambi troppo lunghi penzolavano dal tetto.

Dall'altro lato del giardino, l'oceano scuro baluginava tra gli alberi, pulsando dolcemente. Mi fermai. Le foglie ondeggiavano nel vento della sera. Un giardino in abbandono. Il tempo si era di nuovo fermato. Ero al sicuro.

Un cartello sbiadito che diceva VENDESI era affisso in mezzo al praticello della villa di tre piani dalle finestre sbarrate. Sotto il portico dell'ingresso c'era un tavolo di vimini coperto dalle tipiche cose che si scordano alla fine di un trasloco: scatoloni di cartone aperti con dentro vecchi giocattoli, secchi di vernice ormai secca, lenzuola appallottolate, asciugamani sporchi. Una pila di vestiti traboccava da una valigia spalancata.

Infilai le dita in quel mucchio pesante di stoffe ammuffite. Sentii qualcosa di morbido e lo tirai fuori. Grazie al negozio di Henry adesso mi veniva naturale cercare ed esaminare ogni capo abbandonato. Era una pelliccia di leopardo, autentica, come minimo degli anni Trenta. Era un po' grinzosa e sapeva di muffa, ma il pelo non era invecchiato. Battei via la polvere e quella tornò in vita con la vischiosità di un animale indomabile. Come potevano i proprietari di quella villa lasciare lì una cosa del genere? Le maniche e il colletto erano scuciti, ma si potevano mettere a posto. Era di una taglia più piccola della mia, per una donna minuta d'altri tempi. Me la immaginai addosso a una delle stelle del muto, di quelle che negli anni Venti avevano la casa per le vacanze a Topanga. Sarà stata nell'armadio per decenni e, ora che la villa era in vendita, i proprietari, come tutti gli abitanti di Los Angeles, non si erano fatti prendere da sentimentalismi. Mi infilai la pelliccia di leopardo, tornai a bordo piscina e mi stesi su una sdraio strappata.

Cominciò a soffiare un vento gelido. In pochi minuti arrivò il freddo. Le foglie tremavano ancora, ma con meno elettricità.

Leopardo, mi dissi, cacciatore dall'energia notturna, dammi coraggio. Non sapevo cosa fare o come tornare a casa. Avevo paura che se fossi tornata nel canyon mi sarebbe successo qualcosa di terribile. L'ombra gigante di un eucalipto, proiettata da una luce di sorveglianza mezzo scarica, cominciò ad avvolgere come un manto il resto del giardino. Un leopardo feroce, pensai. E con un brivido presi sonno.

Mi svegliai in piena notte, il cielo cadeva a pezzi sulla mia testa, il ruggito di un treno mi attraversava come fossi un tunnel. Spalancai gli occhi e vidi il padre di Deva che mi scuoteva forte urlando. Mi alzai di scatto. Non c'era nessuno. Non era il cielo che stava andando in pezzi ma la terra. Il treno veniva rigurgitato da sotto. Il pavimento si muoveva a onde. L'acqua schizzava fuori dalla piscina. Una parte del tetto crollò portando con sé i vasi delle piante. I coyote ululavano nei recessi del canyon mentre il suolo continuava a tremare. Poi tornarono l'oscurità e il silenzio. Sapevo cos'era. A scuola avevamo fatto le esercitazioni. Ci avevano detto che la terra di Los Angeles ogni tanto tremava, ma non mi sarei mai aspettata una cosa simile.

Uscii dal buco da cui ero entrata e camminai intorno alla casa finché non mi ritrovai su una piccola strada in cima a una collina. Non c'erano luci oltre la curva, solo grumi lucidi di catrame. Scesi dalla collina guidata dal suono di grida umane che venivano da tutte le parti, e mi parve di affondare in una gola buia. Non capivo da dove arrivassero quelle urla interminabili, se fossero sopra di me nel canyon o sotto di me nell'oscurità, ma erano rassicuranti, come avere compagnia. La terra ricominciò a tremare. Stavolta mi misi a correre, ma non riuscivo a dirigermi in nessuna direzione. Le gambe barcollavano sull'asfalto crepato, senza andare avanti. Il secondo rombo fu più breve, ma quando terminò le gambe continuarono a oscillare tentando di prevedere il prossimo rollio. Le urla sulle montagne aumentarono e io continuai la mia corsa traballante finché non mi accorsi di essere atterrata su Sunset Boulevard. Ero nel nulla, in un tratto del viale senza case né segni di vita umana, solo alberi e fogliame sporco. Non l'avevo mai vista così. Avevamo percorso quella strada tantissime volte con la capote della Thunderbird abbassata e Serena che faceva la sua imitazione di Gloria Swanson. Ora sembrava un angolo di foresta disboscata.

Poco più avanti sulla costa vidi i veicoli d'emergenza e le auto della polizia, vetri rotti ovunque e sentii l'odore di acqua di mare e alcol versato davanti a un negozio di superalcolici vandalizzato. Le sirene e il mormorio basso e disperato delle persone che cominciavano a radunarsi. Camminai sulla strada lungo il mare finché non trovai una macchina della polizia parcheggiata e agitai le braccia al poliziotto che stava salendo a bordo. Balbettai che mi ero persa, avevo paura e dovevo tornare a casa. Lui fece una smorfia notando la mia pelliccia disfatta e mi resi conto di cosa sembravo. Quando sentii la mia voce che spiegava mi accorsi di essere completamente sotto shock.

«Dovevi rimanere in un posto sicuro» disse il poliziotto mentre mi faceva montare in macchina. Ci allontanammo dall'oceano. Dalla radiomobile disturbata da interferenze le voci allarmate si accavallavano. Dicevano che il Northridge Fashion Center della Valley era collassato e su Winnetka, la strada del mio liceo, c'era una fuoriuscita di materiale pericoloso. A Sherman Oaks, a pochi isolati da casa nostra, un edificio andava a fuoco. La rottura di tubi del gas e dell'ac-

qua stava provocando incendi e allagamenti in
ley. Il poliziotto scuoteva la testa.

Disse che la zona più colpita era quella vicina
Le freeway erano tutte chiuse. Il solo modo per
re la Valley era ripassare per il canyon, ma anc
peva se sarebbe riuscito a portarmi dall'altra pa

Era il terremoto del 17 gennaio del 1994, ma
della scala Richter.

«È stato fortissimo, questo ce lo ricorderemo

«Sarà successo qualcosa alla mia famiglia? V
Nuys.»

Il poliziotto non rispose.

Avvicinandoci alla San Fernando Valley la
dall'alto disseminata di incendi. La griglia piatt
percorso a piedi in lungo e in largo e conoscevo
era sotto assedio. Le luci della città che di solito
vano per chilometri non c'erano più. Sotto di n
città offuscata. L'avevo già vista così – una dis
trici – il giorno in cui eravamo arrivati, con le st
fumanti per gli scontri. Quella terra aveva un
di reagire alle tragedie. Come una celebrità dop
dalo, supplicava di essere lasciata in pace. Qua
to pressione volava basso, accucciata e compre
che passasse il disastro. Le magnolie e i cipressi
si consumavano fino alle radici, gli edifici si ra
le strade si piegavano e i laghi sputavano i pes
acque. Ogni cosa si stringeva alla natura perch
pidamente il suo corso, perché l'armonia potess

In lontananza riconoscevo il centro commerci
land Hills, una balena di cemento spiaggiata. Pe
sh e lo salutai. Per la prima volta mi parve dista
do che cominciava a essere rimpiazzato da una i

I raggi dell'aurora si fecero più forti. La not
brividi si ritirò e fummo scaricati in un mattino
minciò il giorno, in una corsa folle contro un c

he cinguettavano come pazzi, cani ululanti, galli. Raggi
sole veloci e famelici si arrampicarono sui tetti sfasciati
cime degli alberi, sulle antenne crepate e i cavi del tele-
o che penzolavano da pali cadenti. Era un sole che bat-
a ovunque, era colpa sua se la Valley era tutta uguale, e
orni sempre gli stessi, e l'aria senza odore. Ti fagocitava.
Corriamo a casa, per favore» dissi all'agente mentre ri-
ivamo per Ventura Boulevard. Tentammo le strade late-
i, ma ogni viale era bloccato da un edificio collassato o
macchine rovesciate. Mi girava la testa e volevo vomita-
Il poliziotto mi disse di calmarmi. Nausea e disorienta-
nto erano reazioni normali al terremoto.
Dalla macchina vidi famiglie che si abbracciavano. Intor-
ai pochi telefoni a gettoni funzionanti si erano forma-
delle fila. Già si montavano le prime tendopoli mentre i
ni vagavano in branco in cerca di cibo. Incrociammo gli
uardi vuoti di chi aveva avuto una casa e trenta secondi
po non ce l'aveva più. La Valley era spogliata e la sua nu-
tà non aveva senso, era un posto troppo abituato al bello.
nza il suo guardaroba Los Angeles non poteva esistere.
Il poliziotto mi lasciò su Sunny Slope Drive, per fortuna
n era caduta nelle viscere della terra. Era ancora lì, solo
cora un po' più storta di prima.
«Spero che la tua famiglia stia bene» disse.
Provai ad abbracciarlo ma mi tenne a distanza di sicurez-
. «Sto solo facendo il mio lavoro» disse di corsa mentre ar-
vavano altre notizie orribili: erano cominciati i saccheggi.
«Dobbiamo ricordarci l'ultima volta che le cose sono an-
te fuori controllo in questa città» proclamò. «Non succe-
rà più.» Fece un cenno con la testa e partì.
I nostri vicini erano tutti in strada. I mormoni pregavano
l prato. Desmond il divo si aggirava in una vestaglia di
ta con moglie, madre, sorella e cani ciechi. Teneva tanto
la privacy, ma ora si guardava intorno, sperando con tut-
se stesso di essere riconosciuto, che qualcuno gli parlas-

se, gli chiedesse come stava. Gli feci un cenno per consolarlo, e continuai a camminare.

I miei sedevano a gambe incrociate sul prato all'entrata, gli occhi spalancati. Timoteo dormiva appoggiato sul grembo di mia madre. Aspettavano in silenzio che qualcuno venisse a dirgli cosa fare. Quando mi videro con la pelliccia di leopardo scucita e i capelli scompigliati, gli si illuminarono gli occhi. L'asfalto del vialetto era crepato. Il salotto era crollato, così ora la casa sembrava una Z. La porta del garage era caduta. Delle scatole si erano rovesciate sul parabrezza della Thunderbird e avevano spezzato il vetro, ma il resto sembrava a posto.

«Dov'eri finita?» gridò mio padre correndo verso di me. «Abbiamo già fatto cinque denunce di scomparsa!»

«Scusate. Non sapevo come chiamare. Sono tornata appena ho potuto.»

Timoteo si svegliò e mi venne incontro fissando la mia mise improbabile.

«Sembri una pazza.» Mi sorrise.

Aprì la pelliccia e mi poggiò la testa sul petto. «Pensavo non saresti tornata mai più.»

Rimanemmo lì, schiacciati uno contro l'altra.

«I monitor?» chiesi a mio padre. «Il girato è danneggiato?»

«Ora non preoccuparti del film» disse. «Sono felice che stai bene.» Mi strinse le spalle, ero in carne e ossa davanti a lui. Avevo aspettato di sentire quelle parole da tanto tempo, ma ora che le aveva pronunciate ero preoccupata, forse se era arrivato a questo punto significava che si era arreso.

Qualcuno aveva detto ai miei di non tornare dentro: potevano esserci delle scosse di assestamento. La casa non era al sicuro, spiegò mia madre impugnando una vecchia torcia. Non avevamo mai comprato le batterie, ma almeno simbolicamente era perfetta, era una delle cose che ti consigliavano di avere sempre a portata di mano per le emergenze. Preparò la colazione nel giardino: cereali, pane, burro e lat-

303

te rimediati dalla cucina disastrata. Ogni cosa era caduta o si era versata, ma lei era già in modalità pilota automatico. Dovevamo fare colazione perché era mattina e la gente la mattina faceva colazione. E allora mangiammo, seduti sui cuscini. I vicini passarono a parlare di perdite e danni e mia madre li accolse stoicamente improvvisando colazioni per tutti. Ciascuno raccontò dove si trovava e cosa aveva sentito al momento delle scosse. C'era chi aveva storie tristi, e chi aveva storie felici.

Io ero per terra, sdraiata accanto a mio fratello.

«Non mi ha svegliato, il terremoto» disse con un ghigno. «Potevo morire.»

«Meno male che non sei morto.»

«Non gli ho detto dei due tizi col pick-up.»

«Grazie» sorrisi, come se quelle cose avessero importanza adesso. Ero esausta.

Mio padre ci guardò con una specie di compassione ironica e si mise a ridere.

«Che vuoi?» lo guardammo storto.

«Certo, non ci siamo fatti mancare niente. Pacchetto California completo, e il terremoto come gran finale. Niente male, no?»

Serena alzò gli occhi al cielo. «Non c'è niente da ridere.»

«È morta della gente, papà» dissi io.

«Ok, ok. Scusate. Cercavo di sdrammatizzare.»

Creedence e i suoi fratelli, guidati dal padre DeLoyal e dalla madre, la pallida Cresta-Lee, ci vennero a trovare e ci chiesero se volevamo unirci al cerchio, alla loro preghiera.

Ettore accettò con entusiasmo. Un'esaltazione inappropriata, come un bambino in un parco giochi a tema terremoti. La botta di adrenalina gli aveva agitato qualcosa dentro.

«Be', male non ci farà» disse Serena, provando a giustificare l'esultanza eccessiva del marito. Io e mio fratello ci alzammo e raggiungemmo controvoglia il gruppo di preghiera raccolto in strada. Sentii Creedence sussurrare a Timoteo che l'epicentro era stato nella Valley per colpa dell'industria del porno. Era un segno divino.

I nostri vicini erano tutti nel cerchio della preghiera. Nei momenti di crisi bisognava dimostrarsi elastici con i nostri simili. Quel giorno avremmo dovuto farci bastare un generico Dio onnicomprensivo, anche se i mormoni pensavano di essere i protagonisti della redenzione di tutti gli altri, visto che conducevano la preghiera. Io pregai Maria per la prima volta dalla morte di Arash. Le chiesi di essere gentile con tutti, di essere dolce perché eravamo stanchissimi.

I mormoni alzarono le mani al cielo e vidi subito dopo un'ombra avanzare in fondo alla strada. Proveniva dalle rovine di Victory Boulevard, un Terminator che risorgeva dalle ceneri. Camminava ingobbito ma senza paura, un borsone sulla spalla. Gli corsi incontro.

Henry.

Mi abbracciò, mi strinse al petto e mi diede un bacio in testa.

«Come sei arrivato fin qui?»

«A piedi.»

«Dal negozio?»

«Non è più il mio negozio. È andato. Collassato, esploso. Un incendio.»

«E tua madre?»

«Sta bene. È contenta: eravamo assicurati. La sola cosa sensata che ha fatto in tutta la sua vita. Ora è dai vicini. Il suo schifoso cibo in scatola finalmente servirà a qualcosa. Stanno mangiando fagioli sul Ventura Boulevard.»

«Perdonami, sono stata una stronza.»

Mi passò il borsone e fece un gesto come a dire che era acqua passata. «Ho portato della roba che poteva servirvi: sacchi a pelo, batterie, tende, barrette di Snickers. Vi aiuto io. Gli italiani non conoscono i terremoti californiani.»

Aveva ragione.

Henry si accampò con noi nel giardino sul retro della casa per una settimana. La sera ci sedevamo attorno a un falò a guardare le fiamme gonfiarsi e calare. Decidevamo noi come farle ardere: era bello controllare qualcosa. Bollivamo l'acqua per la pasta sui carboni ardenti e andavamo a dormire presto. Ettore ci parlò di cose pratiche, ci fece vedere come far durare il fuoco il più a lungo possibile con poca legna, come riciclare l'acqua, come fare infusi di limone e menta per dissetarci. Non disse una parola dell'Hotel Morgan e del film. In quei giorni io e mio fratello eravamo di nuovo bambini, sollevati da ogni senso di responsabilità che andasse al di là dei doveri più banali. Andavamo tutti d'accordo come fossimo una famiglia normale e quella cosa, lentamente, cominciò a sembrarci naturale.

La notte echeggiavano le sirene, ma la situazione si stava calmando. Prima di addormentarmi sentivo il suono del corpo di Deva che batteva contro la roccia: mi convocava puntuale appena scendeva il buio. Venivo presa dalla paranoia: ero combattuta tra la gravità del mio gesto e il senso di giustizia per ciò che avevo fatto. Provavo a giustificarmi, ma la questione rimaneva aperta: mi ero comportata da pazza? Mi ero immaginata cose non vere? Una volta mi svegliai con la sensazione che le mie gambe stessero rotolando per una collina. Sentii le ginocchia colpire l'imbottitura del sacco a pelo. Anche aprendo gli occhi non riuscivo a evitarlo. Mi faceva male il petto. Mi sembrava che una mano rugosa mi stesse tenendo tirata la superficie del cuore. Provavo a sbloccare la sua presa, ma la mano rimaneva lì e mi costringeva a sentire cose che non volevo. Deva, senza di lei e senza il canyon non sapevo più chi ero.

Uscii dalla tenda in piena notte e mi misi davanti ai resti del fuoco in camicia da notte, senza sedermi, guardando le parti smembrate della nostra casa in bella mostra in fondo al cortile: i piatti rotti, il divano strappato, la scrivania di quercia di mio padre. Sembravano così inconsistenti.

Mia madre mi raggiunse brontolando perché l'avevo svegliata.

«Che ci fai in piedi?» Aveva gli occhi assonnati, mi abbracciò da dietro di fronte al fuoco che si andava spegnendo.

«Non riesco a dormire.»

Teneva gli occhi appena socchiusi, sperando di fare presto e non doversi svegliare del tutto. Odiava perdere il sonno.

«Non durerà ancora molto, tra poco rientreremo in casa.»

«Non è per quello.»

Fece un respiro. «Mi sono preoccupata tantissimo perché non tornavi. Pensavo che mi sarei uccisa se ti avessi persa» disse con la voce roca.

«Davvero?» La guardai. «Dici sul serio?»

«No, non proprio uccidermi. Ma sapevo che le nostre vite sarebbero state completamente rovinate senza di te.»

«Vorrei sperare.»

Finalmente aprì entrambi gli occhi e chiese: «Stai bene?».

«Mamma, ho fatto una cosa brutta. Sono preoccupata...»

Lei annuì per rassicurarmi.

«Nel deserto? Lo so, non esistono mai le manifestazioni pacifiche. E lo sa anche papà. Siamo stati giovani anche noi... In cantina avevamo un armamentario di molotov.»

«Sì, non era esattamente un sit-in» le sorrisi, mentendo.

Mi prese dolcemente per il mento per farsi guardare e io provai un impeto di tenerezza. Dove erano stati per tutti questi mesi?

Venticinque

Temevo il giorno in cui le linee telefoniche avrebbero ripreso a funzionare, ma successe anche quello. A metà di febbraio, mentre eravamo a cena, il fax si accese e cominciò a rigurgitare offerte di lavori di riparazione: il business del terremoto cominciava a superare la tragedia.

"Danni in casa? Interni rovinati? Ci pensiamo noi. Ricostruzione e pulizia tutto in uno."

Immaginai i fax surriscaldati di tutta la San Fernando Valley che sputavano fogli pieni di promesse. C'erano delle persone organizzate abbastanza da trasformare le tragedie in opportunità.

«Ci mancava solo il mercato del terremoto» borbottò mio padre.

Non rispondemmo a quegli annunci. Ce la cavammo da soli. Pulimmo da noi l'intera casa anche se odorava ancora di muffa e acqua rugginosa.

Mi alzai da tavola e portai il filo del telefono dalla cucina fino alla mia camera da letto. Qualche *yard sale* in più e ci saremmo potuti permettere anche un cordless. Spensi la luce, mi accoccolai sotto le coperte e feci la telefonata.

Rispose Chris.

«Sono Eugenia» dissi con la voce che mi tremava.

«Mio padre è tornato dall'ospedale. Gli hai rotto la gamba. Porta il gesso.»

«Mi dispiace.»

«Mettici anche il terremoto. Le due cose insieme...»

«Sta bene?»

Sentii un sospiro e un rumore indistinto, ma nessuna risposta.

«Pensavo che stesse per picchiare Deva.» Provai ad alzare la voce sopra il fruscio di fondo per farmi sentire. «Sembrava davvero e lei già perdeva sangue, per cui...»

«Lo so. Grazie» e agganciò.

Richiamai ma non rispose.

Chiamai Alo per chiedergli scusa, ma non volle parlarmi. Disse che non voleva vedermi mai più e che dovevo buttare il suo numero.

La scuola riaprì tre settimane dopo e Deva non tornò. Si sparse la notizia che stava circolando la "febbre della valle", una malattia respiratoria causata dalle spore di un fungo che veniva trasportato dalle nuvole di polvere causate dal terremoto. Febbre della valle, la interpretavo come un rifiuto della Valley. Forse per quello dopo il terremoto Deva si era tenuta lontana dalla nostra insulsa scuola. I giornali dicevano che i primi sintomi erano forti dolori al petto. Io li avevo sentiti. Magari avevamo sviluppato entrambe un'allergia alla San Fernando Valley. Ma io non avevo un altro posto dove andare, ora che lei era uscita dalla mia vita.

I giorni divennero settimane. Ancora cercavo i suoi capelli rossi e mi sforzavo per sentire la sua risata, ma l'eco della sua assenza risuonava nei corridoi. Cominciai a disperare. Alla fine dissero che i casi di febbre della valle erano limitati alla Contea di Ventura. Quindi se l'aveva contratta qualcuno di noi era Alo, come se il cancro e la gola aperta non fossero abbastanza.

Un giorno incontrai Fatima che usciva da uno dei bagni. Aveva fatto crescere i capelli fino alle spalle, con la riga da una parte e due mollette a forma di farfalla. Così la testa le sembrava meno enorme. Portava un vestitino e scarpe da tennis bianche con le zeppe per sembrare più alta. Camminò fino allo specchio, tirò fuori una piccola trousse e si inciprió il naso.

«Quasi non ti riconoscevo» sorrisi.

Mi guardò senza grande interesse, e strizzò gli occhi come per ricordare chi fossi.

«Non ci si vede da tanto» rispose. Tornò a guardarsi allo specchio e si passò un lucidalabbra alla fragola. Non aveva più i peli neri sulle braccia e nemmeno i baffi. Doveva aver dato forma alle sopracciglia con la pinzetta, come tutte le ragazze della scuola.

«Quando è morto Arash hai detto che mi avresti protetta. Mi hai fatto credere che mi avresti aiutata» disse.

«Ricordo il nostro abbraccio giù al campo di football.»

«Be', non l'hai fatto. Ci hai lasciato soli.»

Guardai le sue gambe magre olivastre. Non sapevo cosa dire. «Mi piace il tuo vestito.»

Una fantasia di margheritine su sfondo bordeaux. Gli abiti a fiori andavano di moda. Si era integrata. A differenza di me, aveva trovato il suo posto.

«Grazie.»

«Se ti va di vederci dopo scuola una volta...» provai a dire, ma lei chiuse di scatto la sua trousse e alzò un sopracciglio dandomi un'occhiata. Poi uscì dal bagno.

Sembrava di aver ricominciato da capo, era di nuovo il mio primo giorno di scuola. Andai al campo da football e guardai gli altoparlanti. Forse Deva non sarebbe più tornata e il preside l'avrebbe annunciato con la voce gracchiante come aveva fatto per la morte di Arash. Passai le mani sul recinto esterno. La aspettai nel nostro solito posto davanti alle porte d'emergenza, esaminando i fili di ferro con cui avevano chiuso i buchi nella rete, il nostro portale per l'altro mondo. Non si fece più viva.

Mrs Perks mi disse che mi avrebbe presa nel corso avanzato per il mio ultimo anno di scuola. Era un anno importante perché era il momento di fare domanda al college. Avevo sempre pensato che il giorno in cui mi avesse presa mi sarei sentita fiera e invece non provai niente.

Dopo scuola, un tipo scheletrico mi venne a parlare alla fermata dell'autobus. L'avevo visto con Chris qualche volta, giocavano a footbag nel parcheggio. Lo chiamavano Brain Dead. Cresta verde e spille da balia nelle orecchie, il suo zaino era più grosso di lui, come un cucciolo di gorilla appollaiato sulle spalle. Aveva il viso lentigginoso, le macchie rosa sulle guance ben abbinate agli occhi pieni di caccole, rossastri come quelli di un topo da laboratorio.

«Ho sentito che cerchi Chris» mi disse sedendosi accanto a me sulla panchina.

«In realtà cerco Deva. Hai notizie?»

«Mi sa che sono tipo partiti» rispose con un filo di voce.

«Che?»

«Il padre li ha messi in una scuola di recupero fino al trasloco.»

«Che trasloco?»

«Vanno a stare in Montana. La compagna di mio padre conosce suo padre, giri di musicisti. Ha detto che ha messo su un grosso studio di registrazione lì. Si trasferisce con i figli. La vita costa meno.»

«Non l'ha messo su lui lo studio, l'hanno messo su i figli» risposi.

Si alzò. Stava passando il suo autobus. «Vabbe'.»

Salì e si voltò a guardarmi mentre aspettava il suo turno per infilare le monete nella macchinetta. «Cia'.»

Attraversai la strada e cominciai a camminare nella direzione opposta a quella di casa, verso il canyon.

Gli arbusti di alloro nel vialetto di Deva non erano stati potati. Ci strusciai le dita come facevamo sempre quando tornavamo a casa sua, stavolta però non dovevo nascondere l'odore del fumo. I cespugli schioccarono contro le mie braccia come scudi a protezione della vecchia casa: una fortezza difesa da piante ostili. Mi liberai e continuai a salire. Nel campo di querce sotto la terrazza risuonava la risata di Deva. Fu la prima cosa che sentii avvicinandomi alla casa principale. Il cuore cominciò a battere forte. Ero di nuovo nel suo giardino. L'aria sapeva di eucalipto, il profumo familiare di tutti i posti che amavo, dei posti buoni. Per un attimo mi illuse che tutto potesse tornare come prima.

Si sentiva della musica folk. Dalla finestra sulla facciata principale vidi suo padre seduto alla scrivania. C'erano delle stampelle appoggiate alla parete. Deva era in piedi dietro di lui, i capelli raccolti in una crocchia severa, una penna tra le dita. Prendeva appunti. Alle pareti mancavano i premi del padre e la casa era spoglia, piena di scatoloni. Non capivo se era il caos post-terremoto o la presenza incombente del trasloco. Suo padre la tirò a sé e la fece sedere in braccio, giocosamente, mentre valutavano una selezione di foto sparpagliate sulla scrivania. Deva lo spinse via tirandogli la camicia con un gesto da donna consapevole: eppure c'era qualcosa di poco femminile in lei, o forse era solo una femminilità diversa da quella che avevo conosciuto. Deva, la ragazza, non esisteva più, c'era una giovane donna al suo posto. E fu come se si potessero sentire i miei pensieri, in quel momento alzò gli occhi e ricambiò il mio sguardo. Toccò la spalla del padre. Lui la lasciò uscire. Non guardò fuori, non aveva più niente da temere.

Mentre mi veniva incontro, Deva si sciolse i capelli e li lasciò fluttuare sulla schiena, il velo da sposa dorato che le avevo visto la prima volta che l'avevo seguita lungo il torrente.

«Che ci fai qui? Non puoi più venire in questa casa» disse. «È vero che te ne vai?»

«Mio padre sta per ottenere un'ordinanza restrittiva contro di te. Sto cercando di convincerlo a non farlo, ma se ti vede...»

«Davvero te ne vai? Ti trasferisci in Montana? Davvero?» guardai la casa principale.

«È per il suo lavoro. Ha trovato un manager lì. E uno studio fantastico. Partiamo tra qualche settimana. Per la sua musica Los Angeles non ha più senso.»

«Ma tu non c'è bisogno che parti. Potresti vivere con me appena fai diciotto anni.»

«Non tornerò mai nella Valley.»

Il livido sulla fronte le era quasi andato via, il bluastro era diventato lilla, una sfumatura di pelle traslucida.

«Posso aiutarti» le dissi. E ci credevo veramente. «Non stai vedendo le cose per bene.»

Rimase immobile, gelida. Non sbatteva le palpebre. Gli occhi erano piccoli e spiritati come quelli del padre. Forse le dava degli psicofarmaci come si faceva con tutti i ragazzini problematici. Deva aveva messo su una maschera, le emozioni erano state spurgate.

«Stiamo finendo di fare una cosa. Meglio se te ne vai.»

Guardò i miei pantaloni di velluto a zampa d'elefante. Erano suoi. Ormai li portavo quasi tutti i giorni. «Puoi tenerli.»

«Non puoi continuare così. Non devi essere per forza l'assistente di tuo padre.»

Sulla fronte le pulsava una grossa vena.

«Vattene» rispose. Gli occhi le tremavano. Mi abbracciò e per un attimo premette il viso sul mio collo. Era freddo. «Andrà tutto bene.» Poi sorrise.

Si voltò e andò via. Di colpo mi sentii raggelare. Volevo correrle dietro, ma rimasi a guardarla. Intravidi per l'ultima volta le sue guance pallide e lentigginose, poi entrò in casa. Si chiuse la porta alle spalle. Era la fine degli eucalipti, dei meleti terrazzati. Non sarei più andata nel posto in alto. Scesi per il vialetto e mi misi a piangere. Provai a smettere, non volevo pensassero che ero una stupida. Pensassero chi?

Ventisei

Mia madre si accaniva su una povera faraona dentro un lavandino di marmo, le strappava le piume, un mazzetto alla volta. Non pensavo che Henry potesse avere un lavandino di marmo, ma il suo nuovo appartamento era fornito del necessario per farsi una nuova vita. Da quando erano arrivati i soldi dell'assicurazione era cambiato tutto, anche i suoi capelli. Li aveva rasati. Non si vergognava più di far vedere che gli mancava un orecchio. Il nuovo negozio su Melrose Avenue era più piccolo e meno caotico. In quel quartiere non poteva starsene a fissare un videogioco o fumare dal bong in magazzino. Viveva da solo in un appartamentino al primo piano: eravamo lì quel giorno, Henry, Phoebe, mio fratello, mio padre, tutti a guardare Serena che digrignando i denti staccava le piume all'uccello morto. Aveva cominciato a dare lezioni di cucina a Henry e a sua madre. Dopo il terremoto, lei si era trasferita a Agoura Hills, ancora più in fondo alla Valley.

«Se devo morire vecchia e grassa, meglio farlo dove non mi vede nessuno» aveva detto. Secondo me era ancora bella.

Una volta, quando avevo dieci anni, mia madre mi aveva detto "Assaggia" e mi aveva infilato in bocca un pezzo di carne viscida. Era la lingua di una mucca. Non sapevo che la carne potesse avere un sapore tanto dolce. E non sapevo che le lingue di mucca si potessero mangiare. Mi ero arrabbiata con lei perché mi aveva dato una parte di animale che non volevo: ma lei era fatta così. Andava avanti per la sua strada. Uccelli morti, lingue di mucca, cervello di vitello, non le importava se ai figli facessero impressione o lo trovassero sbagliato. Il mondo si doveva adattare. La guardavo seduta al tavolo e mi chiedevo se mi sarei mai abituata a qualcosa di morto, se avrei trovato il coraggio di andare avanti anche quando intorno a me tutto era troppo.

«È importante massaggiare la faraona, farla sentire amata, anche se è già morta» spiegava ai suoi allievi, le mani inzaccherate dai liquidi interni dell'uccello. I capelli le stavano crescendo, le radici scure, non le decolorava più.

Henry mi fece cenno di seguirlo in camera sua. Andai con lui. Era la metà di giugno, il caldo torrido era arrivato, ma in camera sua c'era un condizionatore nuovo con tanto di telecomando. Ci sedemmo sul letto, uno accanto all'altra, a guardare Melrose Avenue dalla finestra. Un gruppo di drag queen con i vestiti coordinati scendeva a passo di carica lungo la strada, ridevano sguaiate. Ero di nuovo in città, un posto dove la gente esisteva fuori dalle finestre.

«Se la godono, eh?» disse Henry, allegro.

Mi voltai per guardarlo bene. Quando portava i capelli lunghi non avevo mai notato quant'era rotonda la sua faccia.

«Volevo chiederti una cosa» annunciò imbarazzato. «Voglio trovare e vendere tesori. Tesori veri. Hollywood non è come la Valley. La gente qui si aspetta qualcosa di serio. Mi serve aiuto.»

«Mi piacciono i tesori.»

«Vuoi lavorare per me? Sei stata brava al vecchio negozio e so che adesso potresti fare cose fantastiche con questo.»

«Quindi proprio un lavoro vero?»

Henry distolse lo sguardo, i grandi occhi già vergognosi per essersi scoperto troppo. Gli posai una mano sul ginocchio, non volevo inibirlo.

«È un'idea stupenda.»

«Un lavoro vero» continuò, sentendosi incoraggiato. «Dopo la scuola ovviamente. Puoi cominciare a mettere soldi da parte per i corsi di Scrittura Creativa alla USC. E comunque vedi di fare domanda, o sarai una fallita come me.»

«Tu non sei un fallito. E comunque certo che faccio domanda. La professoressa di Lettere dice che mi aiuterà.»

Mi sdraiai sul letto. Strofinai il naso contro il cuscino e feci un gran respiro. «Le tue lenzuola non sanno più di marijuana stantia.»

«Abbiamo le lavatrici a gettoni nel palazzo.»

Si distese accanto a me. Mi voltai sul fianco per dargli le spalle, tirai su le ginocchia fino alla pancia e incuneai il sedere contro le sue gambe. Gli presi le mani e lo costrinsi ad abbracciarmi. Lo tirai contro di me.

«Che stai facendo?»

«Dài, niente, mi abbracci?»

Rimanemmo in silenzio ad ascoltare i miei che parlavano della vacanza romantica che volevano prendersi e quanto ne avevano bisogno dopo il fiasco dell'Hotel Morgan e la scomparsa nel nulla di Max. Dicevano sempre le stesse cose, come reduci di guerra tormentati da sogni ricorrenti.

«... E poi siamo tornati a casa e non c'erano più le sue cose. Niente. E non lo si trovava da nessuna parte.»

La Miramax non distribuì *Se questi muri potessero parlare*. Johnny Depp e il suo agente non diedero l'ok per il cameo nell'ascensore e dissero che non avevano mai firmato nulla. Gli Huston continuarono a presentarsi a pranzo, ma erano più che altro interessati alla cucina di mia madre. Nemmeno Vanessa Peters con i suoi contatti era riuscita a dare una mano. Era come se il film fosse morto nel preciso momento in cui Max era scappato. Il lavoro finito fu venduto bene a un canale televisivo italiano, mentre in America la PBS si era fatta avanti chiedendo solo il girato per un documentario sugli edifici infestati dai fantasmi d'America. Ecco cos'era successo: spezzoni smembrati, televisione italiana. Non era l'ideale hollywoodiano che sognavano i miei quando erano saliti sull'aereo.

Guardai il moncherino dell'orecchio di Henry e posai l'indice sulla piccola protuberanza. L'elice e le parti superiori erano unite da un accumulo di carne e cartilagine.

«Cosa senti se lo tocco?»

Henry scrollò le spalle. «Non molto» sorrise. «Ma è bello sentire la tua mano.»

«Hai fatto bene a tagliarti i capelli.»

«Ma sì, poi l'orecchio monco è più punk dei capelli lunghi» ironizzò.

«Vero. E tra l'altro con le stronzate che dice la gente meglio non sentirci troppo bene.»

In macchina tornando a casa i miei non parlarono. Timoteo guardava fuori dal finestrino e ascoltava un CD sul lettore portatile.

«Che ne dite di un bel mercatino alla fine del mese?» disse finalmente mia madre.

«E che altro dobbiamo comprare?» chiesi io.

Diedi una gomitata a mio fratello per fargli togliere le cuffie.

«No, dico perché non ne facciamo uno noi? Stiamo pensando di tornare a Roma dopo l'estate» annunciò Ettore cercando lo sguardo di Serena prima di parlare.

«Non volevamo dirvelo a cena con gli altri. Preferivamo essere soli.»

Parlavano in fretta, come se volessero levarsi il peso di colpo. Una parte di me continuava a dire "no", un'altra "sì" oppure "capisco", ma più che altro non capivo e li guardavo con aria interrogativa, in modo che rallentassero.

«Il film è piaciuto a un paio di produttori italiani. Vogliono conoscere papà e proporgli dei nuovi progetti. Si parla di una serie TV a Roma. Buone notizie.»

317

«Davvero?» chiese Timoteo, eccitato.

«Se va in porto è una roba grossa. E i soldi ci servono» spiegò Ettore. «Potremmo rientrare dall'ipoteca.»

«Ma se dobbiamo stare lì non possiamo stare qui» disse Serena.

«Non potete andare a incontrare i produttori e poi tornare?» chiesi io.

«Non funziona così» sospirò mia madre. «Devi vivere dove sta il lavoro. Devi poter vedere i produttori in faccia.» Ora sembrava una persona responsabile che sapeva come funzionavano le cose. Le sue guance si piegarono all'ingiù e la voce le tremò leggermente. «Siamo stanchi, siamo senza soldi e questa cosa di Max ci ha provati molto.»

E anche se c'era una nuova prospettiva all'orizzonte, era vero che sembravano distrutti, come se ne avessero abbastanza. Era la fine di un sogno o la fine dell'idea di un sogno, a quel punto era difficile capire la differenza.

«Adesso non si può scherzare più» concluse Ettore. «Potrebbe essere una grande occasione. E se lo è, devo coglierla. Poi questi americani sono così rigidi. Starò meglio in Europa con dei produttori che capiscono la mia sensibilità artistica.»

«E la scuola? E la domanda per entrare alla USC e la lettera che mi hanno mandato e tutti i testi SAT che ho fatto? Ho ancora un anno di liceo.»

«Da settembre tuo fratello proseguirà gli studi a Roma. Tu puoi scegliere la scuola che vuoi e finire lì le superiori. Dopodiché potrai iscriverti in qualunque università italiana. Non costano lo sproposito che costano qui.» Serena aveva tutte le soluzioni.

«E la vostra vacanza romantica alla fine del mese? Pensavo partiste perché le cose andavano meglio. E le ceneri di nonna? Le riportate indietro di nascosto?»

«La vacanza romantica la facciamo comunque. Abbiamo anticipato il viaggio. Nonna tornerà a Roma con noi, tranquilli. Un modo lo troviamo.»

«Quindi non verrete alla mia cerimonia di diploma?» chiese mio fratello, deluso.

«Ci verrà tua sorella. Sai, amore» mia madre si voltò per guardarlo, «in Italia il diploma delle medie non è una cosa così importante. Tutte queste cerimonie sono una cosa ridicola degli americani.»

Mio fratello chinò la testa. A scuola avevano già fatto le prove per la cerimonia, con tanto di toga e cappello squadrato. In classe l'avevano presa tutti molto seriamente. Gli accarezzai la mano.

«Ci sarò io» lo rassicurai. Poi mi poggiai contro lo schienale e non dissi più niente.

Quando tornammo a casa, Serena mi abbracciò sul vialetto. «Cosa pensi?»

Ero scoraggiata. Non c'era altro che tristezza dall'ultima volta che avevo visto Deva.

«E tu? Cosa farai?»

«Sto pensando di dare lezioni di cucina. Magari posso trovare dei clienti americani. Sembrano apprezzare.»

Ettore si avvicinò trascinando con sé Timoteo per creare un abbraccio di gruppo sgraziato.

«Che ne pensate, ragazzi? Direi che ne abbiamo abbastanza dell'estate tutto l'anno, no?» Rise, ma aveva le lacrime agli occhi.

Mio fratello lo strinse forte. Era terrorizzato all'idea di andare al mio liceo con i metal detector e farsi chiamare "pomodoro italiano" da capo. Avrebbe fatto di tutto per evitarlo.

Io guardavo la macchina parcheggiata.

«Sentite, ragazzi, la scuola a Roma finisce all'ora di pranzo. Sarete di nuovo liberi il pomeriggio e poi pensateci: a Natale possiamo andare dove nevica.»

«E non ci sentiremo più come dei ladri quando passiamo la dogana all'aeroporto» sorrise mia madre.

«Niente poliziotti sulle spiagge se vogliamo spogliarci, niente assicurazione sanitaria privata!» Ettore stava prendendo coraggio, ma io mi allontanai dal loro spettacolino, mi ritirai in casa e chiusi la porta, cercando il costume di gomma che non avrei mai dovuto buttare via.

Accesi la TV. In fondo perché no?, pensai infilandomi sotto le lenzuola senza togliere vestiti e scarpe. Perché non sottrarmi a questo casino? Dopo il terremoto, l'oscurità si era estesa fino a coprire ogni cosa. Perfino la cornetta della doccia, mentre sedevo sotto gli spilli di acqua calda fissando i peli neri e duri delle gambe che avevo smesso di depilarmi, mi sembrava un'ameba grigia. Era andato tutto a rotoli e non dormivo più. Le notti che mi andava bene erano quelle in cui vagavo per il giardino piangendo, perché almeno le lacrime mi davano una sorpresa, almeno provavo qualcosa. La USC aveva accettato la mia domanda. Henry mi aveva offerto un lavoro vero e proprio al negozio. Ma erano buoni motivi per restare? Avevo solo diciassette anni. Cosa avrei fatto nella vita? Dove avrei vissuto? Valeva la pena sbattersi? Roma sarebbe stata più gestibile, ormai mi pareva un paesello, un posto dove le macchine e gli alberi erano più piccoli, dove la gente aiutava ad allevare i figli degli altri e preparava da mangiare ai parenti degli altri. Un posto tranquillo e pittoresco, la città eterna.

Sfogliai il "Corriere della Sera" del giorno prima, era sul pavimento accanto al mio letto. I miei avevano cominciato a comprare i giornali italiani da un'edicola internazionale. Avrei dovuto capire che c'era in ballo qualcosa. L'Italia era nelle mani di un nuovo leader. Veniva dalle televisioni e ora scendeva in campo in politica promettendo un futuro migliore, ricco di novità. Aveva vinto le elezioni a marzo. Lo amavano tutti. Il Novantaquattro era stato un anno promettente anche se qualcuno diceva che era un criminale. Possedeva quattro televisioni nazionali, tre case editrici, riviste innumerevoli, giornali, case di produzione cinematografiche, catene di videonoleggio e squadre sportive. Perlomeno ci sarebbero stati nuovi posti di lavoro, lo dicevano tutti, e se era tanto bravo come imprenditore, chissà in politica. Aveva composto un inno per il nuovo partito: *Forza Italia!* Magari proprio lui avrebbe portato bene alla mia famiglia al ritorno in patria. Aveva la faccia abbronzata e i denti di un bianco splendente. Bastava quello per fidarsi di lui.

Mentre sfogliavo le pagine piene di articoli su quell'uomo sorridente e tarchiato, al telegiornale comparve l'immagine di decine di macchine della polizia. Procedevano in formazione lungo la Freeway 405 – la stessa che ci rombava nelle orecchie ogni giorno – al seguito di un SUV bianco che andava senza fretta. Era un inseguimento a bassa velocità, dicevano al telegiornale. L'uomo nella macchina bianca era O.J. Simpson, giocatore di football e attore di cui non sapevo praticamente niente fino a pochi giorni prima, quando era stato accusato del doppio omicidio della ex moglie Nicole e del suo amico Ronald Goldman. La donna era stata accoltellata alla testa e al collo. Se dichiarato colpevole, sarebbe stato condannato alla pena di morte. Quel mattino i suoi avvocati avevano convinto la polizia di Los Angeles a permettergli di consegnarsi da solo alle autorità. Un migliaio di giornalisti lo aspettavano alla stazione di polizia, ma lui non si era presentato.

Riapparve ore dopo in TV dentro una Bronco bianca. Al volante c'era un amico, che guidava tranquillamente: O.J., intanto, si teneva una pistola puntata alla tempia. La freeway era piena di persone ferme a guardare, salutavano dalle rampe e dai cavalcavia, tifando per la loro stella preferita del football come fosse un maratoneta che sfilava verso il traguardo. Accostavano con le macchine e scendevano per salutarlo dal bordo della strada e anch'io per qualche motivo volevo tifare per lui. Era per la sua faccia da museo delle cere, e quella pistola puntata alla tempia, e per l'aria di chi ha perso. Ti faceva venire voglia di proteggerlo, di aiutarlo ad arrivare a casa sano e salvo, senza premere il grilletto. Lo spiavo, come il resto della nazione. Il solo modo di lasciargli la privacy era spegnere la TV.

Cambiai canale e fui colpita da un mare di lentiggini. Riconobbi la canzone. Conoscevo la faccia: «*And when I say I'm looking, don't mean I wanna find what I'm looking for / When I say I'm searching, don't mean I want to search at all*».

Era Deva, nel video del padre. Si sporgeva da una staccionata e guardava l'uomo sopra di lei con occhi adoranti. La faccia di lui, senza barba, sembrava inamidata. Il suo naso gonfio strideva contro la giovinezza immacolata di lei. «*Don't mean I want to search at all.*»

Padre e figlia si tenevano per mano e camminavano su un sentiero sterrato, le loro voci mi riverberavano nell'orecchio come una nota stonata strascicata. Il cuore cominciò a battermi forte. Avrei voluto mettere il video in pausa e guardare ogni immagine fotogramma per fotogramma, ma non potevo. E se avessi potuto, avrei dovuto sforzarmi di non pensarci nemmeno. Per uscire da quel dolore l'unico modo era percorrerlo, magari in macchina, come O.J. Avrei dovuto guardare il video per intero e forse sarei tornata a un tempo in cui quelle voci non esistevano. Prima di essere cantate, quelle note erano nulla, e se restavo lì e lasciavo che la musica facesse il suo corso, sarebbero potute diventare irrilevanti. Rimasi ferma sul letto ad ascoltare la canzone che si allungava senza mai finire, si espandeva indietro nel tempo. Non mi mossi finché ogni suono non fu smantellato e la voce di Deva finì. Finché non fu una bellezza muta accanto a un uomo muto.

Ventisette

«Meno un mese alla partenza! Ultima occasione per un pasto italiano decente a Los Angeles!» Serena gridava nel giardino davanti a casa. Era la fine di luglio e tutte le nostre cose erano lì sull'erba. Mia madre aveva cotto al forno delle pizze e offriva ai passanti pasta alla Norma con la ricotta salata. Il banchetto era sul vialetto, e le importava solo quello: che i vicini ricordassero la famiglia italiana dal sapore del suo cibo.

I miei ormai erano fieri della loro decisione. Al di là delle prospettive di lavoro, tornare indietro era diventato un atto politico. L'America era un posto disumano. Nessuna persona sana di mente poteva vivere a Los Angeles per sempre. Era una città spacciata, destinata a maniaci e persone che pensavano solo al lavoro. Quanto sarebbe stato tutto più facile in Italia. La qualità della vita, del cibo, perfino dell'acqua sarebbe stata migliore. C'era gente, dall'altra parte dell'oceano, lontana da questo casino, che voleva che tornassimo, che ci voleva aiutare. Roma non era una città indifferente.

Vicini e visitatori arrivarono un po' alla volta dopo che io e mio fratello avevamo appeso grandi cartelli su Sepulveda Boulevard. MERCATINO! SI TORNA IN EUROPA. MOBILI, ELETTRODOMESTICI, CIBO ITALIANO CUCINATO DA SERENA. Quella era stata forse l'unica strategia di marketing azzeccata dai miei genitori. Ettore mandava i Pink Floyd dalle casse gracchianti sistemate sulla scrivania di quercia, costo cinquanta dollari.

"Quello che l'occhio vede, il portafoglio compra."

Ettore aveva inventato la frase per attirare la gente. Era incredibile veder emergere questa personalità da venditore di auto. Con quanta sicumera spingeva dischi di Jerry Garcia e parlava di Woodstock con due hippie di Santa Cruz. Ora che era troppo tardi, ora che ripartivamo, sentiva di poter provare tutte le cose che aveva snobbato prima. Trasudava autostima e aveva un sorriso stampato in faccia. Le parole inglesi gli uscivano dalla bocca audaci: «*Thank you, ma'am*» «*You take care now*» «*How's it goin'?*» «*You bet*» «*Dude!*».

Creedence arrivò all'imbocco del vialetto con una banconota da venti dollari in mano. Mio fratello aveva preparato una scatola con dentro le sue cose preferite per dargliele. Aveva deciso che gli avrebbe regalato tutto il giorno che aveva scoperto che saremmo tornati in Italia, ma prima aveva messo un prezzo a ogni articolo, perché l'amico notasse la sua generosità: perfetta furbizia da italiano. Faceva la finta di esitare come se la scatola avesse un particolare valore. Dietro a quella scenetta riconobbi un sigillo d'amore per l'amicizia con Creedence, per essere cresciuto nelle stesse strade infuocate, ammaccandosi le ginocchia cadendo dai rollerblade, il rombo sinistro della freeway nelle orecchie per tutti quei mesi. I tardi pomeriggi, i ritorni a casa la sera con il fiatone, imbrattati di sporcizia e bibite gassate, gli ultimi raggi di sole in faccia: tutto questo aveva significato qualcosa per mio fratello. Ma Creedence, lo strano Virgilio mormone che gli aveva fatto conoscere il microcosmo del quartiere, non concesse sentimentalismi.

«So che stanno affittando casa vostra a una famiglia con tre fratelli. Ti compro tutta la scatola nel caso ci servano delle altre attrezzature da hockey» disse, allungandogli i venti dollari.

Mio fratello gli consegnò la roba e alzò la mano con gesto sprezzante.

«Prenditeli. In Italia non mi servono i dollari. Mi devi un hamburger quando ripasso.»

Mi immaginai quante volte avesse provato quella battuta da uomo maturo. Una frase in cui c'era tutto: la promessa del ritorno e la speranza di avere entrambi dei soldi loro da spendere. Creedence abbracciò mio fratello in quel modo goffo da maschio adolescente, tracciando un confine ben chiaro tra i rispettivi corpi. Due quattordicenni che eludevano le emozioni dell'amicizia.

«Ehi, passa a trovarmi a Roma.»

«Contaci» disse Creedence.

Pattinò giù per l'isolato con la scatola incastrata fra gomito e ginocchio. Mio fratello rimase fermo in cima al vialetto a guardarlo allontanarsi. Era perplesso dalla praticità di quel rito di passaggio: i miei giocattoli, le tue braccia. Avanti il prossimo.

Corse da mia madre e l'abbracciò. Anche lei aveva visto la scena. Mio fratello sarebbe stato felice di tornare in Italia, in cui si era amici a vita, un posto dove i traslochi intercontinentali spezzavano cuori. Qui una scatola di giocattoli bastava a voltare pagina. La gente andava e veniva, si buttavano via le attrezzature sportive, le scatole si riempivano di ginocchiere spaiate, i cicli di amicizia terminavano senza clamore.

La mia area era allestita in un angolo sotto la quercia, diametralmente opposta rispetto a quella dei miei. Avevo trascinato un comò in ciliegio con specchio dalla mia camera. Ora che ci splendeva il sole sembrava rovinato, allora presi lo smalto per ravvivarlo un po'. Mi piaceva passare i prodotti sul legno, dargli nuovi strati di vita. È così che io e Henry resuscitavamo i mobili che poi vendevamo nel suo nuovo negozio su Melrose. Raccoglievamo oggetti malridotti a Pasadena, scrostavamo la vecchia vernice, poi ridipingevamo e laccavamo. Trasformavamo scaffali, specchi e comò. Portai fuori due tavolini da caffè che avevo riposto in garage e il tagliacarte antico. Disposi i mobili al bordo del giardino, quasi sulla strada. Aprii uno scrittoio ribaltabile di mogano e distesi le tende vietnamite e i top di seta del sarto di downtown su ogni gradino di una vecchia scala.

Avevo preso in prestito dei manichini dal negozio di Henry e li coprii di merletti e pellicce, riempii una culla di noce antica con una collezione di pantaloncini di spugna multicolore anni Settanta con calzini lunghi coordinati. Sistemai un'ottomana di pelliccia rifoderata e una sedia a dondolo di legno curvato dentro una tenda mongola che avevo comprato a un mercatino artigianale di un'associazione per anziani.

Piazzati i mobili, tirai fuori altri vestiti: uno chemisier Dior haute couture vintage anni Cinquanta, vestiti crespi da sera, gonne di perline Clair de Lune, scarpette da principessa, piumini, gonne di seta vintage di Gucci. I pantaloni a zampa di Deva. Li avevo stirati, esibendoli immacolati appesi sotto la quercia alla luce del mattino. Più i miei ammassavano magliette bianche sporche nelle scatole 1 DOLLAR!, più forte premevo il ferro sulle pieghe. La pelliccia di leopardo del terremoto pendeva da un ramo della quercia, il fantasma di un gatto selvatico che volava sulla nostra strada.

«È lo stesso mercatino?» chiese una donna trasandata, in pigiama, con una copia del "Los Angeles Times" sottobraccio e un caffellatte di Starbucks in mano.

«Sì.»

«Oh...» farfugliò guardando la mia collezione. «Pensavo foste vicini e ti avessero permesso di usare il loro giardino.»

«No, sono i miei. Io vendo cose diverse.»

«Mi pare chiaro» sorrise passando le dita sulle mie camicie indiane con maniche ad ali di pipistrello del negozio di Bombay. Ne prese una in mano e se la accostò al pigiama a quadri. «Belle queste camicie, a quanto me le metti tutte?»

Sentii un nodo alla gola. Non avevo pensato ai prezzi.

«Sto ancora allestendo. Se torna fra un secondo glielo dico.»

Rise perplessa e strascicò le ciabatte fino all'area dei miei, dove fu accolta con maggiore entusiasmo.

«Torta di ricotta?» chiese Serena.

La donna sollevò il bicchiere di carta, brindando all'ospitalità. Pescò degli orecchini da un cestino di vimini e subito li rimise a posto. Erano tutti spaiati o con i ganci rotti. Arrivarono altri visitatori confusi dalla nostra disposizione in giardino. Mi trovai a ripetere più volte: «Sono i miei genitori, e quello è mio fratello. È un mercatino solo. Io vendo solo roba diversa». Quasi mi toccò litigare.

All'altro capo del giardino gli affari andavano più spediti. La mia famiglia stava ributtando nella città quello che aveva ingerito all'arrivo, schiaffando tutto nel calderone, l'usato dell'usato. La piscina gonfiabile fu data via gratis a un paio di bambini, che presero anche il letto ad acqua di mio fratello. La mia famiglia se ne stava fiera con il sole in faccia, senza cappelli né crema solare, ad affrontare con coraggio il trasloco, i cambiamenti, l'andare e venire dei soldi.

Alle tre l'unica cosa che ero riuscita a vendere erano le Reebok Pump che avevo portato il primo giorno di scuola. I miei avevano venduto quasi tutto e stavano mettendo il resto in strada sotto il cartello GRATIS. Dalla mia parte invece ogni cosa era ancora intatta. Nella tenda mongola correvano dei ragazzini.

«Quanto costa?» chiese una delle madri pescando un braccialetto d'oro smaltato.

Portava il marsupio, un'assurda tuta bianca di nylon, aveva i capelli grigi.

«Non lo vendo quello» risposi.

«Quest'altro allora?» e indicò il cappotto di leopardo.

«Quello poi proprio non lo posso vendere.»

Le risi in faccia e lei si allontanò mormorando.

A ogni richiesta sentivo uscirmi la voce dal petto per proteggere quegli oggetti. Era uno spreco darli via così. Dove sarebbero stati abbandonati la notte? Sarebbero stati amati o dimenticati in fondo all'armadio di chissà chi? Avevo pensato a lungo che fosse mio padre il nostalgico perso, il romantico a caccia di passati gloriosi, ma ero io quella che si affezionava a tutto. Loro erano molto più forti di quello che pensassi.

Ettore e Timoteo si ritirarono in casa con una scatola di scarpe piena di contanti.

«Sicura che vuoi rimanere fuori?» mi chiese Serena.

«Sì.»

«Quello che hai fatto... è bellissimo» mi disse, e rientrò in casa trascinandosi un sacco della spazzatura.

Ero circondata da mobili, piume e vestiti. Facevo una guardia ostinata al mio fortino, svogliata con chiunque si avvicinasse. Quando i clienti diminuirono e il mercatino fu ufficialmente concluso, cominciai a piegare e metter via i vestiti con la stessa meticolosità impiegata per allestire il banchetto. Sistemai ogni cosa nei miei grandi bauli con cardini di Louis Vuitton. C'erano incollate ancora le vecchie etichette di passeggeri che avevano viaggiato in nave. Andai alla Thunderbird parcheggiata in fondo al vialetto con la scritta arancione IN VENDITA. Ora che avevo preso la patente avevo il permesso di guidarla finché non avessero trovato un compratore. Stipai il portabagagli con tutti i vestiti che potevo e il resto. Dalla strada guardai la finestra del soggiorno: i miei genitori contavano l'incasso. Mio fratello gli saltellava attorno, la mano aperta, chiedendo la sua parte dei profitti. Scivolai al posto di guida, ustionandomi le cosce contro la pelle nera. Infilai la chiave e misi in moto. Il macchinone turchese avanzò lungo Sunny Slope Drive con le sue ali di dinosauro stanco sul retro. Navigai su quella bestia affaticata fino in fondo alla strada e salii sulla rampa della freeway. Senza pensare. Notai una cartolina sul tappetino del passeggero davanti. L'avevo spedita io dalla Sicilia l'estate passata. All'edicola dell'isola vendevano solo due cartoline. Una era una foto di un asino che saliva le scale di pietra, l'altra una veduta aerea del luogo. Sulla cartolina, l'isola a forma di cono rovesciato era ritagliata e sistemata su uno sfondo blu satinato che simboleggiava il mare. Avevo scelto quella per ricordare ai miei genitori quanto eravamo lontani da loro, su un'isola nel mezzo di un finto oceano blu. La voltai e lessi:

Cari mamma e papà, qui ci sono molti animali. Antonio e Alma sono molto gentili e hanno una nuova barca. L'hanno chiamata Samantha Fox IV. *Ci mancate. Eugenia*

Sapevo che razza di estate li aspettava. Sapevo con quanta gioia avrebbero portato *Samantha Fox* fino allo Scoglio Galera per poi lanciarsi dagli scogli. Mio fratello sarebbe stato con loro con il suo tridente arrugginito. Mentre la macchina andava, mi sentii aspirata via dal sale e dal mare, dai ricci, i capperi e le persone roccia. L'isola mi avrebbe aspettata, prima o poi, uguale a come l'avevo lasciata: immobile e preistorica, con i suoi uccelli incazzati e le capre selvatiche. I bambini, cresciuti, avrebbero fatto le stesse battute. Sarei stata per sempre una star del cinema per essere comparsa in una pubblicità di carne in scatola ormai fuori moda. Santino avrebbe avuto un'altra fattoria, con altri animali, dopo aver seppellito i vecchi sotto le rocce porose. I ricci crespi di Rosalia sarebbero ricresciuti. Pietre vulcaniche sommerse da secoli sarebbero ancora state a mollo, immutate.

L'Italia ora mi pareva una di quelle rocce impassibili: una penisola senza età che emergeva dalle acque ferme. E sapevo che non volevo ancora tornarci. Non avevo vissuto tutte le cose prima del terremoto per far finta che non fossero accadute. Non potevo seguire i miei genitori su altri set cinematografici, nei loro nuovi inizi.

C'era gente che ci rivoleva a Roma, avevano detto i miei, ma io non li conoscevo. Non ci avevo mai parlato né avevo mai visto i loro volti. Qui c'erano un'università e una professoressa e un amico e un negozio, cose che conoscevo. Forse non così speciali, ma a me bastavano.

La capote era abbassata e le mie sottane di pizzo sventolavano nell'aria. Affrontai la corsia che saliva a Hollywood. Sarei arrivata al negozio di Henry, sarei scesa e avremmo scaricato il portabagagli insieme. Da dove ero la città sembrò improvvisamente credibile. Era proprio una città, non un agglomerato di edifici bassi. Schiacciai l'acceleratore e continuai la salita, lasciandomi dietro le nuvole basse e inquinate del pomeriggio, l'ultima striscia di terra della Valley.

Le cime degli alberi all'orizzonte ondeggiavano nel cielo tropicale, mentre una luce ambrata penetrava tra le foglie. Ci fu silenzio e poi un alito caldo e costante contro la schiena: un vento forte e secco che soffiava dal deserto spingendomi verso la città e il suo oceano. Mi toccava, muovendosi in tante direzioni contemporaneamente, sfiorandomi le tempie. Avevo già sentito quella brezza, avevo visto quella luce e sapevo cos'era: il luminoso invisibile. Questa volta feci come aveva detto Max. Non cercai di afferrarlo. Non mi concentrai né provai a capirlo. Lo lasciai splendere.

Ringraziamenti

Grazie a tutte le persone che hanno contribuito a questo libro con le loro letture attente e generose e con il loro editing: Claudia Ballard, Raffaella De Angelis, Gerry Howard, Lauren Mechling, Robin Desser, Jhumpa Lahiri, Frederic Tuten, Iris Smyles, Catherine Lacey, Diane Williams, Tijana Mamula, Ines Mattalia, Derek White, Stefania Aphel Barzini, Ginevra Elkann, Luisa Brancaccio, Fabrizio Mosca.

Alla squadra italiana, paziente e appassionata: Francesca Infascelli, Stefano Magagnoli, Marta Treves, Carlo Carabba, Paola Mazzucchelli, Fabiola Riboni, Cristiana Moroni.

Alle persone che mi hanno sostenuta aprendomi le porte delle loro case e offrendo la quiete necessaria per poter scrivere: Giovanna Nodari, Micah Perta, Peter Benson Miller, The American Academy in Rome, Associazione Culturale SabinARTi, Lorenzo Castore, Eugenia Lecca, Maria Clara Ghia, Emanuele de Raymondi.

Un ringraziamento speciale a Luca Infascelli che mi è venuto in soccorso nei momenti di emergenza e che ha passato notti insonni per regalare l'equilibrio e l'armonia di cui questa storia aveva bisogno.

A Francesca Marciano, musa ispiratrice, per avermi indicato la strada da intraprendere quando questo libro era ancora solo un'idea.

A Kate Schatz e Taiye Selasi che mi sono corse incontro nei momenti più cruciali.

E a tutti gli amici che mi hanno sostenuta e sopportata negli ultimi anni.

Mondadori Libri S.p.A.

Questo volume è stato stampato
presso ELCOGRAF S.p.A.
Stabilimento - Cles (TN)

Stampato in Italia - Printed in Italy